TERAPIA DE FAMÍLIA COM ADOLESCENTES

CIP-BRASIL. CATALOGAÇÃO NA PUBLICAÇÃO
SINDICATO NACIONAL DOS EDITORES DE LIVROS, RJ

T293
    Terapia de família com adolescentes / organizadoras Gisela Castanho, Maria Luiza Dias. - 2. ed. - São Paulo : Ágora, 2019.
    288 p. : il.

    Inclui bibliografia
    ISBN 978-85-7183-224-4

    1. Psicoterapia familiar. 2. Psicologia do adolescente. I. Castanho, Gisela. II. Dias, Maria Luiza.

19-56630   CDD: 155.4
                                                              CDU: 159.922.8

Vanessa Mafra Xavier Salgado - Bibliotecária - CRB-7/6644

Compre em lugar de fotocopiar.
Cada real que você dá por um livro recompensa seus autores
e os convida a produzir mais sobre o tema;
incentiva seus editores a encomendar, traduzir e publicar
outras obras sobre o assunto;
e paga aos livreiros por estocar e levar até você livros
para a sua informação e o seu entretenimento.
Cada real que você dá pela fotocópia não autorizada de um livro
financia o crime
e ajuda a matar a produção intelectual de seu país.

TERAPIA DE FAMÍLIA COM ADOLESCENTES

Gisela Castanho
Maria Luiza Dias
(orgs.)

Editora
ÁGORA

TERAPIA DE FAMÍLIA COM ADOLESCENTES
Copyright © 2014, 2019 by autores
Direitos desta edição reservados por Summus Editorial

Editora executiva: **Soraia Bini Cury**
Assistente editorial: **Michelle Campos**
Capa: **Buono Disegno**
Projeto gráfico: **Acqua Estúdio Gráfico**
Diagramação: **Santana**

Editora Ágora
Departamento editorial
Rua Itapicuru, 613 – 7º andar
05006-000 – São Paulo – SP
Fone: (11) 3872-3322
Fax: (11) 3872-7476
http://www.editoraagora.com.br
e-mail: agora@editoraagora.com.br

Atendimento ao consumidor
Summus Editorial
Fone: (11) 3865-9890

Vendas por atacado
Fone: (11) 3873-8638
Fax: (11) 3872-7476
e-mail: vendas@summus.com.br

Impresso no Brasil

SUMÁRIO

Apresentação 7

PARTE I – REFLEXÕES TERAPÊUTICAS 9

1 Terapia de família com filhos adolescentes e pais na meia-idade 11
   Gisela Castanho

2 Psicoterapia de famílias com adolescentes: visão da psicologia analítica 34
   Nairo de Souza Vargas

3 Famílias com filhos adolescentes: inquietações terapêuticas 44
   Maria Amalia Faller Vitale

4 Autonomia *versus* pertencimento: uma interrogação 53
   Sandra Fedullo Colombo

5 Psicodrama, família, adolescência e autoridade 73
   Dalmiro Manuel Bustos

6 As sete fases da vida e a crise da adolescência: estudo da
   psicologia simbólica junguiana 83
   Carlos Amadeu Botelho Byington

7 Terapia de famílias com filhos adolescentes: abordagem sistêmica 101
   Rosa Maria Stefanini de Macedo, Claudia Bruscagin e Marianne Ramos Feijó

**PARTE II – RELAÇÕES FAMILIARES, CONJUGALIDADE
E PARENTALIDADE** 123

8 Em primeira pessoa do singular: ouvir adolescentes 125
   Helena Maffei Cruz

9 Violência entre irmãos na adolescência: abuso físico, moral e sexual 139
   Gisela Castanho

10 Perdas e ganhos 166
    Suzanna Amarante Levy

11 Incestualidade materna e conflito adolescente 176
    Sonia Thorstensen

12 Transmissão, herança e sucessão: identidade do adolescente
    e escolha profissional 183
    Maria Luiza Dias

13 Famílias monoparentais: ponto de vista psicanalítico 195
    Lisette Weissmann

14 Adolescência: recontrato da adoção 204
    Rosana Galina

15 Desenvolvimento e conflito na família com filhos adolescentes:
    abordagem simbólico-arquetípica 213
    Vanda Lucia Di Yorio Benedito

16 Filhos adolescentes e conflitos conjugais 230
    Maria Regina Castanho França

PARTE III – ADOLESCÊNCIA E CONTEMPORANEIDADE 247

17 Tempo, memória, adolescente e família 249
    Ruth Blay Levisky

18 Adolescer em um mundo instantâneo: reflexão sobre os vínculos
    familiares na era tecnológica 261
    Maria Luiza Dias

19 O contexto da adolescência no mundo atual 273
    Maria Rita D'Angelo Seixas

APRESENTAÇÃO

Este livro nasceu de um antigo desejo de escrever sobre famílias com filhos na adolescência – momento único e inesquecível no ciclo de vida familiar. O projeto está ancorado, principalmente, em nossa vivência como adolescentes, cujos horizontes se expandiam à medida que amadureciam as nossas habilidades sociais. Mais tarde, já como terapeutas de adolescentes, percebemos que estudar a família nos daria uma visão mais ampla de como lidar com os conflitos que o jovem trazia à sessão. Como supervisoras de jovens terapeutas, muitas vezes vimos o profissional ter receio da entrevista com pais de pacientes, por falta de preparo para lidar com forças que ele desconhecia e que escapavam de seu controle.

Ao sentirmos a importância da participação do sistema familiar na vida do adolescente que aceitava ajuda terapêutica e percebermos que, muitas vezes, era o vínculo com os pais que garantia a continuidade da terapia do filho, buscamos a teoria necessária para lidar com situações difíceis que surgiam em nossa prática – na clínica particular ou na instituição.

Somos otimistas em relação à experiência da passagem da família por essa etapa, pois a vemos como uma oportunidade de renovação das relações entre seus membros. Acreditamos que o processo de individuação adolescente tende a reformular até os sistemas familiares mais rígidos e que as intervenções feitas em uma terapia de família nessa etapa da vida podem proporcionar padrões de conduta mais construtivos.

A adolescência no mundo atual passa como um raio, mas um livro é eterno. Assim, pensando em dialogar com os terapeutas de família desta geração e das futuras, preparamos esta obra. Esperamos que ela promova uma reflexão sobre muitos temas contemporâneos, pelos quais são impactados o adolescente e sua família em um mundo aceleradamente construído.

Compartilhamos de Frota (2007) a ideia de que "a adolescência deve ser pensada além da idade cronológica, da puberdade e das transformações físicas que ela acarreta, dos ritos de passagem ou de elementos determinados aprioristicamente ou de modo natural"; ou seja, deve ser pensada como "uma categoria que se constrói, se exercita e se reconstrói dentro de uma história e tempo específicos" (*ibidem*). Nessa perspectiva, são possíveis múltiplas compreensões da adolescência. Também concordamos com a autora quando ela aponta que "os saberes são construídos de modo tímido, sabendo-se incompletos, precários e parciais" (*ibidem*), e estamos longe de propor que este livro esgote as questões relacionadas com família e adolescência, tal como as construímos na pós-modernidade, em seus múltiplos significados. Além disso, desejamos que, de fato, ele extrapole a noção de senso comum, indicada por Frota, de que a família vê a adolescência como "aborrescência, rebeldia e atrevimento" (*ibidem*), pelo fato de o adolescente constituir-se um indivíduo "chato, difícil de lidar e que está sempre criando confusão e vivendo crises" (*ibidem*). Desse modo, buscamos levar o leitor para além da visão recorrente de que a adolescência é uma fase difícil para o adolescente e para quem convive com ele; ou da visão de que a adolescência é um "não lugar", marcado por desenvolvimento descontínuo. Como apontam Silva e Soares (2001), "em um dado momento da vida o jovem passa por uma fase em que praticamente 'não é'. Assim, ele não é tão novo para ter atitudes de criança, nem tão velho para ter atitudes de adulto". Acreditamos que o adolescente tem um lugar, mesmo que este esteja em turbulência.

Esta obra é um convite à reflexão sobre o papel do terapeuta diante das famílias com adolescentes, estimulada por diferentes profissionais que abordam temas da atualidade. Está dividida em três partes: a primeira traz capítulos que tratam de família e adolescência do ponto de vista teórico de uma abordagem específica. A segunda focaliza as relações familiares em sua interface com a conjugalidade e a parentalidade, abordando temas específicos como o envolvimento da família com experiências de abuso físico, moral e sexual, a incestualidade e a adoção, além de assuntos como a escuta, perdas, ganhos e transmissão psíquica. A terceira apresenta temas relativos à família e à adolescência na contemporaneidade.

Em alguns textos há uma visão da terapia de família com adolescentes em abordagens teóricas amplas; em outros, aspectos específicos são contemplados. Os colaboradores são pensadores sagazes da área de terapia de família e aqui contribuem com teorias valiosas e relatos tocantes sobre o manejo técnico, ilustrando como fazer terapia de família com filhos adolescentes nos mais diversos sistemas terapêuticos. Desse modo, ofertamos ao leitor a oportunidade de mergulhar nos variados olhares e construir significações próprias em torno da reflexão sobre a família com adolescentes em um mundo que "se mexe" o tempo todo. Que a leitura deste livro represente um fecundo e criativo percurso!

Gisela Castanho e Maria Luiza Dias

Referências

FROTA, A. M. M. C. "Diferentes concepções da infância e adolescência: a importância da historicidade para sua construção". *Estudos e Pesquisas em Psicologia*, v. 7, n. 1, 2007. Disponível em: <http://pepsic.bvsalud.org/scielo.php?script=sci_arttext&pid=S1808-42812007000100013&lng=pt&nrm=iso&tlng=pt>. Acesso em: 22 out. 2018.

SILVA, A. L. P.; SOARES, D. H. P. "A orientação profissional como rito preliminar de passagem: sua importância clínica". *Psicologia em Estudo*, v. 6, n. 2, Maringá, 2001. Disponível em: <http://www.scielo.br/pdf/pe/v6n2/v6n2a16>. Acesso em: 22 out. 2018.

PARTE I REFLEXÕES TERAPÊUTICAS

1 TERAPIA DE FAMÍLIA COM FILHOS ADOLESCENTES E PAIS NA MEIA-IDADE

Gisela Castanho

Introdução

Adolescência e meia-idade são termos associados a crises na família. No entanto, pouco se escreve sobre esse sistema familiar, que inclui dois tipos diferentes de transformação: enquanto as da adolescência são rápidas e intensas, as da meia-idade estão associadas a questionamentos existenciais, ao excesso de trabalho e à preparação para a terceira idade. A ideia de escrever este capítulo veio da carência de produção científica brasileira sobre esse tema.

Por ser um fenômeno do desenvolvimento psicológico, social e cultural, a adolescência só é encontrada na espécie humana. Inicia-se com a puberdade, processo biológico que marca o final da infância. As diversas mudanças corporais que ocorrem a partir da puberdade abalam o jovem e sua família, que passa a conviver com um indivíduo que enfrenta adaptações na coordenação motora e aumento na força física, assim como adquire novas habilidades mentais. Emocionalmente, o adolescente amadurece – e, com isso, a família toda se transforma.

A maior parte das famílias com filhos adolescentes tem pais na meia-idade – aqui definida como a faixa entre 40 e 65 anos. A terapia do sistema familiar inclui o confronto entre as turbulentas transformações adolescentes e a aparente estabilidade da faixa etária parental. O adolescente cheio de esperanças tem a vida pela frente e luta para conquistar novos espaços de autonomia e responsabilidades, enquanto os pais deparam com urgências ligadas à realização profissional, com as exigências do tempo e com as dificuldades de negar o enfrentamento da velhice que se aproxima – junto com a inevitabilidade da morte. Com frequência, vemos pais e filhos convivendo com avós idosos que sofrem de doenças crônicas, o que sobrecarrega emocionalmente o sistema familiar.

Neste capítulo, pretendo revisar alguns conceitos ligados à adolescência, mostrar essa fase como um momento de júbilo pessoal e familiar pelas transformações e novas conquistas do jovem e discutir a família que inclui pais na meia-idade com filhos na ebulição da juventude. Trago também algumas contribuições ao manejo da terapia de família realizada nesse momento do ciclo de vida familiar, desenvolvidas ao longo de minha prática clínica.

Adolescência

Início da adolescência

A Organização Mundial da Saúde (OMS) considera adolescente o indivíduo entre 10 e 20 anos de idade; porém, mesmo os que adotam tal definição reconhecem que esses limites são imprecisos (Saito, 2001).

A adolescência começa com a puberdade. Em torno dos 12 anos para os meninos e dos 10 aos 11 para as meninas, o sistema nervoso central (SNC) inicia o estímulo da atividade hormonal que desencadeia a puberdade. Disso resultam o aumento na produção dos hormônios sexuais, o desenvolvimento dos caracteres sexuais secundários[1] e o amadurecimento de óvulos e espermatozoides (Castanho, 1988).

A chegada da puberdade está programada geneticamente, ou seja, é característica da espécie *Homo sapiens*, e não sofre influência da vontade da pessoa ou do meio sociocultural em que ela está inserida. Castanho (1988, p. 15) define a puberdade como

> um processo essencialmente hormonal, de maturação e crescimento, quando ocorrem as mudanças biológicas mais acentuadas do ciclo de vida humana. Já a adolescência é o processo psicológico e social que se inicia a partir da puberdade. [...] Sendo um processo biológico, a puberdade é universal e todo ser humano a atravessa de modo semelhante. Já a adolescência, por ser um fenômeno psicológico, depende de critérios sociais e culturais para ser definida. Sua duração varia de cultura para cultura. Cada povo tem sua maneira de ser adolescente.

No Ocidente, um traço típico da adolescência de classe média é seu "*status* de hiato" (Grupo para o Adiantamento da Psiquiatria, 1974): os jovens já não são considerados crianças e, apesar disso, não se espera deles que assumam posição no mundo adulto. Assim, eles têm alguns privilégios de adultos (dirigir aos 18 anos, por exemplo), mas

---

1 Caracteres sexuais primários são aqueles que nascem com o indivíduo. Caracteres sexuais secundários são os que aparecem na puberdade: pelos, seios, menstruação, aumento do tamanho do pênis, mudança na forma do corpo e na força física, entre outros.

ninguém espera que tenham plenas responsabilidades nessa fase (como sustentar uma família). O *status* de hiato envolve aspectos frustrantes para os jovens mais amadurecidos, mas apresenta tentadoras satisfações para os mais acomodados, que prolongam sua adolescência. Alguns pais na meia-idade se exasperam com filhos acomodados, enquanto outros se satisfazem por perceber que ainda serão necessários por muito tempo, confundindo dependência com afeto.

Erik Erikson (*apud* Calligaris, 2000) foi o primeiro psicólogo a usar o termo "moratória" para falar do *status* de hiato da adolescência, quando escreveu *Identidade, juventude e crise*, em 1968. Segundo Calligaris, Erikson destacou que a problemática adolescente se tornava muito difícil de administrar, já que uma crise semelhante ameaçava afligir os adultos modernos quando a juventude se tornou mais valorizada socialmente. De acordo com Erikson, percebe-se, desde a segunda metade do século 20 – mais precisamente após a Segunda Guerra Mundial –, uma nostalgia dos adultos com relação à adolescência. De fato, a literatura e o cinema nos contam que tipo de adolescente os adultos gostariam de voltar a ser, de ter sido ou de continuar sendo.

Atualmente, nota-se que a adolescência é socialmente glorificada. Crianças e adultos querem ser jovens. A juventude foi alçada a um valor máximo, prestigiado e buscado por todos. A velhice e a sabedoria dela decorrente não são mais valorizadas na cultura ocidental, sendo substituídas pela beleza e pelo frescor da mocidade. Nesse contexto, pais sentem pesar por estarem na meia-idade e perderem a aparência jovial em uma sociedade que cultua a juventude.

A idade mais valorizada socialmente é o final da adolescência, quando se tem o máximo de liberdade com o mínimo de responsabilidades. A idealização envolve os 18 anos, quando se diz que as pessoas têm a vida pela frente e todas as potencialidades a ser desenvolvidas, podendo fazer o que quiserem. No entanto, não é fácil ter essa idade, pois tudo está por ser conquistado; a tarefa é grandiosa e há muita angústia e ansiedade com relação ao porvir.

Aqui questiono: diante de tanta valorização da juventude, por que os jovens hão de querer amadurecer e se tornar adultos se muitos adultos fazem o possível para parecer jovens, vestindo-se e comportando-se como adolescentes? Isso é típico em alguns adultos após separações conjugais, quando os recém-descasados, com alguma frequência, passam por uma fase de buscar a todo custo retomar a vida a partir de uma fase anterior ao início do casamento, como se fosse possível voltar no tempo para reescrever a própria história.

Segundo Calligaris (2000), a infância dura 12 anos; nesse período, a criança aprende todos os usos e costumes da sociedade em que vive: da linguagem ao entendimento de valores mais complexos. Ela aprende que, como adulto, é importante se sobressair e adquirir destaque na comunidade, e que quem consegue isso é aparentemente muito mais feliz que os outros. Entretanto, quando a criança cresce e adquire toda a sabedoria a respeito de como a sociedade funciona, por mais que ache que esteja pronta para exercer algumas funções de destaque, precisará esperar ao menos dez anos de adolescência para se sobressair, durante os quais ficará em uma moratória, para realmente passar a competir e ter ganhos reais.

Fim da adolescência

Enquanto o início da adolescência apresenta um marco biológico, que é a puberdade, seu final obedece apenas a critérios culturais. Um jovem pode estar fisiologicamente maduro para a reprodução (função de adulto) aos 14 anos, mas emocionalmente despreparado para desempenhar os papéis parentais que a sociedade lhe atribuirá caso venha a gerar um filho.

As sociedades estabelecem critérios próprios para definir o que é o estado adulto, o qual é determinado principalmente em termos de tradição social, mais do que de maturidade biológica.

Existem dois tipos de critério empregados no reconhecimento do estado adulto: o de *status* – por exemplo, a idade a partir da qual se tem o direito de votar ou de abrir uma empresa – e o de *função* – por exemplo, ganhar a própria vida ou cuidar da própria saúde.

Os *critérios de status* são arbitrários e revelam divergências. Por exemplo, no Brasil, aos 18 anos de idade, a pessoa pode tirar carteira de habilitação, abrir uma empresa ou ir à guerra em defesa da pátria, mas não pode alugar um carro – é preciso ter mais de 21 anos para isso. Em alguns países, a idade para adquirir a carteira de habilitação é de 16 anos. Critérios de *status* dependem, sobretudo, do alcance de metas tradicionalmente definidas – por exemplo, atingir certa idade.

Já os *critérios de função* relacionam-se com os papéis de responsabilidade social que a pessoa assume e que envolvem, sobretudo:
- Indivíduo – poder manter-se, sustentar-se e cuidar-se adequadamente.
- Cônjuge – encontrar um parceiro, casar-se, manter uma relação afetiva estável.
- Prole – ter filhos, arcar com o cuidado físico e emocional deles.
- Sociedade – ter um papel profissional exercido na sociedade, ser produtivo.

O indivíduo não precisa assumir todos esses papéis para ser considerado adulto no exercício de suas funções. Em nossa cultura, por exemplo, um sacerdote ou uma mãe solteira são considerados adultos, embora não cumpram todas as quatro responsabilidades citadas anteriormente (Grupo para o Adiantamento da Psiquiatria, 1974).

Na civilização ocidental, a definição social de adulto no exercício de suas funções é alcançada quando o sujeito assume, pela primeira vez, a plena responsabilidade por si mesmo – quando o jovem é capaz de garantir todos os seus ganhos afetivos, sociais e financeiros. Isso, em geral, segue-se à obtenção de um equilíbrio mental e emocional relativamente estável, característico do término psicológico da adolescência (Castanho, 1988).

É importante ressaltar que, para o campo da psicologia e das terapias, os critérios de função para caracterizar o final da adolescência são mais úteis e relevantes, na medida em que se trabalha com papéis sociais e não com meras convenções. Por exemplo, podemos avaliar como o jovem adulto está lidando com seu filho: de maneira cuidadosa e responsável ou infantil e negligente? Como os parceiros estão lidando com o casamento: serão capazes de cuidar também do vínculo amoroso, além de cuidar de si próprios? O final da adolescência, portanto, é caracterizado pela maneira responsável e autônoma como o indivíduo conduz sua vida, suas trocas afetivas e sua profissão.

Zylberstajn (2011) pesquisa do ponto de vista neurológico e afirma:

> Do ponto de vista biológico, acreditava-se que o cérebro estava maduro aos 16 anos, mas um estudo longitudinal no Instituto Nacional de Saúde Mental (NIMH), dos EUA, que acompanhou o desenvolvimento cerebral de aproximadamente 5 mil crianças, concluiu que o cérebro humano só está maduro e pode ser considerado um cérebro adulto aos 25 anos. As mudanças mais significativas ocorrem no córtex pré-frontal e no cerebelo, regiões envolvidas na regulação das emoções e no funcionamento cognitivo. [...] Mas talvez a mudança mais significativa, pelo menos do ponto de vista da psicoterapia com estas pessoas, é que esta é a idade em que a poda sináptica ocorre com maior intensidade. Poda sináptica é um fenômeno neurológico que se inicia na adolescência e tem seu ápice aos 20 e poucos anos. Consiste em esculpir o cérebro, podando caminhos neuronais menos usados, geralmente criados na infância, deixando aquelas vias mais usadas, que são as associações mais complexas.

Uma pergunta que ouço sempre: antigamente a adolescência era diferente da de hoje? O processo pubertário, por ser hormonal, é semelhante, mas como a adolescência é um processo essencialmente psicossocial e cultural, sim, é diferente hoje. É mais longa e tem exigências diferentes das de 50 anos atrás, porque claramente a sociedade se tornou muito diferente e mais complexa nos últimos 50 anos. Por exemplo, hoje há muitos adolescentes com estresse por excesso de exigências ligadas a estudo, apresentando sintomas físicos, irritabilidade e desânimo.

Luto ou júbilo?

Quando se pesquisa a psicologia de adolescentes, encontram-se inúmeras citações dos livros de Arminda Aberastury, cujos conceitos dominaram o estudo sobre o tema. As ideias sobre o luto na adolescência contidas na obra *Adolescência normal* (1981), escrita em coautoria com Maurício Knobel, foram gestadas na década de 1960, apresentadas no Simpósio da Associação Psicanalítica Argentina em Buenos Aires, em 1964, e publicadas em 1966. Elas refletem a visão particular desse grupo de estudiosos, que entendia a adolescência como uma época de lutos pela infância perdida. Aberastury descreve o luto que a criança vive ao adentrar a adolescência em relação à perda do corpo infantil, à perda dos pais da infância, à perda da sexualidade e da identidade infantil. Das inúmeras contribuições que Aberastury trouxe para o estudo da adolescência, a abordagem dos lutos foi a mais consagrada entre os estudiosos.

No entanto, na visão de Rodolfo Urribarri (2003), psicanalista uruguaio que aborda o tema, o luto não ocorre, pois a transição da infância para a adolescência pela qual o jovem passa é desejada. Para o autor, não há ênfase no luto porque essa é uma conquista almejada e não haveria então sentimento de perda pelo corpo ou pela identidade que se transforma, mas sim um júbilo pelas transformações ansiadas. Tal visão otimista e entusiasmada da adolescência me parece mais verdadeira do que a ênfase nas perdas e no luto.

Em seu texto, Urribarri questiona o que se lamenta perder do passado e como se produz a passagem do infantil ao juvenil, e faz uma interessante abordagem, que tentarei resumir. O autor menciona que Anna Freud (1976) estudou a semelhança emocional e comportamental da adolescência com as pessoas em luto ou que sofreram uma decepção amorosa: a libido dos indivíduos está totalmente comprometida com um objeto de amor do presente ou do passado; a dor mental é o resultado da difícil tarefa de tirar a energia desse vínculo e renunciar a uma posição que já não oferece retorno do amor ou nenhuma gratificação. Ele acrescenta:

> Também o adolescente está empenhado em uma luta emocional de extrema urgência e imediatez. Sua libido está a ponto de desligar-se dos pais para se ligar a novos objetos. São inevitáveis o luto pelos objetos do passado e os amores afortunados e desafortunados.

Cita, entre outros autores, Peter Blos (1971, p. 104): "Pode-se descrever essa fase em termos de dois amplos estados afetivos: luto e enamoramento". A separação dos pais edípicos, dos quais vinha toda a gratificação, é um processo doloroso, que só pode ser alcançado gradualmente.

Anna Freud (*apud* Aberastury, 1983) diz que é muito difícil assinalar o limite entre o normal e o patológico na adolescência e considera, na realidade, normal toda comoção desse período da vida, apontando que também seria anormal a existência de um equilíbrio estável durante o processo adolescente.

Além disso, os vínculos afetivos que o adolescente tem com os pais devem ter se modificado. Essa é a causa de suas reações de pesar, que não têm paralelo na infância: "O que faz dessa tarefa emocional ainda mais difícil é o fato que implica, ainda, um definitivo e final abandono da dependência prática e emocional de seus pais" (Urribarri, 2003, p. 49).

A discussão se enriquece com Blos (*apud* Urribarri, 2003), que reitera a relação entre o afeto e o desligamento dos pais, enfatizando que o trabalho de luto se desenvolve em paralelo com o júbilo de sentir-se independente do progenitor interiorizado. Assinala ainda os estados transitórios de exaltação, egolatria e ensimesmamento, produtos da transitória inundação libidinal do *self* para sua reconexão com novos objetos.

Urribarri escreve que pode haver certa tristeza pelo afastamento da infância, mas há principalmente júbilo pela paulatina concretização de sua esperança de ser adulto, em que a ênfase está mais no que se conquista e se desenvolve do que no que se perde. Quanto ao luto pelo corpo infantil, o autor pergunta por que para o adolescente seu corpo em transformação é significado necessariamente como perda: "Por acaso não observamos que, em geral, o crescimento e a maturação puberal são ansiosamente desejados e jubilosamente recebidos?"

Observo também na prática clínica que, em relação à perda da identidade infantil,

> o que caracteriza o sentimento de identidade do sujeito é continuar sendo o mesmo ainda que na mudança. Como é que se perde uma identidade e se "caminha" até a aquisição de outra? Se assim for, todos os adolescentes atravessariam um longo período psicótico já que perderam sua noção de identidade, e é claro que não é o que habitualmente observamos. (Urribarri, 2003, p. 52)

Podemos dizer que o infantil se modifica, fica mais complexo e, com o desenvolvimento de novos papéis, se organiza de forma nova; em outras palavras, produz-se uma transmutação, que de alguma maneira inclui o anterior. A mudança para o novo se baseia no passado infantil e o inclui e modifica; portanto, o passado não se perde e, consequentemente, não é motivo de luto.

Com o objetivo de conquistar uma identidade própria, o jovem vai contestar o mundo adulto e suas regras, baseado em um sentimento de autossuficiência e grandiosidade. Se, por um lado, essa contestação provoca uma situação de conflito, por outro resulta em uma renovação cultural indispensável à família e à sociedade (Levy, 2001).

Ainda de acordo com Urribarri (2003), quem se centra no luto, metaforicamente, viaja em um barco (o desenvolvimento), mas olhando do convés de popa, vendo só a terra que se deixa, afastando-se dolorosamente do conhecido, sabendo que não retornará, enquanto não percebe que, se for para a proa, verá como singram as águas avançando para novos horizontes e que poderá alcançar objetivos mais interessantes. O desenvolvimento abrange as duas coisas de uma vez, tanto a relativa dor pelo que se deixa como a alegria do que se espera, do que se conquista. O autor diz também:

> Outro processo de luto, próprio da adolescência, seja a renúncia à imagem ideal forjada na infância sobre como seria quando jovem ou adulto. Isso é particularmente importante no que se refere ao corpo, já que o mesmo muda basicamente de acordo com determinantes genéticos e não de acordo com o próprio desejo (ou o dos pais). Essa discordância entre o desejado e o que aparece cria, às vezes, um intenso conflito, e sua resolução implica um penoso luto pela perda de um ideal de perfeição física, que a realidade contraria e que nunca se alcançará. (Urribarri, 2003, p. 59)

Como exemplo, vemos a frustração de jovens que jogavam basquete na infância, mas não cresceram o bastante para ser jogadores na adolescência e na idade adulta. Urribarri (idem) ainda afirma:

> Pode-se observar esse luto a respeito de alguma capacidade ou habilidade imaginada que iria ser alcançada pelo desenvolvimento, quando a realidade mostra o adolescente inoperante nessa área ou carente desses dons que seriam utilizados. Só mediante uma lenta resignação imposta pela realidade que possibilita a renúncia com tristeza por aquilo que nunca será, como desenlace do luto, é que ele poderá descobrir, catexizar e, consequentemente, promover e enaltecer aquelas capacidades e/ou habilidades que efetivamente tem. Homologamente no caso do físico, poderá investir em seu corpo real e realçar seus aspectos mais destacados ou que se acerquem do seu ideal.

Percebemos que ninguém tem todas as qualidades que deseja, mas todos têm alguns pontos fortes. Estes precisam ser ressaltados para o adolescente e a família para que eles os incorporem e valorizem. Isso ajudará o jovem a superar a tristeza por não ter alcançado o corpo ideal ou as habilidades que desejava ter.

Aqui cabe falar do luto dos pais. Esses podem sentir que perdem a criança dócil que tudo acatava e passam a ter um filho que questiona as regras e propõe novas ideias para o que estava estabelecido. Os pais fazem, sim, o luto pelo filho idealizado na infância, mas também se surpreendem prazerosamente pelas qualidades que ele apresenta no decorrer do desenvolvimento.

Observo que uma grande dose de tranquilidade também faz parte da adolescência de muitos indivíduos. Grande parte dos adolescentes é tranquila, silenciosa e de poucas crises, mesmo com o desafio das conquistas e com o confronto necessário com os pais. No que diz respeito aos pais, é preciso, acima de tudo, que o jovem transmita a mensagem de que consegue lidar com esse turbilhão – paixão, estudos, amigos – para que eles confiem nele e o deixem gerenciar a própria vida.

Jeammet e Corcos (2005) afirmam que a maioria dos adolescentes atravessa esse período da vida sem crise manifesta e que essa etapa é uma exigência de trabalho psíquico inerente ao desenvolvimento, em que o jovem deixa suas certezas de criança e ainda não encontrou a segurança do adulto.

Muito se fala sobre os "aborrescentes" que chateiam os pais com questionamentos impertinentes, mau humor e crises de angústia, trancados no quarto, com os excessos do videogame e, pior ainda, o perigo das drogas, do álcool e dos acidentes de carro. Testar limites faz parte do processo de se conhecer, e alguns jovens realmente se aproximam perigosamente das armadilhas que a sociedade oferece. Não quero negar o turbilhão emocional que também observamos nessa fase, mas apenas ressaltar que nem sempre adolescência é problema.

Em síntese, a família se preocupa, mas também está em júbilo pelo filho adolescente que cresce, conquista novos espaços, aprende muitas coisas e traz para casa as inovações do mundo tecnológico e social. A família é inundada por novas maneiras de se expressar, de se vestir, novas músicas e novos comportamentos – é a renovação que a alcança, quer ela queira ou não.

Meia-idade

Berman e Napier (2000) definem meia-idade, em termos cronológicos, como a faixa entre 40 e 65 anos, que compreende um amplo período da experiência humana e se caracteriza por intensas mudanças. Contextualmente, é descrita como a fase da vida em que há filhos crescidos e pais idosos (Papalia e Olds, 2000). A meia-idade é conhecida e vista como um período estressante e repleto de crises de angústia.

Se, na juventude, tudo está para ser conquistado, na meia-idade as maiores conquistas já aconteceram e o adulto sabe que esse é seu período de maior produtividade. A crise vem quando se constata que não se chegou aonde se queria ou que se fez esforço na direção errada; ou quando se percebe que o casamento de 20 anos de duração não mais satisfaz; ou que se construiu uma carreira que não traz a realização ou o ganho financeiro, como se imaginava que aconteceria.

A meia-idade é, sem dúvida, um momento de desafios. Durante esses anos, começam a se evidenciar os problemas do envelhecimento do corpo e as pessoas têm crescente dificuldade de negar a inevitabilidade da morte. Em geral, elas enfrentam o afastamento dos seus filhos adolescentes e também deparam com as necessidades dos próprios pais, que estão envelhecendo, vendo reduzir suas capacidades e tornando-se mais dependentes. Avôs e avós antes autônomos e colaboradores podem começar a perder a capacidade de gerenciar o próprio dinheiro de maneira responsável ou de cuidar da própria casa, passando a exasperar os filhos adultos, que contavam até então com os progenitores idosos como fonte de apoio, bom senso e sabedoria.

Erikson (1998) ressalta a capacidade criativa dessa etapa, afirmando que o conflito básico é generatividade *versus* estagnação. Os adultos estão focados na geração de novos seres, novos produtos e ideias, incluindo a autogeração relativa ao próprio desenvolvimento. O grande medo é a estagnação, mesmo para aqueles que são extremamente produtivos. O desenvolvimento atingido agora se volta para cultivar a força na geração seguinte, pois esta é a reserva de vida humana. Ele acrescenta que um adulto precisa estar pronto para se tornar um modelo de muita sabedoria aos olhos da geração seguinte e para agir como um juiz do mal e um transmissor de valores ideais.

Crises de meia-idade podem advir dos mais diversos motivos, até pelo enfado do excesso de estabilidade, sentido como estagnação. Casamentos de longa duração apresentam crises, e relações que estavam sendo sentidas como razoáveis de repente tornam-se intoleráveis. Ambições e anseios reprimidos pelo interesse da unidade familiar podem vir violentamente à tona e tornar-se demandas urgentes. Com frequência, pais solteiros se sentem emocionalmente exaustos e financeiramente estressados nessa fase. Para os adultos que estão atravessando a meia-idade, a perspectiva é de que, se forem conquistar algumas coisas na vida em algum momento, esse momento é o presente, antes que as dificuldades da idade os atinjam (Berman e Napier, 2000). Papalia e Olds (2000) afirmam que a inteligência muda, os processos de pensamento amadurecem e essa é a fase mais criativa da vida, de liderança e de muita produtividade.

Uma mudança fundamental da meia-idade é o declínio da capacidade reprodutiva. Ela afeta muito mais as mulheres, embora também tenha impacto no homem. As mulheres têm queda repentina dos hormônios estrógeno e progesterona, com sintomas às vezes muito desconfortáveis, e há grande impacto psicológico. Os homens sofrem queda pequena e gradual de testosterona e têm sintomas mais indeterminados e discretos. Para eles, a capacidade reprodutiva continua, não havendo experiência comparável à menopausa (Papalia e Olds, 2000).

Por outro lado, apesar de os problemas da meia-idade serem complexos, a pesquisa da MacArthur Foundation Research Network on Successfull Mid-life, conduzida por dez anos com quase 8 mil norte-americanos na meia-idade, mostra uma perspectiva diferente e otimista sobre essa faixa etária. O estudo aponta que o período que vai dos 40 aos 60 anos é considerado bom para as pessoas que o vivem. Os indivíduos se sentem satisfeitos com a vida e, apesar das preocupações com o futuro, relatam ter grandes ganhos pessoais. Vários estudos sobre a meia-idade nos Estados Unidos propõem uma visão positiva desse período (Berman e Napier, 2000). Podemos pensar que, no Brasil, as classes média e alta vivem um bem-estar semelhante à população norte-americana, mas a classe baixa sente que nunca poderá alcançar a segurança descrita, pois vive em condições de muita luta pela sobrevivência.

Os principais problemas do indivíduo na meia-idade, além dos já citados, se referem à procura de um sentido maior na vida e a assuntos ligados ao trabalho, incluindo *burnout*, busca de estabilidade, entrada em uma segunda carreira, ameaça de perda de emprego, envelhecimento e aposentadoria.

Família

Adolescência e família

Conforme os filhos crescem, os adultos também enfrentam acomodação de conduta, lutos e reavaliações, pois o jovem adquire características "estranhas" ao repertório familiar. Ele pode escolher uma carreira considerada inadequada, por exemplo, ou ter amigos que os pais não veem com bons olhos. Em uma família mais rígida, essa conduta pode desencadear um comportamento de excesso de autoridade parental. Os pais se confrontam com a perda do filho idealizado para acomodar a realidade, que se impõe para eles com suas limitações, suas reais conquistas e méritos. Quando os pais aceitam as escolhas dos filhos – embora elas não sejam as escolhas dos seus sonhos –, estes se reaproximam e estreitam seus laços de afeto com a família mais rapidamente.

O adolescente realiza sua individuação dentro de um contínuo, intenso e movimentado relacionamento com os pais, cuja presença é ainda central na sua existência, pois é sua "matriz de identidade" (Moreno, 1975), sua placenta social. Nesse processo, ele começa sua longa jornada no sentido de assumir responsabilidades por si mesmo, que culminará – esperamos – no funcionamento maduro lá pelos 20 e poucos anos. Ele tem de lidar com suas rápidas mudanças corporais enquanto ocorre a maturação física e sexual. A capacidade de se engajar em raciocínio abstrato e moral se desenvolve enquanto a maturidade cerebral progride. Como qualquer mudança rápida, esse crescimento pode ser bem-vindo e desejado, ou não; pode progredir vagarosamente ao longo do tempo ou em repentinos saltos. Embora a adolescência possa ser um período de alta volatilidade e risco para o jovem, é raro que seja continuamente turbulenta; por vezes, mostra-se mais calma e confortável do que se pode acreditar com a leitura de certas pesquisas (Berman e Napier, 2000).

O início da adolescência é muito diferente de seu final. Jovens mais novos podem querer mais autonomia, mas a maioria tem claro que ainda não quer viver por conta própria, tendo consciência de sua imaturidade. Em meados dessa fase, comumente há um desejo interno de depender menos dos pais e mais de si mesmo ou de seus iguais – para suporte emocional e aconselhamento. Nos jovens sem uma boa autoestima ou sem um grupo confortável de amigos, esse impulso por autonomia pode levar a uma intensa solidão e à depressão (Berman e Napier, 2000). Adolescentes mais velhos têm mais segurança em si mesmos, conhecem as regras que regem o ambiente que os cerca e se saem melhor no controle de seus impulsos, bem como na determinação de seus objetivos.

A maturação e o desenvolvimento do papel sexual são temas centrais nessa etapa, tanto para o indivíduo como para a família que acompanha o desenvolvimento afetivo-sexual do menino ou da menina com atenção. Ela já menstruou? Ele já namorou? Já transou com alguém? Está se prevenindo para não engravidar? Está namorando firme? Vai casar? Toda a família ampliada quer saber e investiga com os pais a vida dos jovens. Eles são os responsáveis por trazer mudanças à monotonia familiar com seu *status* estabelecido.

A família atravessa a puberdade de seu jovem com vigilância e cuidado, especialmente no que se refere às meninas. Em algumas delas, o pai se afasta corporalmente por não saber lidar com a sexualidade nascente da filha; em outras, avós e tias acompanham a chegada da menstruação, causando constrangimento na menina, cuja intimidade é devassada. Os jovens mostram também um incremento, notado pela família, no interesse pelos cuidados que dispensam a si mesmos, não só para ressaltar seus atributos físicos, mas também para ocultar suas deficiências – reais ou imaginadas.

No homem, o aumento da testosterona faz a impulsividade crescer. Além disso, o desenvolvimento sexual masculino contém normas que compelem o rapaz a comportamentos atirados e frequentemente arriscados como prova de masculinidade. O imperativo masculino de ser forte e poderoso tem um lado perigoso, pois é em torno dos 18 anos que a taxa de mortalidade aumenta sensivelmente, como vemos na mídia, em decorrência de acidentes de carro e brigas a que os rapazes estão sujeitos pela impulsividade.

A adolescência termina mais cedo nas famílias de classes menos favorecidas, em que o filho conclui a escolaridade aos 18 anos, ao final do ensino médio. O jovem se torna independente mais cedo, pois assume um trabalho. Os pais já esperam que ele tome conta de si e ajude em casa pagando as contas. Ele se casa mais cedo e sai de casa ou traz o cônjuge para morar na residência dos pais.

Meia-idade e família

Vastas mudanças na sociedade têm produzido crianças de 12 anos grávidas, mães com bebês recém-nascidos aos 45 anos e homens de 65 tendo filhos com suas jovens segundas esposas, enquanto continuam sendo os avôs dos bebês de seus filhos mais velhos. Interessante notar que pais na meia-idade atualmente podem estar lidando com filhos de idade que variam entre 1 e 40 anos. Além disso, o casal típico se casa mais tarde que nos últimos 50 anos e, portanto, tem deixado o cuidado de filhos para um período posterior da vida. Por ser a meia-idade um período de 25 anos e a adolescência um período de dez anos (se definida entre 10 e 20 anos, pelo critério de *status*), a maioria das famílias com pais na meia-idade vai defrontar igualmente com assuntos de escola e problemas de adultos jovens (Berman e Napier, 2000).

Um estresse previsível para a família com pais de meia-idade é o esforço de criar filhos adolescentes em um mundo mais perigoso e que provoca mais ansiedade para os jovens do que aquele em que eles próprios cresceram (Berman e Napier, 2000). A complexidade crescente e o aumento da demanda de capacidades a ser desenvolvidas pelos jovens para obter sucesso profissional resultam em pais controladores e ansiosos, pois estes estão sentindo na pele os desafios da realização profissional.

O casamento pode melhorar ou piorar quando os filhos crescem. Com frequência, encontramos aumento do sentimento de felicidade e bem-estar do casal quando as crianças passam a demandar menos cuidados e adquirem mais independência. Uma curva em formato de U mostra o sentimento de satisfação marital ao longo da vida de casado. No início do casamento, ela é alta, começa a cair quando os filhos nascem, vai caindo até os filhos saírem de casa e então volta a subir (Berman e Napier, 2000). Isso nos faz pensar que esses casamentos não seriam tão ruins, mas a preocupação com filhos crianças e adolescentes é um grande desgaste para o casal. Quando os filhos passam a tomar conta da própria vida, os pais sentem muita satisfação e bem-estar, pois cuidam mais do relacionamento conjugal e têm a sensação de missão cumprida quanto à educação da prole. Essa mesma sensação do final da tarefa de criar filhos leva muitos casais a se separar, por sentirem que nada mais os une. Crises chamadas de síndrome do ninho vazio têm sido muito descritas pela literatura a respeito dessa etapa: os pais sofrem por não terem mais de quem tomar conta e são forçados a encarar a qualidade de seu relacionamento conjugal.

A alta incidência de divórcios na meia-idade mostra que uma grande parcela de adolescentes está exposta a um período de estresse maior (Berman e Napier, 2000). Em divórcios litigiosos, os adolescentes podem passar por muitos anos de crise familiar e um longo período de não disponibilidade emocional dos pais, que estão brigando ou reconstruindo a vida afetiva. Pais divorciados com a guarda de muitos filhos podem não ter reserva emocional nem financeira para focar sua atenção em cada um deles, especialmente naqueles que estão em risco. Adolescentes com transtorno de déficit de atenção e hiperatividade são especialmente vulneráveis ao estresse familiar e alimentam esse estresse com o comportamento desatento.

Logo após o divórcio, os pais podem se sentir sem recursos para exercer a disciplina. Sem força moral e corroídos pelo desgaste emocional da separação, apesar de estarem cuidando da família, mostram-se ausentes como efetivos cuidadores na vida dos filhos. Pais descasados e apaixonados por uma nova pessoa por vezes negligenciam a atenção de que os filhos necessitam, o que aumenta as chances de comportamentos audaciosos e inadequados, especialmente no início da adolescência.

Quando tinha apenas 14 anos, Vânia[2] apresentava problemas na escola, vestia-se de maneira provocadora, beijava inúmeros garotos, embebedava-se em festas e envolvia-se em intrigas. Os pais, preocupados, procuraram terapia para ela e aceitaram terapia familiar. Os problemas de Vânia só desapareceram quando, após um ano de tratamento, os pais assumiram o final do casamento e os relacionamentos extraconjugais que já tinham.

Essa etapa da vida de pais e filhos adolescentes inclui o processo de manter uma conexão emocional em face do rápido crescimento e mudança do jovem, que está conquistando sua individuação. Nesse processo, o filho procura o afastamento emocional daqueles de quem antes era dependente para tentar pôr à prova suas capacidades de cuidar da própria vida, tomando decisões sozinho. O confronto com os pais é outra maneira de se impor como sujeito autônomo; ao enfrentar os pais mostrando outro modo de ver o mundo, ele está testando sua capacidade de argumentação e desenvolvendo sua força moral para conquistar a autoestima.

O confronto adolescente com os pais é necessário e pode ser comparado ao esforço da borboleta para sair do casulo. Se ela for ajudada por um observador, não esticará suas asas, ficará fraca e não sobreviverá. Assim, o adolescente necessita de confronto com adultos para desenvolver sua identidade. Desse modo, ele exercita a capacidade de lidar com as contrariedades do mundo externo de maneira adequada; aprende a ser assertivo e a usar a agressividade na medida certa, a negociar acordos e a ceder quando necessário for.

Segundo Levy (2001), ao constatar o início do envelhecimento, alguns pais vivem sentimentos ambivalentes em relação aos filhos, alternando admiração e orgulho com inveja de sua beleza e juventude e ciúme de seus relacionamentos.

---

2 Os nomes utilizados neste capítulo são fictícios.

Com o passar dos anos, há uma gradual mudança no equilíbrio de poder entre pais e filhos. São constantes os conflitos ligados à ansiedade de separação (por parte dos filhos) e a conflitos de poder e a autoridade (competição), assim como a dificuldade dos pais de confiar e delegar poderes (Margis e Cordioli, 2001).

Gilbert (*apud* Berman e Napier, 2000) relata que adolescentes que se sentiam próximos de seus pais se engajaram em menos comportamentos de risco. Quando os pais têm altas expectativas quanto ao desempenho escolar, isso traz um efeito positivo para o adolescente. Pais com frequência relatam o desafio de relaxar as regras e dar ao adolescente o apropriado controle de sua vida. Relatam também a dificuldade de colocar limites razoáveis para uma pessoa que pode ter julgamento fraco e experiência limitada em lidar com assuntos complexos. É especialmente difícil prover suporte emocional ao adolescente que revela pouco sobre seus dilemas e pode parecer muito mais independente do que na verdade é.

O adolescente fechado e que confidencia pouco deixa os progenitores muito angustiados. Estes ficam entre duas opções: sufocar o filho e não permitir quase nada do que ele pede, porque o jovem não transmite confiança; e abandoná-lo, permitindo tudo. Isso acontece porque, não o conhecendo tanto quanto gostariam, não sabem de sua capacidade para tomar conta da própria vida e para lidar com questões difíceis.

Por vezes surgem na clínica pais que estão brigando com um filho adolescente que se distanciou lutando por independência e autonomia. Quanto maior o distanciamento, maiores são a ansiedade parental, a tentativa de controle e as brigas. Costumo sugerir aos filhos que eles compartilhem algumas experiências de sua vida com os progenitores. Não precisa contar segredos íntimos ou anseios, isso fica reservado aos amigos – embora, com certeza, os pais gostariam muito de ouvi-los. Por outro lado, sugiro aos pais que não tentem saber mais do que aquilo que os filhos queiram contar. Além disso, recomendo que eles também compartilhem um pouco de sua vida – o que, em geral, não acontece nessas famílias.

A tentativa aqui é de ampliar a comunicação que diminuiu ou nunca foi considerada elo de relacionamento. Às vezes, encontramos essa dinâmica em famílias em que o casamento está esvaziado, o pai está absorto em questões como trabalho e a mãe, ansiosa, se volta para o controle dos filhos adolescentes, enquanto estes repetem o comportamento omisso do pai, voltado para fora de casa.

Se o adulto está em crise de meia-idade ou se não elaborou os problemas da família de origem relativos à sua adolescência, essa transição pode ser especialmente complexa. Nas famílias grandes ou com paternidade tardia, encontraremos também pais mais velhos, que podem estar enfrentando doenças, o que vai adicionar mais estresse e menos disponibilidade parental para dar atenção correta aos filhos adolescentes.

Segundo Margis e Cordioli (2001), os filhos estão saindo de casa mais tarde por diferentes razões, entre elas a dificuldade de conseguir trabalho bem remunerado, ao passo que os indivíduos na meia-idade têm sofrido uma sobrecarga por precisarem, além de cuidar dos filhos (que têm entre 25 e 35 anos), auxiliar seus pais dependentes (cuja idade varia entre 70 e 90 anos).

Terapia de família com filhos adolescentes e pais na meia-idade

A terapia familiar que envolve pais na meia-idade e filhos adolescentes, por suas peculiaridades e complexidade, representa um grande desafio. A idade dos pais, por exemplo, é um fator de importância no manejo clínico, já que suscita situações bem distintas. Ter 15 anos quando os pais têm 40 é uma experiência diversa de ter 15 anos com pais de 65 – pais mais novos estão mais dispostos a levar e trazer os filhos de festas na madrugada e a acompanhar eventos esportivos, por exemplo.

A família que vivia certa proximidade deve se restruturar com a nova distância que o jovem passa a necessitar para sua individuação. Em alguns casos, ele não consegue escolher uma profissão ou achar um parceiro que queira namorar enquanto não se desligar parcialmente dos progenitores, fazendo um novo processo de reconhecimento do eu e do outro (Moreno, 1975). Nesse momento, a crise familiar pode se instalar se algum dos progenitores insistir em continuar sendo a fonte incontestável de sabedoria e poder, pois é importante que o jovem questione os valores familiares a fim de desenvolver opiniões próprias sobre o mundo que o cerca.

Alguns pais reagem exageradamente, sobretudo se o adolescente ameaça repetir uma experiência traumática da história parental. Por vezes deparamos com pais que veem os filhos como mais maduros e independentes do que eles realmente são, negligenciando suas necessidades de carinho e suporte. Com frequência, a terapia familiar é bem-sucedida na revisão dessas posturas. Esclarecer o ponto de vista dos filhos faz os pais repensarem suas necessidades e possivelmente atendê-las, e vice-versa.

João, de 19 anos, reclama que a mãe o controla e exige demais dele; já a mãe diz que João não para em casa. Na terapia de família, vemos de quanto carinho ambos estão necessitando. A mãe pede carinho desajeitadamente por meio do controle, fazendo-lhe pedidos e não reconhecendo as coisas boas que ele faz. João manifesta seu anseio de crescimento passando o dia todo na faculdade e dedicando-se ao trabalho social que faz com paixão. Quando conseguimos finalmente ressignificar aqueles atos como necessidades não atendidas, pudemos criar uma linguagem comum que incluía estarem juntos algumas horas na semana, fazendo alguma atividade prazerosa.

É comum que o prazer esteja muitas vezes só na vida dos filhos, enquanto os pais estão sobrecarregados com obrigações e esforços. Todos precisam ter seus momentos de riso e descontração, mesmo com a louça ainda suja na pia ou o quarto desarrumado. Realizar uma atividade que dê prazer a todos semanalmente pode ser uma boa tarefa para aqueles que se distanciaram. Essa atividade deve ser combinada em conjunto e talvez necessite da intermediação do terapeuta para se chegar a um consenso. Talvez algo que se fazia em tempos passados possa ser resgatado, talvez atividades novas precisem ser inventadas. O importante é que se aprenda a valorizar o modo peculiar de cada um e que eles tentem se ouvir em suas demandas aparentemente sem sentido. Ninguém deve se sacrificar, mas todos devem se empenhar para que seja um bom momento em família.

No livro *Amar um adolescente... mesmo quando isso parece impossível*, Judy Ford (1999) dá aos pais preciosas dicas de convivência em fases agudas de dificuldade de diálogo. A autora mostra as incoerências juvenis e sugere rir internamente delas, sem muita discussão. Adolescentes são imprevisíveis: muito independentes para algumas coisas e extremamente dependentes para outras. A fim de evitar entrar num clima de brigas, os pais devem escolher quais batalhas enfrentar e evitar discussões sem sentido. Sobre dar motivos para que os filhos se orgulhem dos pais, Ford (p. 24) menciona:

> Não podemos querer que nossos filhos adolescentes sejam sinceros se não reconhecermos aspectos de nós mesmos. Não podemos ensiná-los a ser confiáveis se nós mesmos não respeitarmos os compromissos assumidos. Não podemos ensiná-los a tomar decisões certas se nunca dermos a eles a chance de decidirem por sua própria conta. Não podemos ensiná-los a encarar as coisas de frente se nós mesmos perdermos facilmente as estribeiras. Não é possível esconder do filho adolescente quando interiormente se está triste – ele sabe que é mentira. [...] Os adolescentes merecem sentir a segurança de que são amados e valorizados e que são importantes para seus pais, que, apesar de não serem perfeitos, vivem digna e honestamente, com integridade, bom senso e amor. Enfim, que eles fazem o que dizem.

A *integridade* é um tema que sempre retomo com famílias. Não se deve aceitar o cinismo na sala de terapia em nenhum momento, apesar de ser uma disposição comum na adolescência. O cinismo confunde a comunicação, pois contém o que Watzlavick, Beavin e Jackson (1967) chamaram de "dupla mensagem". Todos os membros da família têm de demonstrar o compromisso de expressar o que sentem com a maior clareza possível – e o terapeuta familiar está a serviço desse objetivo.

Acredito também que, com frequência, *pedir desculpas* e *perdoar* podem ser atitudes incentivadas pelo terapeuta para que a família passe a conversar sobre suas mágoas.

Rituais de perdão, em que todos pedem desculpas uns aos outros, são de grande valia. A *gratidão* também é um tema a que o terapeuta deve estar atento; todos precisam saber agradecer as atenções recebidas, mesmo que o outro não acerte no agrado. Adolescentes são bastante sensíveis a críticas e a palavras de gratidão, e estas os incentivam a reconhecer nos pais os esforços pelo entendimento. Os pais em geral se esforçam para que os filhos sejam felizes e ficam carentes de reconhecimento e gratidão deles. Estes, comumente, valorizam muito o que lhes faltou, sem atentar para o esforço parental feito ao longo da criação.

Três problemas terapêuticos permanecem como um desafio para o terapeuta da família na meia-idade com filhos adolescentes, segundo Berman e Napier (2000):

- como tratar casais que vivem padrões disfuncionais há mais de 20 anos e criaram seus filhos nesse ambiente hostil;
- como ajudar pessoas na meia-idade desencorajadas e desesperançosas a encontrar sentido para vida e não contaminar os filhos adolescentes com uma visão depressiva a respeito da existência;
- como ajudar complexos sistemas de famílias reconstituídas com múltiplos membros de casamentos anteriores, que muitas vezes reúnem pessoas com sistemas de valores conflitantes.

Quanto à primeira questão, é um grande desafio lidar com casamentos de longa duração com padrões disfuncionais de comunicação. Alguns casais chegam à terapia prontos para uma mudança após terem se questionado em muitos aspectos, enquanto outros são forçados a vir pelo cônjuge. Entre as pressões comuns por mudanças estão o desejo de crescimento pessoal, a possibilidade de divórcio ou um filho que apresenta problemas. O terapeuta deve se informar sobre as narrativas do casal e trabalhar aquela que permita conotações positivas e traga possibilidade de crescimento (Berman e Napier, 2000).

Com frequência, os adolescentes criados em ambiente hostil procuram divertimento e paz de espírito entre os amigos e têm pouca disponibilidade para questões familiares. Em outros casos, é o filho que leva a família à terapia em virtude de um sintoma que passa a apresentar.

No que diz respeito à segunda questão, pessoas na meia-idade deprimidas e desanimadas precisam entender a razão de seu sentimento de falta de sentido na vida. Em geral, isso envolve múltiplas perdas, sensação de fracasso pessoal ou uma depressão de base fisiológica. Dependendo da situação, a localização de novas redes de apoio, medicamentos antidepressivos e o trabalho com o autoperdão costumam ser de grande ajuda. Diante do desespero do cliente, o otimismo do próprio psicólogo sobre a vida é talvez o mais importante e central componente da terapia e pode ser de extrema relevância para os jovens envolvidos no sistema (Berman e Napier, 2000).

Na família em que um dos pais está deprimido, o terapeuta deve se concentrar em evitar que os adolescentes tenham atuações na tentativa de fugir da falta de esperança que os ronda. É preciso esclarecer que se tornar adulto não é mergulhar em responsabilidades e obrigações, mas sim desenvolver seu potencial, ampliar a liberdade e a capacidade de realizações, o que traz alegria de viver; dizer com clareza que aquele sentimento que o jovem vê no progenitor deprimido é algo que deve ser tratado, não sendo necessariamente o destino que o aguarda. Deve-se fazer a família resgatar a ideia de que "ser adulto é bom" para que o jovem não permaneça infantilizado e dependente, temendo a depressão aprisionadora que percebe nos pais.

José veio buscar orientação profissional porque nada lhe agradava e não se interessava por nenhuma alternativa ocupacional. Além disso, jogava basquete no clube e estava sempre com algum machucado no corpo por conta do seu jeito muito atirado de fazer esporte. Quando marcamos a sessão com o jovem e os pais, percebi a depressão parental e o desânimo causado por excesso de trabalho e problemas crônicos de saúde na família. Ao longo das sessões, os familiares foram resgatando histórias de alegria e visões positivas sobre ser adulto, responsável e autônomo. Depois disso, José teve clareza do que realmente o interessava em termos ocupacionais.

Finalmente, quanto à terceira questão, sistemas familiares complexos com recasamentos requerem um cuidadoso mapa familiar para se entrevistar diferentes membros da família. Sessões em que todos são incluídos são difíceis, mas podem ser úteis (Berman e Napier, 2000). O mais comum é trabalhar em subsistemas familiares. O adolescente pode sofrer e, por meio de sintomas, denunciar os valores conflitantes dos pais divorciados porque está submetido a essa guerra, angustiado por "conflitos de lealdade" (Boszormenyi-Nagy e Sparks, 1983), tentando se manter leal a ambos os pais que ama.

Quando um jovem de uma família divorciada está enfrentando dificuldades, normalmente o terapeuta familiar é contratado só por um dos pais, em geral aquele que tem a guarda. Se o outro responsável por esse adolescente tem pouco contato com o filho, é extremamente importante envolvê-lo na terapia para o sucesso do processo.

Rui, de 17 anos, filho de pais separados e em constante conflito, sonha que perde o transporte que tem de tomar para chegar ao estádio de futebol porque tem de carregar duas mochilas, denunciando o prejuízo que sente ao ter de ser leal a dois sistemas de valores conflitantes.

O terapeuta deve ajudar a família a entender o contexto trigeracional de seus dilemas. Um dos mais interessantes aspectos de famílias na meia-idade é a oportunidade ou até a necessidade de trabalhar com as três gerações. Em muitas famílias, é difícil achar uma resolução satisfatória que não envolva pais, filhos e avós, por exemplo.

As demandas podem ser muitas para uma família com mais de um filho na adolescência. José e Luiza sentiram o casamento entrar em colapso quando as três filhas passaram a exigir atenções diversas e a apresentar gastos exagerados. A mãe não conseguia dizer "não" aos desejos imperiosos e urgentes das filhas e exigia que o pai lhes atendesse o tempo todo, buscando-as nos diversos programas noturnos que a vida social delas demandava.

O pai, sobrecarregado, se sentia sugado, mas fazia de tudo pela mera gratidão das filhas, ao mesmo tempo que se sentia sozinho e sem apoio da esposa para controlar os gastos da família. A terapia envolveu todos em uma reflexão sobre o significado do dinheiro e o valor intrínseco de cada pessoa, independentemente do que ostenta. Trabalhamos também incluindo os avós maternos e paternos para abordar a ascensão econômica e os afetos destinados aos que não têm muita facilidade financeira. "Estar mal das pernas" era a expressão usada pela família da mãe para quem não tinha tanto dinheiro como eles, mostrando que quem não ganha ou quem passa por dificuldade financeira não merece confiança e respeito.

Abordamos o valor da "criatividade barata", termo cunhado na terapia para designar o fato de podermos nos divertir sem gastar dinheiro, especialmente estando com amigos e em família. Isso abriu espaço para as experiências culinárias da filha do meio, de 15 anos, que passou a ter as irmãs como avaliadoras e incentivadoras dos pratos que inventava aos domingos. A filha mais velha, mais identificada com o furor consumista da mãe, demorou a valorizar a vida sem tantos gastos, mas expressou o alívio experimentado por ajudar o pai a economizar e mudou sua visão em relação ao valor das pessoas. A caçula, de 13 anos, assustada com a angústia paterna e a possibilidade de separação dos pais, tinha pouca autoestima e só era amiga de pessoas mais simples, revelando lealdade ao pai, sempre atenta para agradar-lhe e sossegá-lo em suas preocupações.

Conforme a mãe compreendeu suas reais necessidades de atenção e carinho e passou a cuidar mais da regulação dos gastos da família, a caçula ficou mais livre para revelar seus dons musicais e se dedicar aos estudos de violão. O pai passou a dormir melhor e a voltar do trabalho mais cedo para ajudar na organização da casa e estar com as filhas.

O casamento, que estava invadido pelas demandas trazidas pelas filhas, teve de reencontrar seu prumo. O casal, seduzido pelas novidades apresentadas pelas filhas, estava querendo acompanhar tudo e descuidando do vínculo conjugal. O pai, revisitando a própria adolescência e conversando por meio do psicodrama com seus pais rígidos, percebeu que teve uma adolescência contida, sem poder ter o que queria. Ele estava encantado por poder "dar tudo às suas princesas"; tinha a sensação de ser um rei poderoso e magnânimo com as filhas, sem perceber que estava, na realidade, sendo o servo delas.

Filhos fazem aflorar as carências reprimidas. Seus desejos podem doer muito nos pais se coincidirem com seus desejos não atendidos na infância. Esse pai estava impossibilitado de dizer não às filhas e à esposa, que se comportava como mais uma filha mimada. Nesses casos, reunir as três gerações e ter os avós falando das dificuldades que passaram mostrou ter sido uma boa maneira de liberar a família da escravidão do desejo.

Considerações finais

A terapia de família deve focar em ajudar cada membro do núcleo familiar a aceitar o outro como um ser humano único, diferente e idiossincrático – e em aprender a valorizar esse indivíduo. Deve também ensinar o casal ou a família a tomar o lugar do outro, para que possam enxergar suas diferentes necessidades. Nesse sentido, o psicodrama é uma abordagem privilegiada, pois possibilita que, ao assumir o papel do outro, se consiga perceber mais profundamente a essência do ser humano que faz parte dessa relação tão próxima que é a família.

Pelo que observo na clínica, acredito que o processo de individuação adolescente explica por que os jovens se enamoram tanto. Há a influência dos hormônios sexuais, mas isso não explica tudo. Eles estão gradualmente se desligando dos pais, que não mais são a fonte principal de gratificação; estão ampliando os horizontes mentais e emocionais. Estão à procura de novas relações em que buscam desenvolvimento emocional e realização afetiva. É como se dissessem: "Meus pais não vão me dar tudo de que preciso. Vou buscar no mundo essa realização ampla de que necessito". Eles partem, então, para investimentos afetivos maciços nos indivíduos ao redor.

O fato de a adolescência ser uma época de turbulências emocionais é muito mencionado na literatura. O que pouco se diz é que, concomitante às instabilidades, há a alegria e o bem-estar que o jovem experimenta ao atravessar essa fase e sentir que passa a ter nas mãos as rédeas de sua existência. Também a família se alegra com o desenvolvimento, pois pode contemplar uma amostra do resultado do investimento afetivo realizado na infância.

Pais e filhos adolescentes necessitam ter um ambiente familiar acolhedor. O terapeuta de família deve investigar quanto de acolhimento das necessidades está havendo nesse núcleo e trabalhar para que a compreensão e o amor sejam resgatados.

Adolescentes mais novos se comportam de modo mais contestador e desafiante, e o papel do terapeuta pode ser o de ajudar os pais a demonstrar seu amor pelo filho. Relacionar-se com um adolescente não é mais difícil do que com uma criança, mas requer outras habilidades, pois, enquanto a criança acredita que os adultos são perfeitos, o adolescente aponta suas falhas, critica e rejeita, exigindo deles mais sutileza e sofisticação na convivência.

Adolescentes mais velhos e jovens adultos desejam ter pais disponíveis e estáveis para aprender a se comunicar com eles como pessoas "crescidas" que são; querem ter reconhecimento de sua capacidade de autonomia e respeito por suas decisões.

Os pais querem continuar a receber carinho e atenção de seus filhos crescidos, mesmo sabendo que não são mais necessários como fonte de cuidado, proteção e sabedoria. Os filhos que se afastam afetivamente costumam provocar acirramento do controle parental, quando, na verdade, os pais estão querendo contato amoroso.

A terapia de família com filhos adolescentes e pais na meia-idade busca facilitar um ambiente de comunicação fácil e saudável, com a compreensão e a empatia pelo ponto de vista do outro. O filho necessita de tempo, espaço e segurança para desenvolver a identidade adolescente e poderá precisar de apoio emocional e financeiro para o processo de sair de casa ou cursar uma pós-graduação. O tema central da adolescência é o confronto entre a busca de independência do filho e a luta dos pais para mantê-lo próximo, seguro e protegido. Ao final do devido tempo, o filho deve vencer e conquistar a independência; já os adultos devem se voltar para seus assuntos pessoais, afetivos e profissionais.

Na psicoterapia de família, o casal também demandará atenção do terapeuta, que pode perceber que o tecido matrimonial está esgarçado pelo desgaste da vida em comum. Criar filhos de qualquer idade exige um casal coeso e consciente da hierarquia que ocupa no sistema familiar. Examinando as estatísticas sobre divórcio na meia-idade, concluímos que o casal pode estar estressado pelas mudanças de sua faixa etária, por problemas da adolescência ou por perceber que, sem os filhos para uni-los e dar sentido à sua vida, há pouco para mantê-los casados.

Em minha opinião, resgatando a metáfora do barco usada por Urribarri (2003), a maioria dos adolescentes se situa na proa, ambicionando alcançar novos horizontes. Isso seria a "adolescência normal", observada por quem trabalhou em escolas por cinco anos e mais de 30 anos em clínica particular e em diversas instituições. Na clínica, a maior parte dos adolescentes que nos procura é composta por jovens que estão com algum grau de dificuldade de lidar com seus conflitos, mas nas escolas percebemos que a maioria dos jovens lida bem com seu desenvolvimento, não sofre demasiado com os desafios que encontra e se desenvolve em relativa harmonia com a família.

Ser terapeuta de adolescentes levou-me a estudar a terapia de famílias. E, trabalhando com famílias, vejo quão estimulante é a complexidade do desenvolvimento e do estímulo recíprocos entre essas duas etapas do ciclo de vida. Adultos na meia-idade são provocados a rever seus valores e padrões quando os filhos entram na adolescência e não mais acatam tudo que os pais determinam. Além disso, os jovens alimentam a família com estímulos novos. Para as transformações da adolescência, é muito positivo ter pais em uma etapa de relativa estabilidade para serem o porto seguro, para onde possam retornar das aventuras e ousadias típicas dessa fase de experimentações.

Referências

ABERASTURY, A. *Adolescência*. Porto Alegre: Artmed, 1983.
ABERASTURY, A.; KNOBEL, M. *Adolescência normal*. Porto Alegre: Artmed, 1981.
BERMAN, E.; NAPIER, A. Y. "The midlife family: dealing with adolescents, young adults and the marriage in transition". In: NICHOLS, W. C. et al. (orgs.). *Handbook of family development and intervention*. Nova York: Wiley, 2000.
BLOS, P. *Adolescência – Uma interpretação psicanalítica*. São Paulo: Martins Fontes, 1994.
BOSZORMENYI-NAGY, I.; SPARKS, G. M. *Lealtades invisibles*. Buenos Aires: Amorrortu, 1983.
CALLIGARIS, C. *A adolescência*. São Paulo: Publifolha, 2000.
CASTANHO, G. M. P. *O adolescente e a escolha da profissão*. São Paulo: Paulus, 1988.
ERIKSON, E. H. *O ciclo de vida completo*. Porto Alegre: Artmed, 1998.
FORD, J. *Amar um adolescente... mesmo quando isso parece impossível*. São Paulo: Ágora, 1999.
FREUD, A. "La adolescencia". *Psicoanalisis del desarrollo del nino y del adolescente*. Buenos Aires: Paidós, 1976.
GRUPO PARA O ADIANTAMENTO DA PSIQUIATRIA. *Dinâmicas da adolescência*. São Paulo: Cultrix, 1974.
JEAMMET, E.; CORCOS, M. *Novas problemáticas da adolescência: evolução e manejo da dependência*. São Paulo: Casa do Psicólogo, 2005.
LEVY, R. "O adolescente". In: EIZIRIK, C. L.; KAPCZINSKI, E.; BASSOLS, A. M. S. (orgs.). *O ciclo de vida humana: uma perspectiva psicodinâmica*. Porto Alegre: Artmed, 2001.
MARGIS, R.; CORDIOLI, A. V. "Idade adulta: meia-idade". In: EIZIRIK, C. L.; KAPCZINSKI, E.; BASSOLS, A. M. S. (orgs.). *O ciclo de vida humana: uma perspectiva psicodinâmica*. Porto Alegre: Artmed, 2001.
MORENO, J. L. *Psicodrama*. São Paulo: Cultrix, 1975.
PAPALIA, D. E.; OLDS, S. W. *Desenvolvimento humano*. 7. ed. Porto Alegre: Artmed, 2000.
SAITO, M. I. "Medicina de adolescentes: visão histórica e perspectiva atual". In: SAITO, M. I.; SILVA, L. E. V. (orgs.). *Adolescência: prevenção e risco*. São Paulo: Atheneu, 2001.
URRIBARRI, R. "Sobre adolescência, luto e a posteriori". *Revista de Psicanálise da Sociedade Psicanalítica de Porto Alegre*, v. 10, Porto Alegre, 2003.
WATZLAWICK, P.; BEAVIN, J.; JACKSON, D. *A pragmática da comunicação humana*. São Paulo: Cultrix, 1967.
ZYLBERSTAJN, C. "A transição para a idade adulta: estudo de caso com adultos emergentes". 18º Congresso Brasileiro de Psicodrama, Brasília, 2011.

2 PSICOTERAPIA DE FAMÍLIAS COM ADOLESCENTES: VISÃO DA PSICOLOGIA ANALÍTICA

Nairo de Souza Vargas

Introdução

Psicologia analítica é o nome dado por Carl Gustav Jung (1875-1961), psiquiatra suíço, à sua linha de pensamento psicológico. Ele produziu extensa e profunda obra ao seu longo trabalho tanto clínico como acadêmico (Fordham, 1978).

A teoria junguiana é sistêmica. A psique é concebida como um sistema autorregulado, composto de dois centros. Um desses centros, aquele com o qual nascemos, é inconsciente, o *self*, no qual se situam os arquétipos, matrizes de comportamentos herdados na condição de espécie. Esses arquétipos produzem símbolos que estruturam nossa consciência, nosso segundo centro, a que Jung chamou de ego. Ego e *self* formam um eixo, povoado de símbolos produzidos pelos arquétipos, que mantêm esses dois centros continuamente em contato.

Nossa personalidade, assim estruturada, tende natural e espontaneamente a desenvolver seus potenciais inatos, tornando-os conscientes, para que se realizem. A esse processo de realização de nossos potenciais Jung deu o nome de individuação. Embora os arquétipos sejam coletivos, próprios de nossa espécie, cada indivíduo é único, com potenciais e funcionamento próprios.

O terapeuta junguiano, então, busca em seu trabalho psicoterápico propiciar que o processo de individuação do cliente siga seu caminho (Jung, 1981).

O sistema familiar, a criança e os arquétipos

Jung deu nomes intuitivos/associativos aos arquétipos, de tal modo que eles aludam às suas funções.

O arquétipo da grande mãe traz, por meio dos símbolos, nosso comportamento maternal, ou seja, nossa capacidade de pedir, aceitar e dispensar, a nós mesmos e ao outro, cuidados maternais. Assim, ele cuida de nossas necessidades básicas – como fome, sono, sede etc. – por intermédio do cuidado, do carinho, da proteção. Na família, enquanto a simbólica desse arquétipo estrutura na consciência dos adultos cuidadores o papel "mãe" (M), na consciência da criança estrutura o papel "filho" (Fm), ou seja, "filho" de alguém que desempenha com relação a ela o papel de mãe (Galiás, 2000). Assim, na díade mãe-filho, ou adulto cuidador maternal-filho, enquanto em um se estrutura o papel M, no outro se estrutura o papel complementar Fm, durante toda a infância do filho.

O segundo arquétipo estruturante, assim denominado por C. Byington, foi chamado por Jung de arquétipo do pai. Este cuida do mundo dos limites, do pode/não pode, deve/não deve, certo/errado; enfim, da separação dos opostos. Na relação criança-pai e/ou criança-adulto-educador, enquanto no adulto se estrutura em sua consciência o papel "pai" (P), na consciência da criança se estrutura o papel complementar de "filho" em relação ao mundo do pai (Fp).

Essas estruturações constituem os circuitos parentais e estarão bem ativas na família durante toda a infância dos filhos.

O sistema familiar, o adolescente e os arquétipos

Na adolescência dos filhos, um novo arquétipo é mobilizado no sistema familiar, o qual Jung denominou arquétipo do herói. Quando ativado, traz à consciência uma força/energia a mais para lidar com situações de mudança (Galiás, 2000).

O adolescente, em relação ao sistema familiar, fará um movimento exogâmico, ou seja, de afastamento, para a busca de sua identidade. Assim, o círculo familiar necessita ficar permeável para que esse movimento possa ocorrer. A Figura 1 apresenta graficamente este esquema.

Esse movimento ocorre graças à ativação, no *self* familiar, do arquétipo do herói. Assim, simbolicamente, é todo o sistema familiar que adolesce. Enquanto os filhos pas-

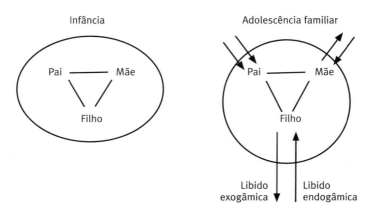

Figura 1 – Esquema que ilustra o movimento alternado da libido

sam pelo processo da adolescência, os pais revivem a sua própria com transformações novas, iniciando sua senescência. É uma fase de grande turbulência familiar, a qual fica sujeita a crises (Galiás, 2009).

O arquétipo do herói, típico de nossa espécie, será ativado sempre que precisarmos usar uma energia/força extra para lidar com situações de crise – como a adolescência e toda a transformação que ela traz.

É necessário mesmo um heroísmo para que a criança adolesça rumo a se tornar adulta, buscando progressivamente sua autonomia com relação aos pais. Como sempre, porém, os vínculos familiares funcionam como uma via de mão dupla. Assim, também dos pais é requerido muito heroísmo para possibilitar que os filhos cresçam adequadamente. Lidar com os primeiros movimentos autônomos dos filhos requer coragem dos pais.

É como se fosse, de modo simbólico, um novo parto. Para que esse processo evolua bem, é necessário que os movimentos exogâmico e endogâmico de filhos e pais sejam sincronizados.

No processo de individuação do adolescente, o arquétipo do herói tem a função de prepará-lo para a nova estruturação arquetípica, trazida pela *anima* para o homem e pela *animus* para a mulher. Esses arquétipos possibilitarão nosso funcionamento de alteridade, como descrito por Byington. Eles impulsionam a busca do outro simétrico, em um encontro dialético. É característico da vida adulta, da maturidade.

Assim, para que o sistema familiar lide bem com a complexidade da adolescência dos filhos, é necessário que ele esteja em um funcionamento de alteridade, com abertura para a identidade do outro.

Adolescência como período crítico

O reconhecimento de que a adolescência é um período com características muito próprias é relativamente recente. Durante muito tempo a criança era um ser pouco respeitado e considerado. Esperava-se que ela se tornasse adulta sem grandes dificuldades ou crises de transformação – ou seja, o período da adolescência não era reconhecido como crítico.

A crise da adolescência não é necessariamente problemática ou doentia, mas expressa um período de grandes transformações estimuladas de maneira arquetípica, ou seja, típica da espécie humana (Galiás, 2009). É um período de grandes mudanças biológicas, psicológicas e socioculturais.

Não se trata, pois, apenas de conflitos com os pais pessoais, decorrentes de diferenças geracionais e de valores e hábitos. Talvez eles até existam, mas são a parte menor da adolescência. Os conflitos podem ser inclusive leves quando bem administrados pelas partes. Com a complexidade e a variedade de valores de nossa cultura, a adolescência tem começado cada vez mais cedo e terminado cada vez mais tarde.

Como é do conhecimento geral, crise, etimologicamente, significa momento de escolha, mudança e decisão – portanto, difícil, sofrido e complicado, mas com potencial de crescimento, amadurecimento e enriquecimento. Nesse período crítico do desenvolvimento, muitas vezes encontramos situações que podem ser disfuncionais.

É difícil ser genitor de adolescentes; não se pode ser permissivo, "bonzinho", pois assim frustramos a necessidade do jovem de lutar por suas conquistas, confrontar valores e adquirir poder, tornando-se mais consciente de seus desejos, buscas e valores próprios. Por outro lado, os genitores também não podem ser muito repressores, pois como pais eles são muito mais fortes e poderosos e, dessa maneira, inibirão o processo de busca e transformação do adolescente. É a difícil arte de colocar limites especificamente adequados para cada um, de maneira firme, mas não autoritária; amorosa, educadora e orientadora, sem ser superprotetora.

Nos dias de hoje, uma situação relativamente comum é a da omissão dos progenitores como educadores e disciplinadores. Na tentativa de ser bons pais, eles procuram suprir todos os desejos e necessidades do adolescente. Buscam, assim, garantir o afeto filial e provar suas competências.

A adolescência é um período crítico para o desenvolvimento do indivíduo, pois é a fase da passagem do mundo parental para o individual e social, em que ele procura encontrar e firmar sua individualidade. Deixar de ser "filho de alguém" para ser "alguém" é uma grande tarefa desse momento.

Um importante processo nesse período é o da "desidealização" cruzada entre pais e adolescentes (Galiás, 2003). Estes devem deixar seus papéis de filhos e aqueles, os de genitores. Os pais têm de cuidar mais de si e atender melhor a seus desejos e necessidades, enquanto os filhos precisam ser mais responsáveis e cuidadores de si mesmos e, eventualmente, de outros. A ajuda do terapeuta de família na elaboração dessas transformações é muito importante.

A adolescência é uma vivência que, como outros ciclos do desenvolvimento, tem duas fases. A primeira, mais reconhecida e chamada de adolescência, é a vivida pelo jovem até se tornar adulto. Podemos dizer, porém, que há uma segunda fase, menos reconhecida, que ocorre quando, após completada a vivência de adulto, o indivíduo se vê iniciando a segunda metade da vida. É uma nova passagem, um novo período de escolhas e decisões, às vezes tão difícil quanto a primeira – principalmente se esta não foi bem vivida.

A passagem agora é da fase adulta para a maturidade, movimento em que se busca um sentido novo e maior. É uma nova crise de identidade que leva o indivíduo a começar a se preparar para a transcendência e para o fim da vida. É a fase da metanoia, também vulgarmente chamada de "idade do lobo" – que, como período de transição, é denominada senescência ou segunda adolescência.

É frequente que o ser humano, quando chega a essa fase, já tenha realizado importantes tarefas típicas da primeira metade da vida, como as autoafirmações profissional, afetiva e social. Se teve filhos, é comum que essa fase coincida com a adolescência destes, sendo, com frequência, estimulada por ela (Vargas, 2004).

Cada vez mais estamos vivendo por mais tempo e em boas condições de saúde e bem-estar. É difícil para o jovem alcançar a autoafirmação profissional e econômica, e está mais tardio o momento adequado de engravidar. Tem-se cada vez menos filhos – como regra geral, um ou dois nos países desenvolvidos. Na China, é praticamente proibido ter mais de um, enquanto nos Estados Unidos já existe o fenômeno do casal Dinc (*double income – no children*). Com o propósito de estimular os casais a ter filhos, governos de países europeus têm propiciado longas licenças-maternidade, às vezes para os dois genitores, além de uma ajuda econômica significativa por criança.

São cada vez mais comuns as famílias reconstituídas, com ou sem filhos de outros casamentos e com a presença dos "drastos" – padrastos, madrastas e "avodrastos" –, que participam de modo significativo da dinâmica familiar (Vargas, 2006).

Perspectivas terapêuticas para a família com adolescentes

Todas essas "novidades" familiares criam a necessidade de grande flexibilidade e criatividade para o trabalho terapêutico com as famílias, em especial quando existem adolescentes.

É frequente o homem, ao se separar e voltar a se casar, na maioria das vezes com mulheres mais jovens e sem filhos, acabar tendo novos filhos. Mesmo que isso não aconteça, o homem terá de lidar com o fato de sua nova esposa ter de conviver com os frutos das uniões anteriores. Quando o filho é adolescente, a inexperiência da nova esposa em lidar com ele pode causar sérios desencontros entre os cônjuges, pois o jovem, sentindo-se ameaçado de perder o amor por parte do pai, muitas vezes torna o convívio familiar conflituoso e difícil. Não têm sido poucos aqueles que acabam destruídos pelos conflitos do adolescente com a jovem esposa. Por vezes, esta age como se quisesse que o cônjuge negasse os filhos e investisse somente nela, o que é um grave erro para o convívio conjugal.

Nesses casos, o terapeuta de família deve agir com extremo cuidado, pois o choque entre o amor filial e o conjugal é perigoso e destrutivo para o casamento. Analisar, mediar e tentar conciliar oposições tão grandes é uma tarefa delicada e exige grande habilidade do especialista, que precisa usar de grande alteridade empática.

Para muitos desses novos casamentos, em especial quando existem adolescentes de uma primeira união, torna-se mais prudente que cada um preserve seu domicílio separado. Às vezes o homem, sem a guarda dos filhos, que vivem com a mãe, vai morar com a nova mulher e os filhos desta, despertando grande ciúme no jovem fruto de seu relacionamento anterior. A presença dos avós e avodrastros é outro fator importante para a família reconstituída. Essa presença costuma ser rica e pode ajudar muito o novo casal, mas por vezes também traz sérios conflitos e interferências complicadoras do convívio. Embora menos frequentes, também existem casos de mulheres com filhos que recasam com homens sem filhos.

Mulheres separadas e com filhos têm mais dificuldade de constituir novas famílias. Quando o fazem, mais comumente é com homens mais velhos, com ou sem filhos – e nesses casos é provável que permaneçam em casas separadas. O convívio com os filhos, frequentemente mais adultos, não costuma ser tão complicado, mas a eventual existência de filhos adolescentes pode ser fator de complicação para essas uniões.

Muitas vezes, para complicar um pouco mais a já complexa vida da família reconstituída, os ex (esposas ou maridos) trazem dificuldades para o trabalho do terapeuta. Cabe mais ao novo cônjuge a tarefa de cativar e reassegurar ao filho adolescente do(a) companheiro(a) a compreensão de suas dificuldades, já que se supõe ser ele(a) o(a) mais capaz de lidar com essa nova situação.

O desafio para uma nova família reconstituída é diretamente proporcional à quantidade de variáveis existentes: filhos, padrastos, madrastas, avós, avodrastros, valores socioeconômicos e culturais diferentes, diferentes ideais e comportamentos dos novos membros etc. A capacidade de lidar com ou de se adaptar a tantas novidades não previstas será fator fundamental para a boa evolução do casamento e da vida familiar. Para o filho adolescente é, às vezes, muito difícil aceitar que seu genitor vai ter um novo filho e acreditar que não será excluído da nova família deste.

A visão da família como sistema que individua

Com tantas mudanças, a própria ideia de família mostra-se hoje bastante complicada. Espera-se do terapeuta grande flexibilidade para lidar com famílias que se apresentam de maneiras cada vez mais variadas e com suas peculiaridades (Vargas, 2006). Muitas vezes diferem de modo acentuado do clássico modelo pai, mãe e filho. Já é, por exemplo, uma realidade jurídica o casamento homossexual, com possibilidade não só de adoção, mas de geração de filhos por meio de inseminação ou gestação *in vitro* com "barrigas de aluguel".

A teoria junguiana vê a psique e, por extensão, a família como um sistema. Para entender as dificuldades e os comportamentos sintomáticos de seus membros, não basta compreender suas personalidades individuais.

É importante a consideração da família também como um todo, no qual teremos, como no indivíduo, um *self* familiar. Isso é fundamental para a compreensão tanto dos comportamentos saudáveis como dos disfuncionais. É arquetípico estruturarmos um *self* individual, assim como um *self* grupal, familiar etc. (Byington, 1988).

Os sistemas vivos, como a família, precisam ampliar suas possibilidades para garantir sua sobrevivência. Assim, ela pode necessitar corrigir desvios de funcionamento e manter a homeostase a fim de possibilitar sua evolução (individuação familiar).

Podemos, assim como Guggenbühl-Craig (1977), falar do casamento em famílias de acomodação e em famílias de individuação.

A homeostase familiar pode apresentar-se organizada por sintomas, o que é doentio e paralisante, resultando em acomodação. O terapeuta junguiano, nesses casos, procurará abalar essa homeostase, promovendo mudanças ou até provocando crises no sistema familiar, que podem levar assim a crescimento e mudanças em seu *self*. Assim, o terapeuta buscará transformar a família de acomodação em família de individuação. A adolescência do sistema familiar é um momento propício para essa ação terapêutica, dada a pujança do arquétipo do herói, que está ativado.

Deixemos bem claro que não há para o terapeuta junguiano um trabalho caracterizado por técnicas específicas. Ele pode e deve se apropriar de todas as técnicas que conhece e domina para usá-las quando achar indicado e adequado. Ele é responsável por essa escolha. Portanto, não nos preocupamos em descrever técnicas sistêmicas, de análise, dramatizações, mobilizações etc.

Em nossa experiência clínica, as fases de adolescência e senescência podem ser críticas, não só para genitores e filhos (se houver), mas também para o casamento, principalmente quando a adolescência dos cônjuges não foi bem vivida.

Parece-nos óbvio que, se o casamento entra em crise, no caso de existir filho adolescente, essa situação vai complicar bastante a vivência já crítica do jovem, pelas situações conflituosas dos genitores.

Jung relata a individuação como um processo da segunda metade da vida, que praticamente se iniciaria na senescência, quando o ser humano procura tornar-se um indivíduo, em oposição aos valores coletivos da sociedade. Atualmente, a individuação é considerada um processo que se inicia com o nascimento e perdura até a morte, quando se completa a mandala da vida (Byington, 1988). Em seu processo de individuação, o ser humano tanto alcança suas características individuais mais plenamente como se encontra com o profundo coletivo existente em todos nós. Afirmar que a individuação é contrária ao coletivo só será verdade, de maneira superficial e imediatista, em uma cultura excessivamente patriarcal e que não respeita as peculiaridades individuais. Isso, de fato, levaria o indivíduo a uma luta contra o coletivo massificante, para poder tornar-se aquilo que é em sua profundidade. De maneira mais ampla, o indivíduo nesse processo de individuação acaba por se encontrar com o coletivo naquilo que é próprio de todo ser humano, visto que pertencemos a uma mesma espécie com características comuns e próprias.

Há sempre algo de profundo e coletivo em todos nós, e a individualidade de todo ser em sua completitude faz parte desse coletivo. É próprio de nossa espécie não existirem dois indivíduos iguais no conjunto de suas personalidades. Não existem sequer dois patrimônios genéticos idênticos, a não ser, inicialmente, na vida de gêmeos univitelinos. Mesmo nestes, por influências psicossociais e ambientais, as diferenças surgem até em gêmeos criados juntos e no mesmo ambiente.

Na adolescência, há uma luta para que o filho se oponha ao casal parental, visando à sua diferenciação (Galiás, 2000). Nela existe a morte simbólica do filho para se tornar adulto e, do mesmo modo, a morte simbólica dos pais (Galiás, 2003).

Cônjuges que estejam bem em seu casamento e tenham vivido bem a adolescência serão em princípio mais capazes de lidar adequadamente com a adolescência do filho.

A adolescência como chamado para a individuação da família

O adolescente muitas vezes se vivencia como um herói, que enfrenta dificuldades e adversidades na busca de sua autoafirmação. Frequentemente, vive um conflito entre a autoafirmação de sua individualidade e a intensa identificação coletiva com sua "turma". Os adolescentes costumam vestir-se de modo igual, mostram muitos interesses em comum, um modo de falar com termos muito específicos e próprio de seu grupo. Essa contradição é típica do jovem que, talvez na insegurança da busca de sua individualidade, se identifica com a "turma" em oposição ao mundo dos pais (Vargas, 2004). O convívio com o filho nessa fase frequentemente pode ser fonte de estímulo para transformações em seus genitores.

O comportamento heroico do adolescente visa implantar em sua personalidade o dinamismo de alteridade, em busca do "outro" como companheiro ou contraparte sexual. É a época de namoros, paixões e amizades com intensas identificações. A compreensão e o acolhimento, sem submissão, por parte do terapeuta da família são deveras importantes.

Em algumas famílias, um ou os dois genitores, às vezes até estimulados pela adolescência do filho, poderão estar vivendo sua senescência.

Quando os genitores viveram bem sua adolescência, agora na senescência podem buscar um sentido maior para a vida. Heroicamente procuram a sabedoria e não mais só conhecimento. O senescente não quer mais só saber das coisas, quer compreendê-las. Por vezes, essas situações trazem conflitos para o casal parental, o que poderá complicar a adolescência do filho. Nos casos de um "casamento de acomodação" (Guggenbühl-Craig, 1977), os questionamentos trarão turbulências ao vínculo conjugal, que poderão ser muito estimulantes para sua transformação. Esse casamento poderá se revitalizar, tornando-se um vínculo conjugal vivo e criativo, ou acabar. São situações que repercutirão na adolescência do filho e influenciarão toda a dinâmica familiar.

Em alguns casos, a senescência desperta um comportamento adolescente, levando homens e mulheres a procurar realizar concretamente coisas não vividas na própria adolescência (Vargas, 2004).

Aqueles pais que "devem para a vida" não terão boas condições para viver essa senescência. Necessitam, de algum modo, resgatar o não vivido na adolescência. Se atenderem aos chamados da vida e vivenciarem de maneira simbólica esses desejos e buscas, poderão resgatar de modo criativo tais vivências. Aceitar certos limites da realidade, aceitar que não são mais jovens e que não poderão realizar concretamente o que não vivenciaram na juventude, a não ser com altos custos e sérios problemas, é prova de maturidade e sabedoria.

Muitas vezes assistimos a situações em que genitores voltam a se comportar como adolescentes, tornando-se paqueradores, sexualmente promíscuos, usando roupas próprias de jovens e sendo descontraídos e indiscriminados de modo inadequado. Em certos momentos, procuram realizar atividades físicas e esportivas para as quais estão despreparados, por vezes fazendo uso de drogas e assumindo atitudes desafiadoras. Na senescência, as mulheres, às vezes, decidem saudavelmente profissionalizar-se e ter autonomia econômica, o que pode ser bastante estruturante. Porém, se há desequilíbrio e falta de limites, esse processo causa enormes dificuldades na família.

O adolescente com frequência oscila entre ser filho e dependente e ser adulto e autônomo. Como já afirmamos, há uma libido exogâmica que o impulsiona para fora da família, mas a endogamia o traz de volta ao papel de filho. É desejável que os genitores compreendam esse movimento de idas e vindas como parte natural do processo de transformação e não se sintam abusados. Isso, porém, poderá acontecer caso os pais não coloquem os devidos limites. Ficando mais liberados dos encargos parentais, os cônjuges estão livres para realizar seus desejos e potenciais, assim como, às vezes, as próprias fantasias. Maridos e esposas podem "perder a cabeça" e deixar-se levar por enganosos fascínios de realizar concretamente o que não fizeram na juventude.

Conseguir viver de maneira equilibrada a crise da adolescência e da senescência, que são um campo fértil de modificações para o bem e para o mal, é o que de melhor se pode esperar e procurar propiciar, por meio da ajuda terapêutica, à família.

Em nossa cultura, as meninas e as mulheres estão mais ativas na busca de maior independência e afirmação de sua individualidade. Elas, de fato, estavam mais reprimidas do que os homens. Como em toda liberação de repressões, elas, às vezes, radicalizam. Porém, não são os homens os castradores das mulheres; de maneiras diferentes, ambos são vítimas de fortes preconceitos patriarcais que predeterminam como deve ser seu comportamento, em especial na vida familiar.

As adolescências têm, portanto, o importante papel de resgatar para o indivíduo o direito de buscar sua identidade profunda, de poder ser o que ele é em sua plenitude. Homem e mulher não precisarão sufocar reciprocamente potenciais próprios. Embora a importância da família como estruturadora da personalidade venha diminuindo, ela ainda é a matriz do processo (Vargas, 1989). É nela que, por meio da inter-relação de seus membros, se estruturam nossos padrões básicos de funcionamento.

A terapia da família com adolescentes tem características muito próprias. É importante que a família deixe de ver no elemento sintomático – no caso, o adolescente – o foco da terapia, procurando enxergar a família como um todo, que está produzindo sintomas e precisa se reformular.

Embora muitas vezes usemos recursos de atendimento individual, do adolescente, só dos pais, acompanhamento terapêutico (AT), medicação etc., a ênfase é no atendimento de todos os membros. Com base nas necessidades surgidas nas sessões de família, individuais e do casal parental, outras modalidades de atendimento terapêutico podem ser propostas. Esses encaminhamentos devem ser adequados às especificações próprias de cada núcleo familiar.

O terapeuta junguiano trabalha sempre na perspectiva de estar a serviço do processo de individuação do ser humano. Desse modo, ele poderá e deverá lançar mão de todos os recursos e/ou técnicas que conheça e julgue adequados e pertinentes a uma situação específica.

A vivência criativa da adolescência poderá ser despertadora e estimulante para a individuação da família que será perturbada pelos "aborrescentes", assim chamados de maneira justa e injusta.

Referências

BYINGTON, C. A. B. "Adolescência e interação do self individual, familiar, cultural e cósmico". *Junguiana*, n. 6, 1988, p. 47-119.
FORDHAM, F. *Introdução à psicologia de Jung*. São Paulo: Edusp, 1978.
GÁLIAS, I. "Psicopatologia das relações assimétricas". *Junguiana*, n. 18, 2000, p. 113-32.
_____. "Pais e filhos: uma rua de mão dupla". *Junguiana*, n. 21, 2003, p. 69-80.
_____. "Relações pais-filhos – As poderosas relações amorosas". *Junguiana*, n. 27, 2009, p. 13-29.
GUGGENBÜHL-CRAIG, A. *O casamento está morto – Viva o casamento*. São Paulo: Símbolo, 1977.
JUNG, C. G. *A prática da psicoterapia*. Petrópolis: Vozes, 1981.
VARGAS, N. S. "A família como caminho de individuação". *Junguiana*, n. 7, 1989, p. 101-13.
_____. *Terapia de casais*. São Paulo: Madras, 2004.
_____. "Casamento atual e famílias reconstituídas: dilemas e peculiaridades". *Junguiana*, n. 24, 2006, p. 77-86.

3 FAMÍLIAS COM FILHOS ADOLESCENTES: INQUIETAÇÕES TERAPÊUTICAS

Maria Amalia Faller Vitale

Para uma aproximação das famílias que têm filhos adolescentes, gostaria, inicialmente, de esboçar duas ideias. A primeira é referente ao percurso de vida familiar; a segunda, às relações entre as gerações. Essas noções se imbricam com reflexões advindas da prática terapêutica com famílias que, no caso deste capítulo, pertencem aos segmentos sociais denominados médios. Ao mesmo tempo, tais noções sinalizam as margens por onde transitam algumas de minhas inquietações.

Percurso de vida

Entre o nascimento e a morte, inscrevemos nossa existência. Entre esses dois polos, desenrola-se o percurso de vida familiar. Casamento, nascimento, crescimento dos filhos, separação e morte, por exemplo, constituem fatos desse percurso. Os acontecimentos próprios ou possíveis da vida têm, todavia, significados diversos para as pessoas e suas famílias.

A fim de nos aproximarmos da ideia de percurso de vida, é importante retomarmos alguns aspectos que, tradicionalmente, estão na base da concepção de ciclo vital. Essa incursão procura construir as pontes com a experiência como terapeuta familiar, tomando por referência as famílias que têm filhos adolescentes.

O conhecido modelo de ciclo de vida – herança da mitologia –, proposto por Erickson (1987), trata da relação do eu com a cultura e a sociedade. Esse autor, na perspectiva do desenvolvimento, define etapas psicossexuais e crises correspondentes às passagens de uma fase a outra do ciclo de vida do indivíduo – por exemplo, a adolescência e a maturidade. Erickson definiu oito etapas da vida[1] e os sentimentos correspondentes. Cada etapa suscita para a pessoa um novo conflito – interno e externo –, e a sua resolução se assenta na integração das etapas precedentes e permite um sentimento de maior unidade interior. A noção de crise é central na teoria de Erickson. Há uma crise potencial vinculada às mudanças da vida. Suas ideias serviram de referência para muitos trabalhos sobre a infância, a adolescência e a velhice (Attias-Donfut, 1988). A ideia de ciclo de vida também penetrou em publicações sobre a família na perspectiva psicossocial. Essa noção foi ampliada para o âmbito familiar/relacional[2] e emerge em especial na obra de Carter *et al.* (1995), entre outros, no âmbito da terapia familiar. Essas autoras[3] definem estágios evolutivos do ciclo de vida familiar tomando por referência a ideia de evolução de outros seres vivos. Assim, casamento, crescimento dos filhos, ninho vazio e morte são algumas das etapas pelas quais as famílias passam.

É bom contrapor, no entanto, que, por exemplo, a denominada síndrome do ninho vazio – quando os filhos saem de casa[4] –, considerada uma fase com sua crise correspondente para o casal parental, emerge nos textos dos citados autores, mas constitui uma boa ilustração dos riscos da transposição da ideia evolutiva das etapas do indivíduo para o grupo familiar. O chamado ninho vazio pode, hoje, estar pleno de filhos, de netos e de outros mais, como tão bem apontam os estudiosos da família. O alargamento do tempo de saída dos jovens de casa e o aumento da expectativa de vida dos indivíduos também repercutem diretamente no percurso familiar. Esses aspectos tendem a redefinir o convívio e o conflito das relações entre as gerações ao longo do ciclo de vida e ainda contribuem para a formação de um ninho "pleno".

Outro exemplo diz respeito aos jovens pobres que, quando entram na adolescência, são chamados pela família para integrar, de modo implícito ou explícito, o orçamento doméstico (Carreteiro, 2010). Os estados de vulnerabilidade social levam o adolescente a procurar trabalho mais precocemente e, até mesmo, a constituir família.

---

[1] São elas: o bebê e a mutualidade de reconhecimento (confiança e desconfiança); primeira infância e a vontade de afirmação do eu (autonomia, dúvida e vergonha); infância e a previsão dos papéis (iniciativa e culpa); idade escolar e identificação de tarefas (trabalho/inferioridade); adolescência (identidade/confusão); jovem adulto e vida a dois (intimidade e isolamento); criar filhos (generatividade/estagnação); idade avançada (integridade/desespero).
[2] No Brasil, Ceverny e Berthoud (1997) estudaram famílias paulistas de camadas médias, procurando identificar estruturas e dinâmicas do ciclo vital.
[3] Entretanto, as autoras chamam a atenção, no prefácio da segunda edição de seu livro, para o "risco de a aplicação rígida das ideias psicológicas do ciclo de vida 'normal' poder ter um efeito prejudicial".
[4] A psicologia do desenvolvimento popularizou a síndrome do ninho vazio nas décadas de 1960 e 1970. Convém lembrar que, naquela época, os filhos saíam mais cedo de casa e grande parte das mulheres/mães não trabalhava, deparando, consequentemente, com um vazio (Attias-Donfut e Segalen, 1998).

Desse modo, classe social, gênero e etnia se articulam e afetam sobremaneira o percurso de vida familiar e configuram consideráveis diferenças para adolescentes e suas famílias. Nessa mesma perspectiva, as separações e os recasamentos atuais promovem a coexistência de ciclos incongruentes de vida. Uma família pode ter filhos adultos, adolescentes e crianças pequenas convivendo. A família nuclear instalada em uma única residência, com fronteiras bem delimitadas, não recobre a diversidade de configurações familiares. Não se pode simplesmente afirmar que se trata de uma "família com adolescentes" ou de uma "família na adolescência" sem construir e levar em conta os seus contextos sociais e relacionais. "Que a vida se desenrole segundo uma ordem sequencial de etapas bem determinadas da infância à velhice não é tão evidente como parece à primeira vista" (Attias-Donfut, 1988, p. 126, tradução minha).

Por essas razões, eventos familiares como casamento, separação, recasamento, crescimento ou adolescência dos filhos estão vinculados às representações coletivas, ou seja, aos modos de organização segundo os diversos segmentos sociais.

Muito mais que etapas cristalizadas do ciclo vital, a ideia de percurso de vida familiar inclui uma dimensão sócio-histórica. Esta aponta, portanto, para possibilidades e limitações de acordo não só com o modo de inserção das famílias na realidade social, mas também com as motivações próprias dos sujeitos (Charton, 2006). Os percursos familiares são, portanto, heterogêneos. Por essas razões, prefiro utilizar a terminologia *percurso de vida*, que inclui os contextos de pertencimento social e constitui um horizonte no trabalho com família. Saraceno (1992, p. 228), na perspectiva sociológica, alerta: "[...] mesmo continuando no interior da conceitualização de ciclo de vida, este não pode ser compreendido nas suas escansões, no seu calendário, se não tiver em conta a interferência entre tempo histórico, tempos sociais [...] e tempo de vida individual e familiar."

Destaca-se, então, o primeiro ponto de partida: as famílias com filhos adolescentes não podem ser abordadas como um conjunto homogêneo ou como uma etapa bem delimitada do ciclo de vida.

Rompe-se, assim, com esquemas que podem uniformizar ou aprisionar a família na perspectiva terapêutica. São os contextos que dão significado aos momentos e etapas vividos por ela, assim como cada membro familiar imprime sua marca nesse percurso. Não se trata por certo de não reconhecer que a adolescência em nossa sociedade representa a passagem da infância para a vida adulta, sendo identificada por reconhecidas mudanças físicas, psicológicas e sociais. Assim, no momento socialmente conhecido como adolescência, o filho adquire mais autonomia, a "crise" é concebida como lhe sendo permitido construir um mundo pessoal, separado nomeadamente daquele de seus pais e tomando por emprestado a cultura jovem de seus pares. Ele realiza um duplo movimento de autonomia e de originalidade na relação com os pais, ao mesmo tempo que essa relação continua a ser caracterizada pela dependência (Singly, 2001).

O que se procura enfatizar é que cabe ao terapeuta familiar construir com a família seus contextos de pertencimento e dar voz às motivações individuais no desenrolar do percurso familiar. Desse modo, abre-se o horizonte para se pensar a família não no tempo cronológico em função de etapas idênticas para todos, mas no tempo social e vivido de cada família.

Relações entre as gerações

Attias-Donfut (1988) considera que cada etapa de vida exprime certo estado das relações entre as gerações. Uma geração se produz na medida de seu envelhecimento e pela relação com as outras gerações. Não pode, portanto, ser definida em si mesma, mas apenas na perspectiva intergeracional. Cada uma delas é portadora de história e de ética. A construção dos processos de transmissão de bens simbólicos culturais ou peculiares de cada família ocorre entre as gerações.

A autora aponta que uma geração designa a duração comum de vida com seus símbolos temporais, sociais e históricos. Não se pode, portanto, cristalizar a geração a determinado tempo da vida. No entanto, em que momento as gerações começam a se dar conta de seu envelhecimento? Embora não exista uma resposta "certa", pode-se dizer que um desses momentos corresponde à adolescência de seus filhos. Por sua vez, é quando tomam consciência da própria geração que adolescentes ou jovens se apercebem, com maior nitidez, das demais gerações. A família faz então um reconhecimento de si mesma.

Cada etapa da vida manifesta certo estado das relações entre as gerações, no dizer de Attias-Donfut (1988). O convívio intergeracional ocorre predominantemente por intermédio da família. Ele se revela como espaço de conflito e de cooperação. As trocas geracionais podem ocorrer em várias direções. Quando os filhos entram na adolescência, esses espaços adquirem novos contornos. Há, de diversos modos, uma redefinição das relações entre as gerações dentro da família. Assim como os percursos familiares são heterogêneos, também os espaços de convivência intergeracional adquirem peculiaridades segundo as construções psíquicas, sociais e históricas. Pensar os adolescentes e seus pais com base no eixo das relações intergeracionais é um segundo ponto de partida. Nessa direção, pode-se portanto perguntar: famílias com filhos adolescentes ou filhos adolescentes com pais "maturescentes"?[5] Recorro a esse termo porque a adoles-

---

[5] Para Attias-Donfut (1988), o aumento da expectativa de vida favorece a construção de novas escolhas, respostas e saídas para os desafios que se apresentam na meia-idade. Assim, ela utiliza o termo maturescência para denominar o processo que envolve a metade da vida em analogia com a adolescência.

cência dos filhos corresponde, como tendência, à aproximação dos pais da metade da vida. Os desafios e as alegrias vinculados à adolescência dos filhos integram, ao mesmo tempo, o processo de amadurecimento dos pais.

A história familiar e o processo terapêutico podem começar em qualquer uma dessas direções. Contudo, de qualquer forma, é uma nova e fecunda dimensão da existência que se abre para pais e filhos. Acumular experiências, tomar consciência da própria geração, do envelhecimento e suportar momentos críticos afetam de modo diverso todos os envolvidos. Acrescento, ainda, a oportunidade que se cria nesse momento para que os adultos se conheçam melhor e retifiquem suas premissas e atitudes.

As relações entre as gerações materializam o desenrolar do tempo e encontram na família o espaço do confronto e do convívio.

Inquietações terapêuticas

Os pontos apresentados reiteram, de um lado, a já sabida complexidade dos laços familiares. De outro, atestam a incompletude presente nas relações geracionais e familiares para além do período próprio da adolescência. Sugerem, ainda, as perguntas: em que momento do percurso de vida ou das relações intergeracionais as famílias se apresentam e o próprio terapeuta familiar se encontra? Como isso repercute no trabalho? Desse modo, a própria relação terapêutica contém e expressa os pontos aqui apresentados. Eles servem, também, neste texto, para balizar algumas inquietações que serão a seguir delineadas.

São inúmeras as situações que desafiam a vida das famílias contemporâneas que têm filhos adolescentes. Violência, drogas, sexualidade, escolaridade, limites e sociabilidade são algumas delas, entre tantas outras, que afetam as famílias em intensidades e graus variados. Para muitas delas, são fortes tempestades que desabam no percurso familiar. Para outras, apenas chuvas passageiras.

Com a intenção de "concretizar" parte dessas situações, recorro às contribuições do cinema atual. Este tem retratado vivamente certos impasses vividos pelos adolescentes em nossa sociedade e nos oferece cenas sensíveis e/ou contundentes a respeito. Por exemplo, o filme *Preciosa – Uma história de esperança* (2009), dirigido por Lee Daniels, narra uma história permeada de violência familiar e de exclusão vivida pela personagem central, uma adolescente afro-americana pobre de 16 anos. Já o filme brasileiro de Laís Bodanzky, *As melhores coisas do mundo* (2010), mostra o modo de vida de adolescentes dos segmentos médios paulistanos com relação a família, escola e namoro, e veicula a força das redes sociais e das implicações tecnológicas em sua vida. Esses dois exemplos, por um lado, reiteram a ideia de que as cenas e narrativas dos adolescentes e de seus laços familiares se inserem em contextos sociais diversos. Por outro, introduzem a questão da tecnologia[6] que integra a vida dos adolescentes e afeta as relações intergeracionais. Por certo, em nosso país, o celular, como tecnologia de telefonia, é de acesso mais democrático do que as redes sociais, por exemplo, que requerem processos de inclusão digital. Essa questão tende ainda a ser uma ruptura entre as gerações. Isso ocorre não porque avós e pais não saibam utilizar[7] as redes sociais, os celulares, a internet e outras novas tecnologias, mas porque a utilização desses recursos se inscreve de modo diverso na sociabilidade e na subjetividade de adolescentes e de adultos. Em outros momentos históricos, a música pode ter representado essa "divisão", como o rock ou, ainda no meio cultural brasileiro, a bossa-nova.[8] Mudança e continuidade se conjugam quando se trata de família. Velhos problemas e novas roupagens? Em parte, pois mesmo que a tecnologia sempre penetrasse o cerne da vida familiar, a dimensão das redes sociais trouxe consigo outra forma de organização do tempo e das relações.

Repetidas são as queixas parentais que recaem sobre o envolvimento do adolescente com as diversas tecnologias, em especial o celular e o computador. A participação em blogues e sites de relacionamento social (Facebook, Twitter) e os acessos aos inúmeros portais da internet são fonte de preocupação para muitos pais. Trancar-se no quarto diante do computador por horas a fio ou falar longamente ao celular representa certo isolamento da família, mas, também, a participação do adolescente em outro espaço e tempo do mundo on-line. As relações estabelecidas com intensidade, mas sem os vínculos presenciais, por vezes desorientam os pais sobre qual atitude tomar. Os adolescentes estão "sós", mas com suas redes virtuais e no mesmo espaço da vida familiar.

Situações reconhecidas como *bullying* entre os jovens também ocorrem, com frequência, por intermédio das redes. O filme de Bodanzky mostra bem o alcance e o impacto das redes sociais sobre os protagonistas adolescentes. Esses aspectos costumam promover atenção, tensão, conflitos, trocas e negociações entre pais e filhos em torno dos limites e do uso das tecnologias. Especialmente quando outra área da vida familiar não está sendo considerada satisfatória, essas questões tendem a se tornar agudas. Convém lembrar que estou me referindo, neste momento, aos pais que cuidam desse aspecto da vida de seus adolescentes. A prática clínica com famílias também evi-

---

[6] A dimensão tecnológica sempre penetrou a vida familiar. Exemplos como a pílula anticoncepcional ou os exames de DNA para a comprovação de paternidade revelam mudanças significativas nas relações entre homens e mulheres e pais e filhos.
[7] Embora, em muitas famílias, nem todos os membros estejam incluídos digitalmente.
[8] Em que pese, hoje, a maior rapidez com que as tecnologias mudam e se alteram.

dencia aquelas que desconhecem ou negligenciam as possibilidades e os riscos do uso da internet pelos filhos.

A relação dos jovens com a tecnologia constitui, significativamente, uma das situações que abrem espaço para se pensar nas mudanças familiares e geracionais ao longo do percurso de vida. Vale lembrar que, para os pais, essas formas de inserção no mundo social não respondem ao repertório cultural vivido em sua adolescência. No contexto dessas mudanças, podem-se observar, entretanto, as conhecidas dinâmicas relacionais da confrontação da perda do lugar de criança para o adolescente e do adolescente (interior) para os pais. Em outras palavras, os pais revivem aspectos de sua adolescência e, ao mesmo tempo, despedem-se um pouco mais dessa etapa da vida, enquanto os filhos experimentam a construção de um mundo pessoal para além daquele de seus pais. Cada parte envolvida exercita, no vínculo, o reconhecimento de si mesma. Desse modo, as fronteiras internas no sistema familiar se redesenham e os lugares na rede familiar se deslocam. Esboça-se aí, também, a tensão entre o projeto parental para os filhos e o projeto que começa a se discriminar dos jovens para si mesmos. Nessa perspectiva, de um lado ocorre a semelhança e, de outro, a oposição entre esses projetos. O desejo de autonomia dos filhos pode ainda colidir com os cuidados e/ou com a maciça "proteção" dos pais. Autonomia e dependência, individuação e pertencimento são faces das relações familiares nesse período da vida. Todas essas complexas e complicadas questões fazem emergir sentimentos positivos, negativos, aspectos fóbicos ou ansiosos nas relações entre pais e filhos, recobrindo, muitas vezes, a central angústia por reconhecimento.

A convivência familiar com os adolescentes ainda suscita o que se pode denominar "quebras" entre a imagem idealizada de família e aquela vivida. São as chamadas feridas narcísicas, no dizer de Kohut (1984), que afetam pais e filhos. Algumas das expectativas depositadas nos filhos pelos pais correspondem às necessidades não satisfeitas destes com relação à própria adolescência. Como diz Roudinesco (2003, p. 195): "Todos os pais têm o desejo de que seus filhos sejam ao mesmo tempo idênticos a eles e diferentes". Responder a essas contraditórias exigências não é tarefa clara, tampouco fácil, para os filhos ao longo do percurso de vida. O modo como a família lida com "quebras" e ambiguidades aponta para a construção de relações mais espontâneas ou com menor flexibilidade.

Nesse breve quadro, observam-se pais e mães que procuram tanto se aproximar como manter um profundo distanciamento do "modo de vida dos adolescentes". Entre esses polos, existe uma gama de momentos e atitudes relacionais paternas, assim como uma diversidade de qualidades de vínculo do adolescente com o sistema familiar (Fortunato e Marra, 2010).

O desenrolar do percurso familiar remete ao inevitável contato com a vida e a morte, com o tempo que não pode parar, com as gerações que se sucedem, com a originalidade das gerações e de cada membro familiar. Prazeres cotidianos, alegrias, desamparo, impotência, perda de amor, angústia, demandas, desejos e incertezas, muitas vezes engendrados de modo transgeracional, emergem, então, nas cenas familiares apresentadas na terapia.

Para encerrar, acrescento que o processo terapêutico com famílias provoca algumas respostas e deixa muitas outras questões em aberto. Reconhecer a diversidade para construir os contextos familiares, acolher, acompanhar, espelhar, propiciar a escuta e os espaços de negociação, confrontar, individuar e ressignificar são demandas postas na relação entre famílias e terapeutas. O terapeuta familiar psicodramatista é facilitador da ação dramática, mas também coordenador e interlocutor das conversações familiares portadoras de mal-entendidos, de comunicações ambíguas ou paradoxais, complementares e/ou geradoras de novos significados. É ainda uma testemunha do inatingível que acompanha todas as cenas ou conversações. Como terapeuta psicodramatista, muitos recursos[9] podem ser utilizados com famílias que têm filhos adolescentes. Nessa diversidade, todavia, o desafio que considero fundamental – nos laços que se constroem entre família e terapeuta – é fazer emergir, em cada contexto, as possibilidades criativas e criadoras das famílias para responder às novas e às antigas exigências de seu inacabado percurso de vida. As tecnologias mudam, mas permanecem afetando e sendo afetadas pelos vínculos humanos ao longo do percurso familiar. Algum membro da família ensinou "os primeiros passos" na bicicleta ou no computador. Algum adulto recebeu ajuda de um jovem ou de uma criança para subir uma escada ou acessar m recurso tecnológico. O convívio intergeracional é o terreno das influências mútuas na família. Já as trocas familiares manifestas ou latentes e as contabilidades equivalentes é que estão no cerne das demandas terapêuticas. Nomeá-las e separá-las está no itinerário.

Assim, os desafios postados para terapeutas e famílias são uma pequena parte daqueles que emergirão ao longo do percurso familiar. Essas questões estão para além de enfoques terapêuticos e seus recursos correspondentes.

---

9 No cenário psicodramático, criam-se possibilidades para que as cenas familiares já vividas, e também as do aqui e agora, sejam trabalhadas. Esse cenário oferece o potencial para "fazer presentes" membros ausentes, mas que têm um lugar na representação da trama familiar nos diversos planos geracionais; facilita a criação de um novo contexto para que os membros da família revisitem o passado, tendo em vista vitalizar o presente e "projetar" o futuro. As cenas dramatizadas ou relatadas podem ser renomeadas pelo grupo familiar (Vitale, 2010). O genodrama também pode ser empregado de modo fecundo quando se trata de gerações (Vitale, 2004). No quadro metodológico psicodramático (sociodramático), destacam-se ainda as técnicas de solilóquio, duplo, espelho, desempenho e inversão de papéis, esculturas, jogos dramáticos e dramatização, entre outras. Cabe a ressalva de que a técnica de inversão de papéis entre pais e filhos adolescentes envolve cuidados a ser debatidos, mas que fogem do âmbito deste texto.

Referências

ATTIAS-DONFUT, C. *Sociologie des générations: lémpreinte du temps*. Paris: Puf, 1988.

ATTIAS-DONFUT, C.; SEGALEN, M. *Grands-parents: la famille à travers les generations*. Paris: Odite Jacob, 1998.

CARRETEIRO, T. C. "Adolescências e experimentações possíveis". In: FORTUNATO, L.; MARRA, M. M. (orgs.). *Temas da clínica do adolescente e da família*. São Paulo: Ágora, 2010, p. 15-24.

CARTER, B. et al. *As mudanças no ciclo de vida familiar: uma estrutura para a terapia familiar*. Porto Alegre: Artmed, 1995.

CERVENY, C. M. O.; BERTHOUD, C. M. E. (orgs.). *Família e ciclo vital: nossa realidade em pesquisa*. São Paulo: Casa do Psicólogo, 1997.

CHARTON, L. *Familles contemporaines et temporalités*. Paris: L'Harmattan, 2006.

ERIKSON, E. *Identidade, juventude e crise*. Rio de Janeiro: Guanabara, 1987.

FORTUNATO, L.; MARRA, M. M. (orgs.). *Temas da clínica do adolescente e da família*. São Paulo: Ágora, 2010.

KOHUT, H. *Self e narcisismo*. Rio de Janeiro: Zahar, 1984.

ROUDINESCO, E. *A família em desordem*. Rio de Janeiro: Jorge Zahar, 2003.

SARACENO, C. *Sociologia da família*. Lisboa: Editorial Estampa, 1992.

SINGLY, E. (org.). *Être soi d'un âge à l'autre: famille et individualisation*. Tomo 2. Paris: L'Harmattan, 2001.

VITALE, M. A. E. "Genodrama: trabalho psicodramático com o genograma". In: *Laços amorosos: terapia de casal e psicodrama*. São Paulo: Ágora, 2004.

_____. "A metáfora paterna". In: SALTINI, C.; FLORES, H. G. (orgs.). *Lacaneando: ideias, sensações e sentidos nos seminários de Lacan*. Rio de janeiro: WAK, 2010.

4 AUTONOMIA *VERSUS* PERTENCIMENTO: UMA INTERROGAÇÃO

Sandra Fedullo Colombo

> "Cada ser que habita este mundo é um poema.
> Um poema endereçado à casa da hospitalidade. O gesto hospitaleiro
> abre o caminho para o parto de todo o começo."
> (Paiva, 2011, p. 1)

Era uma vez Andressa, Anita e Sílvia[1]

> No meu caminho, embora eu não sei aonde estou indo...
> Em uma estrada que está escura e longa no meu caminho, estou com medo de que eu possa estar perdida...
> Que o caminho que eu escolhi pode estar errado (!)...
> Fiz a escolha certa?
> Quando vai ficar claro que fiz a escolha certa?
> Quando terei certeza da minha própria voz?
> Eu sonho com o dia que estarei livre da dúvida.
> ???
> Eu não sei onde procurar respostas...
> Será que vou encontrar minha força?
> E descobrir quem realmente sou... ou recuar e fingir que não me importo?

Essa é a voz de Andressa, uma adolescente de 14 anos que foi encaminhada com a mãe e a irmã à clínica social dos Sistemas Humanos[2] após uma tentativa de suicídio com ingestão de medicamentos.

---

[1] Todos os nomes usados neste capítulo são fictícios.
[2] A clínica social do Instituto Sistemas Humanos atende casais e famílias gratuitamente como parte do curso de três anos para formação de terapeutas familiares, com interlocução clínica ao vivo, concomitantemente ao atendimento.

A história de encontros e desencontros, de medos e recuos, de tocantes coragens, de sintomas perigosos como narrativas de perdas e dor tocou meu coração e despertou meu olhar para o caminho que nos transforma em autores de nossa vida, o que implica a dimensão da autonomia que envolve a própria criatividade e originalidade – sem nunca esquecermos que esse processo está fundado nos vínculos de pertencimento, tecido nas tramas de nossas histórias. A coreografia que nos introduz no cenário humano convida-nos a dançar passos de entrega e arrebatamento e inclui também aqueles que provocam dissonâncias, distanciamentos e voos.

A vivência inicial do apego e o constante desenvolvimento do processo de construir a própria pele e reconhecer a do outro compõem a beleza da construção das fronteiras entre os seres que se amam, fronteiras respeitosas e amorosas, como dizem Maturana e Zöller (2004), pois o amor é o reconhecimento da existência legítima do outro. Essa viagem inicia-se dentro de cada um de nós com a autorização maior ou menor que recebemos de nosso cenário familiar e social para nos apegarmos e, ao mesmo tempo, nos diferenciarmos.

Pertencer e diferenciar, fazer parte e ser diferente, amar arrebatadamente e reconhecer que o outro existe fora de mim e eu, fora dele. Tudo isso é muito lindo... Mas como é difícil!

Pensando nas palavras de Andressa, vejo meu medo quando quis sair dos meus scripts familiares, os momentos dolorosos que meus filhos viveram na adolescência para terem coragem de tomar as próprias decisões enquanto eu, fortemente apegada, fazia força em outra direção!

Lembro-me de um sonho maravilhoso, em um momento especial de transformação da minha vida, em que vejo minha cachorra predileta, uma husky, dando à luz um filhote grande, lindo, mas que está metade dentro da barriga e metade fora. Ela caminha calmamente pela sala e eu fico muito aflita, sem saber como ajudá-la para o bebê nascer. No sonho, penso que é melhor deixá-la à vontade, pois ela saberá deixá-lo nascer; vou dormir e, quando acordo, continua andando com o bebê metade dentro da barriga. Ligo para o veterinário, que se irrita comigo, dizendo que tenho de dar uma injeção para apressar o nascimento, e eu, chorando, digo que não sei.

É verdade, também acordada muitas vezes não sei como autorizar, com a alma aberta, o novo, o que é original, o meu crescimento e o crescimento de quem partilha comigo aquele trecho do caminho.

Quantas vezes ficamos encalacrados em nossos sucessivos nascimentos? Quantas vezes seguramos o nascimento de novas fases com mágicas que tentam paralisar o prosseguimento do ciclo da vida?

Que lindo sonho que traz o balé do pertencimento e da autonomia... do juntar e do separar, e o desejo da paralisação do tempo.

Em outra dimensão, pensando na família como um segmento socioafetivo e cultural de determinada sociedade, acredito que represente valores e necessidades também desse mundo mais amplo, ao mesmo tempo que é continente da memória transgeracional daquele grupo particular que, com seus anseios e mitos, prepara novos participantes para o jogo social tanto no micro quanto no macrocosmo.

O processo de pertencer e diferenciar-se é constituído concomitantemente nas esferas intrapsíquica e interpsíquica, pois todo acontecer humano se dá em uma relação entre humanos, guardando em si a dimensão relacional íntima na constituição dos modelos mais primários de afeto e amor (Winnicott, 1975; Bowlby, 1989; Stern, 1997). Esses modelos, que vão se constituindo na relação, estão inseridos na memória transgeracional daquele grupo e também nos valores e expectativas do mundo ao qual pertencem, em determinado momento histórico.

A partir desse ângulo, também deparamos com o paradoxo do pertencimento e da singularidade. Será que o único caminho do pertencimento seria repetir o "destino familiar", recebendo a herança como uma prova de lealdade e abrindo mão de alternativas singulares, bifurcações da história, transformações libertadoras? Da mesma maneira, as famílias, segmentos conservadores da sociedade, cuja função é preparar pessoas para participar daquele universo sociocultural, só poderiam reconhecer, na dimensão do pertencimento, indivíduos replicadores dos valores e mitos daquela sociedade e daquele grupo particular e não coconstrutores e críticos do processo social e relacional onde estão inseridos? A dimensão da transformação da herança de pertencimento em respeito ao nascimento de singularidades poderia ser compreendida não como deslealdade, mas como espaço para alternativas do viver? Coroamento do caminho para a autonomia e individuação?

De novo, lembro as imagens do meu sonho: metade podia nascer e a outra estava retida, encalacrada!

Quais são os processos envolvidos em meu sonho e nas perguntas de Andressa? – "Quando terei certeza da minha própria voz?", "Será que vou encontrar minha força e descobrir quem realmente sou... ou recuar e fingir que não me importo?"

Recuar... desistir da própria voz, do próprio nascimento?

No meu sonho, estou dando à luz eu mesma? Meus filhos, meus desejos, o tempo que flui?

A família na fase adolescente, como dizem Cerveny e Berthoud (1997), representa um momento precioso e preciso para revisitar o processo de nascimento das individualidades – sendo, portanto, fase de importante eclosão das forças de exogamia em luta com as forças de pertencimento. A autora descreve esse momento da vida familiar enfatizando as demandas diferentes que pais e filhos apresentam, quando os adultos começam a refletir sobre questões existenciais da meia-idade, revendo suas escolhas de vida amorosas e profissionais, e os filhos adolescentes ensaiam novas maneiras de se relacionar e novos padrões de relação, experimentando os códigos e expectativas do mundo social mais amplo.

Acredito que esse momento catalisa uma grande transformação familiar, em que se dá a interseção desses dois movimentos que Cerveny chama de "processo introspectivo". As perguntas existenciais me parecem ser: quem eu sou? O que vou fazer com minha vida? Os adultos reveem suas posições nas relações, e os jovens, a amplitude das possibilidades, o que lhes é autorizado e o que querem preservar dessa herança.

Minhas observações clínicas coincidem com a pesquisa dessa autora quando enfatiza o movimento de reconfiguração da família para que, ao flexibilizar os padrões de relacionamento, seja possível encontrar novas respostas afetivas, novas combinações de convivência, nova compreensão dos significados dos códigos familiares que respondam, de maneira evolutiva, ao novo momento existencial daquele grupo.

Acredito, como escrevi em "Como ouvimos nossas crianças?" (Colombo, 2012), que o adolescente e a criança são a porta de entrada da família quando são trazidos com queixas de dificuldades de aprendizagem, de socialização, de vínculos afetivos. As histórias que estão sendo contadas por eles nos levam por caminhos relacionais que envolvem toda a família, muitas vezes incluindo várias gerações.

Pensemos em Andressa com seu medo de usar sua voz, metade nascida, metade encalacrada... Nos encontros terapêuticos, Sílvia, sua mãe, falava quase sem respirar de suas filhas: Andressa com sua tentativa de suicídio e sua dificuldade de ir à escola, e Anita com seu diabetes. A única pessoa a ter voz era ela; as filhas tinham olhares e aflições. Aos poucos, abrimos caminho para as demais histórias que estavam silenciadas, compactadas, sufocadas e pudemos ouvir choros, raivas, desejos de liberdade, memórias de violência conjugal, ofensas sexuais, solidão e medo.

As histórias passaram a não ser contadas somente pela voz aflita e controladora da mãe, relatando os "sintomas de doenças" das filhas. Andressa foi a porta que se abriu nessa família para pedir ajuda, para revisitar a herança relacional, os padrões de afeto, pertencimento e exogamia, que pareciam sufocar o desejo do desenvolvimento daquelas individualidades: pertencer era abrir mão da própria voz, e abrir mão da própria voz é, no final do caminho, morrer.

Sílvia pôde ouvir as filhas em seus desejos de crescimento e revelar que queria deixar de só cuidar das "doenças" e casar novamente. As filhas se sentiram autorizadas a lutar pelo crescimento e negociar novos espaços – como Anita fazendo o próprio café da manhã (ritual importante em seu quadro diabético) e Andressa escolhendo a escola onde estudaria, movimento de autoria exogâmica.

Será que os encontros terapêuticos foram injeções para apressar o parto? Os bebês nasceram e a mãe sobreviveu?

Tenho enorme respeito pelo grupo que chega até nós por uma crise. Acredito profundamente que não somos capazes de captar a "verdade" das relações, mas podemos construir com todos os envolvidos uma realidade que lhes possibilite alternativas para viver e faça sentido para seu processo evolutivo no ciclo vital: um convite para que a família permita o nascimento de seus indivíduos.

A compreensão de que a realidade não é só interna, intrapsíquica, mas interpsíquica, construída no encontro com o outro, une em uma mesma coreografia o pertencer e o individuar. Acredito que a crise causada pela tensão entre essas forças é um momento rico do sistema relacional, pois a tentativa de paralisar o tempo está fracassando, e novas necessidades do ciclo vital passam a ser ouvidas para que sucessivos nascimentos possam acontecer.

Sílvia, com 40 e poucos anos, queria rever seu lugar de mulher em sua história. Havia se sentido pouquíssimo amada como filha, escolhido um homem que a aterrorizava, se tornado guardiã das "filhas doentes", e agora buscava uma autorização para tentar fazer um novo par, voltar a estudar. Mas, ao mesmo tempo, ensinara às filhas o temor de ir para o mundo, onde acreditava que havia perigos para os quais não estavam preparadas.

Essa luta entre pertencimento e autonomia possibilitou que novos espaços e ousadias fossem cogitados e experimentados sem a necessidade de adoecer para confirmar que se tornar autor da própria vida significaria deslealdade, rompimento, perigo e morte. Os partos foram autorizados; Sílvia, Andressa e Anita desenvolveram a confiança em suas capacidades como pessoas com recursos preciosos para viver e usufruíram da força originada pela confiança que o olhar de cada uma provocava na outra.

Lembro-me, neste momento, do artigo maravilhoso de Marisa Japur (2007), no qual afirma que a construção da identidade se dá na interseção das descrições do meu eu com você e do seu eu comigo, em uma construção recíproca mediada pela linguagem.

Que importância espantosa tem, na construção recíproca de nossas identidades, nosso olhar para o outro e o olhar do outro para nós, como nos descrevemos e como nos descrevem, o lugar que oferecemos ao outro e a nós mesmos em uma relação. Nós nos constituímos nessa coreografia! Assim, enquanto Sílvia se descrevia como a guardiã da vida das filhas – a sentinela que não podia cochilar, pois Anita morreria de diabetes e Andressa cometeria suicídio... –, suas filhas eram descritas, se descreviam e se constituíam como crianças doentes, incapazes de autonomia e competência para viver; desse modo, Sílvia deveria oferecer a própria vida para salvá-las ou matá-las. Lembro-me das raivas que puderam ser expressas por ela contra as filhas – como no dia em que "provocou" Andressa para que, se quisesse, tomasse todos os comprimidos para morrer mesmo; ou quando, não deixando Anita preparar o próprio café da manhã, dizendo que era incapaz de fazê-lo, desencadeara uma enorme oposição da filha às regras de sua dieta.

Pertencer é impedir a autoria? Proteger é desqualificar? Tudo dentro? Metade dentro? Perigo de asfixia ou de abandono?

A busca do sagrado, para mim, significa a construção de cada individualidade na dança transgeracional de pertencer e ser original e autor (Colombo, 2000). Penso que meu sonho, que falava desse momento mágico entre a vida e a morte, estar dentro e estar fora, temer e desejar, juntar e separar, e que aconteceu na saída da adolescência de meus filhos, ofereceu um espaço e uma energia afetiva que autorizavam o viver dessa luta, dessa dor, dessa força, desse desejo como sentimentos legitimamente humanos, coisa que a vida traz para atravessarmos, crescermos e podermos envelhecer. Sem patologizar, sem paralisar.

Ao terminarem as aulas do terceiro ano de formação do grupo no qual essa família era atendida, perguntamos como gostariam que fizéssemos nossa despedida e Andressa, a adolescente que não tinha voz, propôs que fizéssemos um passeio todos juntos; escreveu em um bilhete sugerindo que fôssemos todos a um parque para passear e conversar.

Ficamos encantados! O mundo tinha se tornado maior! Sua proposta era abrir a porta e fazermos uma coisa diferente, nos entrelaçarmos em experiências simplesmente humanas: ela, nossa adolescente amedrontada, que queria morrer, que passou vários encontros sem falar, sem desejar nada, propunha a todos nós irmos para a vida! A mãe e a irmã ficaram admiradas – como era possível ela ter feito aquela proposta tão diferente e ousada?

Sua espontaneidade e ousadia me inspiraram. Eu, como coordenadora do grupo, havia pensado em propor um encontro em minha casa, para termos uma vivência especial, um ritual de despedida. Naquele momento, tive o desejo, como o de Andressa, de abrir as portas e permitir o nascimento inteiro! Propus juntar nossos rituais de despedida e de novos nascimentos: o dos novos terapeutas que encerravam a especialização e nasciam como terapeutas de família, e o da família que se despedia das "doenças" da paralisação e nascia para a autonomia com profundo pertencimento.

Metade dentro, metade fora? Não! Completamente fora, respirando com os próprios pulmões, mas permanecendo aconchegados uns com os outros.

Organizamos um delicioso café da manhã no jardim de minha casa, com as comidinhas de que todos gostavam e que Anita poderia comer; moro perto da casa da família, na periferia de São Paulo, à beira da represa Guarapiranga. Sermos vizinhas as encantou. Dividimos nossas experiências de vida, nossas lembranças daquele ano de trabalho e os novos desejos que procuraríamos realizar.

Foi importantíssimo para todos nós esse momento de sintonia e autorização para o nascimento. Gosto de trabalhar com as famílias no lugar onde moram; minha formação como assistente social ajudou-me a valorizar o ambiente de convivência da família e muitas barreiras se desfazem quando entramos nesse cotidiano da intimidade. Assim, quando abri as portas da minha intimidade para meus alunos e para Sílvia, Andressa e Anita, senti-me um elo de uma corrente fortíssima de pertencimento e respeito à existência de cada um. Nesse ritual, todos nós fomos convidados a nascer e a nos desenvolver como seres que podem escrever a própria história em parceria, fertilizados pela presença dos outros.

A coreografia da autonomia e do pertencimento continuará por toda a vida, mas a luta entre essas forças, nesse momento, não parecia precisar existir: pertencíamos e éramos diferentes, autores únicos. O ciclo da vida estava autorizado a continuar, o tempo podia fluir, as relações tinham, naquele momento, a plasticidade necessária para se transformar.

Quando nos despedimos naquela manhã, sabíamos que tínhamos desenvolvido nossa humanidade.

Era uma vez Maria Clara, Margareth, Fernando e Janete

O ser humano nasce com o potencial de se tornar humano, porém só o fará na relação com o outro. Ao nascer e ser recebido na sociedade, ele se desenvolverá e construirá sua subjetividade, a noção do valor da própria existência ao lado da existência do outro. O processo de aquisição dos valores culturais e dos contornos de sua subjetividade é a maior missão de cada grupo humano, quando nasce um novo membro.

O que denominamos "maternagem" compreende o início desse caminho para acolher um ser imaturo e vulnerável, que só sobreviverá se um adulto cuidador protegê-lo e introduzi-lo nos códigos daquela cultura, tanto da família quanto da sociedade mais ampla. É nesse tecido feito de relações e conversações que os valores são construídos e transmitidos, criando modelos do viver que, por sua vez, têm a oportunidade de conservar e/ou transformar esses códigos relacionais para a próxima geração. Esses laços sociais e afetivos são transgeracionais, constroem o significado, o sentido do viver e o lugar de cada um nesse manto tecido pelas histórias familiares.

A família ocidental, em seus diferentes desenhos, na maior parte das situações, é a matriz que receberá a criança ao nascer; ali ocorrerão as primeiras trocas relacionais e as heranças transgeracionais se concretizarão.

Quando observamos crianças e adolescentes, podemos perceber os modelos relacionais dentro dos quais se desenvolveram. Eu os vejo como porta de entrada das vozes da família, narradores de histórias que, muitas vezes, ainda não podem ser verbalizadas.

Assim ouvi Maria Clara, trazida para conversar comigo porque havia "roubado" uma bolsa na escola e a avó estava desesperada com a situação.

Chegou uma mocinha alta, muito bonitinha, aflitíssima, que falava atropeladamente, mal respirava, olhava para os dois lados, torcia as mãos, gritava para explicar que não tinha culpa, que tinha vergonha, alternando a vergonha com a raiva, respondendo aos berros para o pai e para a avó. Parecia uma guerra em que todos atiravam para todas as direções; pareciam assustados, indefesos, perdidos.

Nenhum de nós na sala parecia conseguir respirar. Fiquei muito tocada por aquela família e procurei encontrar um pequeno espaço de quietude no qual pudessem começar a conversar. Disse que gostaria de ouvir cada um, pois percebia que era muito difícil o que estavam vivendo, que estavam sofrendo e que gostaria de saber, na opinião deles, para quem era mais doloroso o que estava acontecendo. Essas palavras abriram um pequeno espaço de reflexão e os três concordaram que era mais difícil Maria Clara enfrentar o que havia feito na escola perante a diretora e as colegas.

Digo para Maria Clara que posso entendê-la e que gostaria que me contasse tudo que estava acontecendo, o que a deixava nervosa, triste ou envergonhada... Maria Clara começa a chorar, a torcer as mãos e dizer que tinha muita vergonha. Pergunto se ela quer me contar o que é mais vergonhoso para ela, que chora, grita, diz que não ia tirar nada da colega, que ninguém acredita mais nela, que a escola não a quer lá, que todo mundo fala mal dela...

Pergunto se ela tem alguma ideia de como poderíamos ajudá-la a enfrentar esse momento, em que me parece que aconteceu algo extremamente doloroso, que a deixa muito envergonhada e que, se pudesse, voltaria atrás. Ela para de chorar, senta perto de mim nas almofadas no chão e aos poucos começa a me olhar. Diz que a avó acha que ela não tem mais como resolver isso, que ninguém confia mais nela.

A avó diz que o que aconteceu é gravíssimo e que a menina já tirou dinheiro da carteira dela e coisas do quarto onde é proibida de entrar. Relata ainda que "ela fez um teste, chamado de Rorschach, que vai me trazer, pois o resultado é muito grave!" Em seguida, o pai diz que Maria Clara é como a mãe: mente muito, grita, é malcriada, agride todo mundo e não consegue ter amigos.

Assim começaram as histórias da família, relatadas com desespero por esse trio, a partir da falta de limites e continência afetiva da adolescente de 13 anos.

Procuro construir um espaço de confiança para que possamos dar voz a outras histórias que constituem a identidade dessa família, para que não reduzamos todas as vivências a essa crise de Maria Clara na escola.

Digo que estou curiosa para saber o que a mãe de Maria Clara pensa sobre o que aconteceu e pergunto o motivo de ela não ter comparecido ao nosso encontro. Maria Clara pula da almofada e responde que é melhor a mãe não vir porque "senão a briga iria ser pior".

Nesse momento, Maria Clara parece muito bem articulada, expressa-se de maneira clara, fica acelerada para falar, mas conclui o pensamento.

Pergunto quem mais quer me contar essas histórias da família. Maria Clara pede para a avó, pois o pai "não sabe explicar".

A avó, Margareth, uma senhora de mais de 70 anos, muito bonita, elegante, claramente é quem tem a liderança na família. Empresária supercompetente, fundou um negócio com o marido, que morreu há anos, e os filhos trabalham com ela.

Fernando, pai de Maria Clara, primogênito, sempre teve muitos problemas cognitivos, por isso tem um cargo simples na empresa de sua mãe – ela divide a gestão com o filho mais novo. Casou-se com Janete, moça do interior, de nível socioeconômico bem simples, teve duas filhas e separou-se depois de muitas brigas entre o casal e entre a nora e a sogra. Com a ajuda de Margareth, assumiu todos os compromissos em relação às filhas. Maria Clara ressentiu-se com a separação e teve vários problemas com Janete, que culminaram com seu pedido para morar com a avó e o pai. A partir daí, as brigas entre Janete e Margareth aumentaram e Maria Clara passou a negar-se a ir dormir na casa da mãe.

As dificuldades de adaptação escolar apareceram com clareza; a menina faz acompanhamento com pedagoga e terapia individual, pois fica "muito ansiosa", não acompanha as matérias e "não entende os textos". A avó está "cansada" e arrependida de tê-la assumido, e acha que a garota "puxou à mãe, que mentia, ameaçava e roubava coisas da casa dela".

Ao ouvir isso, Maria Clara fica aflita e inquieta, gritando que vai melhorar, que não parece com a mãe, que a mãe é louca e batia nela, e que não gosta dela.

O pai interrompe, dizendo que ela deve respeitar a mãe, ao passo que Maria Clara responde que a mãe não a respeita, liga para ela e bate o telefone na sua cara, que só gosta da irmã mais nova (Gabriela). "Não quero morar com elas, vou melhorar, quero um remédio para não ficar nervosa."

Novamente, sinto uma enorme ternura por aquela família tão desesperada. Ninguém acredita em ninguém. Todos exauridos e vulneráveis.

Quem será continente de quem? Quem são os adultos, quem são as crianças?

De um lado, uma senhora não pode envelhecer, pois o filho se mantém uma criança dependente; do outro, a adolescente não tem adultos que possam fazer o lugar de pais maduros e elege como mãe substituta a avó, que não está "aguentando" assumir o lugar de continência e acolhimento, ameaça abandonar filho e neta e continua o clima de guerra com a ex-nora.

Maria Clara está dividida entre lealdades em guerra e sem um lugar em que possa confiar e plantar suas raízes para se fortalecer e se diferenciar. Todas as dificuldades e transgressões são ouvidas como um destino inquestionável, vindo das origens "ruins" da mãe. Metade dentro, metade fora! Não consegue nascer para autonomia, antes precisa pertencer.

Continuando as histórias, visitamos o lugar dos homens vulneráveis e das mulheres líderes da família paterna, o alcoolismo do avô paterno e do pai, a origem pobre da avó paterna e a construção da riqueza por meio do trabalho, o desnível econômico e cultural entre o pai e a mãe de Maria Clara e as dificuldades cognitivas do pai. Falamos muito também das brigas entre mães e filhas das duas famílias de origem.

Ao longo dessas narrativas, Maria Clara pareceu crescer rapidamente, participava das conversas, desenhava, trabalhava com a massinha, fazendo flores e oferecendo à avó, a mim, à madrinha, ao tio e ao pai (Figura 1).

O processo terapêutico individual de Maria Clara e o acompanhamento pedagógico continuaram todo o tempo para que uma verdadeira rede de sustentação pudesse existir. Maria Clara tem um vínculo forte com esses profissionais, sendo importante para ela o que todos pensam. É fundamental a construção de um espaço onde se pode conversar, pensar diferente, comentar sem disputas nem brigas. Onde se pode pensar e treinar a individualidade sem trair ninguém.

Figura 1 – Desenhos feitos por Maria Clara. **A.** Casa da mãe e da avó. **B.** Flor sozinha. **C.** Flores juntas.

Margareth claramente foi se encantando com Maria Clara, deixando de compará-la com a mãe e "devolvê-la"; Maria Clara começou a proteger as limitações do pai, apesar de dizer que preferia que o tio paterno assumisse esse papel.

Além disso, aproximou-se um pouco da mãe, indo visitá-la algumas vezes, e passou a conviver com a irmã mais nova e protegê-la.

Aparentemente a noção de pertencimento foi conquistada e a individualidade começou a florescer: passa a fazer declarações de amor à avó, apesar de dizer que ela é muito "neurótica com dinheiro" e exagera tudo – por isso fica doente. Diz que quer ser "mais calma e inteligente como o tio".

Quando essa família chegou à terapia, ela sentia fracassar em sua missão de acolher e preparar os membros da nova geração para se fortalecer como indivíduos, ser respeitosos com os semelhantes e adquirir os códigos para a vida social e os recursos afetivos para as relações cooperativas e amorosas. Encontravam-se imersos na guerra em que todos estavam derrotados e Maria Clara, como porta-voz, representava a incapacidade de construir um modelo de vida respeitoso, amoroso e criativo. A capacidade destrutiva de três gerações, que pudemos visitar por meio das dificuldades apresentadas por ela, representou uma verdadeira oportunidade de transformação.

Margareth sentiu que, ao assumir de coração a "adoção" de Maria Clara, sem significar vencer a ex-nora, liberou a neta para também ter a mãe e permitiu a si mesma fazer as pazes com a maternidade que tentou não aceitar por inúmeras vezes.

Em uma de nossas conversas, eu disse: "Pensando em vocês outro dia, achei que a melhor coisa que aconteceu foi Maria Clara ter escolhido viver com você, pois você teve a oportunidade de fazer as pazes com a maternidade". Margareth me olhou profundamente e disse: "Eu também já pensei nisso!"

Era uma vez Antônio, Victor, Renato, Tito e Simone

A família de Simone foi um caso de amor à primeira vista! Um colega me pediu que atendesse com urgência um pai, dois adolescentes e uma criança cuja mãe havia tentado o suicídio, corria ainda risco de morrer, estava na UTI e precisava de ajuda para enfrentar essa situação.

Assim, iniciamos nossos encontros envolvidos por uma atmosfera de medo, dor e catástrofe.

"Por que ela fez isso? Por que ela fez isso?" A pergunta insistente, feita em diferentes tons, aparecia a todo momento, irrompia no meio de qualquer conversa. Eu sentia uma dor aguda, perplexa; sentados no chão, eu com eles, procurávamos construir um sentido para o que estavam vivendo.

Caos, silêncio, às vezes agitação, olhares assustados, lágrimas. Conversávamos do susto que sentiam, do incompreensível – "a mamãe é muito carinhosa", "ela queria mesmo morrer?", "e o médico a que ela vai, não adianta?"

Andávamos em círculos, de mãos dadas, fazíamos desenhos nas paredes, contávamos as histórias do que acontecera antes. Eles me contaram que já havia acontecido outras vezes e que estavam muito assustados porque ela estava se tratando (terapia individual, medicação, internação). Como poderiam ter esperança? Estavam sofrendo, com raiva, sentiam-se traídos. "Por que ela não quer viver?", "E nós, não temos importância?"

Eu sentia essa família como uma massa disforme, amontoada, tudo misturado – onde começava um e terminava o outro? Um novelo emaranhado de lã.

Assim fomos crescendo, contando histórias, desenhando, trabalhando imagens de luto com argila, escrevendo poesias.

Victor, a criança de 6 anos, passou a se cobrir com argila, como um indiozinho de luto fazendo seu ritual de saudade e protesto. Antônio, de 13, com grandes olhos introspectivos, gaguejava e escrevia poesias e crônicas inacreditáveis sobre separações e dor. Renato, o intelectual racional de 16 anos, discutia filosoficamente o direito de querer morrer e causar toda essa confusão. Tito, o pai, buscava proteger a mulher, explicar sua infância infeliz, preencher os vazios e declarar seu amor por ela.

Assim, sessão após sessão, conversávamos sobre a vida, brincávamos, recortávamos histórias de momentos felizes e situações críticas. Victor trazia seus bonequinhos e monstrinhos de plástico, colocava-os no centro do tapete e os fazia lutar, chorar, brigar, fazer as pazes. Ocupava todos os colos disponíveis, começando pelo do pai, pelo meu, dos irmãos.

Simone, a mãe, estava sempre presente nas conversas; eles contavam sobre as visitas na UTI, a volta dela à consciência. Impressionava-me o carinho com que falavam dela a maior parte do tempo.

Assim, a terapia familiar foi acontecendo durante o período de internação de Simone na UTI e, aos poucos, sua volta à vida. Sua alta se aproximava e o psiquiatra e o psicanalista que cuidavam dela recomendaram uma internação psiquiátrica para que continuasse o tratamento em ambiente protegido.

Havia grande expectativa dos filhos: queriam saber melhor os riscos que a mãe corria. Trabalhávamos juntos as dúvidas, as ambivalências e, finalmente, chegou o dia temido e querido. Propus à família e à equipe que, assim que o psiquiatra considerasse possível, ela fosse incluída nas sessões familiares em meu consultório. Depois de mais ou menos dez dias da alta da UTI e da chegada à internação psiquiátrica, Tito e os filhos foram buscá-la para virem todos à sessão. Estávamos emocionados. Senti que confiavam que aquele seria um espaço especial para viverem o reencontro e conversarem sobre os sentimentos de abandono e traição, além de elaborarem a destruição que sentiam viver.

Eu estava profundamente mobilizada para que pudessem falar, mas também ouvir as histórias que Simone talvez já pudesse compartilhar. Será que conseguiríamos construir um espaço de intimidade, em que todos pudessem ser acolhidos e validados na própria experiência? Senti que andaríamos em uma corda bamba – havia um clima de enorme vulnerabilidade que eu não poderia esquecer se quiséssemos atravessar esse pântano perigoso.

Chegou uma família que andava nas pontas dos pés. Victor, de mãos dadas com a mãe, introduziu-a na sala e a apresentou para mim: "Mamãe, esta é a Sandra, que ajuda a gente".

Ela me olhou de muito longe; uma moça bonita, olhos tristes, escuros, um pouco inchada, parecia envolvida em uma bolha, lenta, tentando entender. Tito estava feliz porque o médico o autorizara a trazê-la para nossa reunião. Antônio estava muito próximo, de alguma maneira todos queriam tocá-la, mostrar que estava tudo bem e que estavam contentes com sua volta. Na sala, uma sensação de perigo palpável. Nenhum de nós queria fazer um movimento que pudesse desencadeá-lo.

Sentamos nas almofadas e falei sobre minha felicidade em recebê-los todos juntos, que tinha muita vontade de conhecê-la pessoalmente, pois, ao conhecer seus filhos, tão sensíveis, delicados e amorosos, havia pensado em como ela e Tito tinham criado uma família especial. Ela me olhou atentamente e disse que tinha medo de estragar tudo.

Eu disse que entendia o que ela queria dizer, pois, ao tentar morrer, ela mostrou a dor e o desespero que a afetavam. Perguntei se ela gostaria de contar o que sentiu para tentar se matar e como estava se sentindo nesse momento, depois de voltar a viver.

Estavam todos atentos e silenciosos. Victor estava grudado à mãe, enquanto ela acariciava seus cabelos. Pude ver um fio de emoções e afetos unindo todos; muita coisa precisava ser dita, mas tínhamos antes de construir um espaço de escuta.

Assim, começamos nossas conversas: Simone contou que foram piorando seu mal--estar e sua incapacidade de querer viver. Não aguentava tomar os remédios, fazer análise de três a quatro vezes por semana e não sentir melhora. Sentia que pesava ao marido sua incapacidade de viver, por isso resolveu tomar veneno para rato, mutilar-se e esconder-se em um parque. Enfiou galhos na barriga e desmaiou de hemorragia, mas o vigia do parque percebeu que tinha um carro no estacionamento e chamou por socorro. "Eu queria mesmo morrer, quase morri. Já tentei outras vezes com remédios, mas me salvaram." Falava claramente, devagar, sem parar, olhando para mim.

Os filhos estavam aflitos. Renato procurava olhar para outro lado. Tito dizia que a última tentativa foi a mais triste, pois ela se machucou muito, e que ficou extremamente assustado, achou "que ela morreria". Queria cuidar das crianças, mas não sabia como protegê-las, por isso havia recorrido à terapia.

Antônio confessou que não entendia bem por que ela queria morrer, mas sabia que ela gostava deles. Gaguejava demais, triste e aflito.

Simone se emocionou, chorou, disse que gostava muito deles e não queria atrapalhar sua vida. Acrescentou que, sem ela, eles sofreriam no início, mas depois seriam mais felizes. Antônio olhou profundamente para a mãe e questionou como ela poderia decidir por eles o que é a felicidade deles. Tito dizia que não sabia mais o que fazer para que ela acreditasse na importância de continuar viva.

Falei sobre como é incompreensível para eles perceber que o amor que sentem não segura a vida dela e questionei se, nesses 45 dias, Simone descobriu algo que pudesse ajudá-la a viver e se ela gostaria de tentar.

Simone confessou que, se eles quatro não existissem, ela já teria morrido, pois desde criança, vivendo entre muitos irmãos, ela acreditava não ter lugar para viver. Na adolescência, tentou se matar pela primeira vez; logo depois, conheceu Tito e isso transformou tudo. Antônio, gaguejando, dizia que acreditava que a mãe poderia conseguir com a ajuda deles. São claríssimas a força da ligação de Simone com esse filho e a sobrecarga que ele sentia ao querer salvá-la.

Apontei-lhes uma rede de afetos muito forte entre eles, além de expor minha preocupação por não entender como isso poderia ajudar Simone a querer viver e "autorizar-se a viver mesmo tendo sido uma criancinha no meio de muitos irmãos e que se sentiu sem espaço para existir".

Ela me olhou atentamente, sem chorar. Disse que via na fala de Antônio o desejo de convencê-la a viver e de que ela tinha um lugar especial na família, mas não via como um filho de 13 anos poderia salvar a mãe, mesmo se dedicando 24 horas por dia. "Para quem precisamos pedir autorização para Simone viver?" Ela começou a chorar; Antônio e Victor me olharam aflitos, como querendo dizer que eu havia entrado na zona de perigo e deveria recuar. Tito se aproximou dela, abraçou-a carinhosamente e, assim, novas histórias foram soluçadas. "Eu nunca deveria ter nascido", "Meus pais não ligavam para nós", "Eu sou a última", "Eles se trancavam no quarto e a gente não existia", "Eu escorregava pelo corrimão da escada e me espatifava", "Ia nadar na represa sem saber nadar".

Aproximei-me e disse, com muito afeto, que me parecia que ela era mais leal aos pais do que a ela mesma, ao marido e aos filhos, pois acreditava que os pais não queriam lhe dar a vida. Aos poucos, ela procurou meus olhos e me estendeu as mãos. Não sei como aconteceu, mas ela sentou em meu colo, como uma criança.

Nos encontros seguintes, em muitos momentos, ela vinha para o meu colo, pedia meu perfume e ficávamos todos juntos, meio abraçados, meio amontoados, como em um grande útero.

Antônio continuava escrevendo contos de crianças sofridas, abandonadas; casais em que um definhava e morria; criança que sonhava com um balão azul para ser feliz.

Tínhamos várias vozes contando o sofrimento de querer pertencer, de ter medo de pertencer, de abandonar e ser abandonado.

Metade dentro, metade fora? Não! De fora, por fora, desejando loucamente entrar, penetrar, ser acolhido!

Caminhamos três anos juntos, em uma intensidade de afetos semelhante à do início da vida. Atravessamos uma tentativa de suicídio com medicamentos, ingeridos em um hotel simples, na região central da cidade, que foi revertida graças à sensibilidade do atendente da portaria, que ficou preocupado pelo fato de ela estar 12 horas sem se comunicar e chamou o corpo de bombeiros, que arrombou a porta e a levou inconsciente ao Hospital das Clínicas.

Em um episódio que considero o mais angustiante que já vivi como terapeuta, Simone, ao sair de uma consulta com o psiquiatra, subiu em um terraço no último andar do prédio, telefonou-me chorando e pediu para que eu cuidasse dos filhos, pois não podia mais viver. Naquela fração de segundo, entre a vida e a morte, senti-me tão pendurada quanto ela no terraço, e em um movimento de tudo ou nada apostei na ligação de confiança e pertencimento que tínhamos construído e respondi que não cuidaria de seus filhos porque eu não era a mãe deles, e que se ela pulasse do prédio deixaria a herança mais dolorosa que uma mãe poderia deixar. Eu disse que confiava nela e sabia que, ao me telefonar para ter minha autorização para morrer, eu não a daria, pois ela e sua família tinham um lugar no meu coração. Eu estava com o coração disparado, aflita para que ela conseguisse me ouvir e acreditasse que tinha um lugar na vida, mas não sabia se havia conseguido escolher as palavras certas que pudessem alcançá-la, nem se nossa relação daria conta de impedi-la de pular. Segundos eternos, ela em silêncio, eu procurando mais palavras que não me vinham... Arrisquei. "Simone, acho que você pode descer desse terraço. Vamos pedir para o Tito buscar você e voltar para casa. Estão todos te esperando." Ela, de longe, respondeu "está bem".

Ao desligar, corri para procurar o telefone de Tito e avisá-lo do que estava acontecendo. Tito sabia qual era o prédio e foi buscá-la. Chegaram em casa e me telefonaram. Marcamos um encontro para a manhã seguinte.

Penso que esse foi o momento em que a história adquiriu um novo sentido. Passávamos as sessões sentados no chão, com muitas almofadas, Simone muito tempo em meu colo, com os filhos e o marido bem pertinho. Líamos contos de fadas. Ela enfeitou uma árvore no jardim com fadas que dizia habitarem ali, como uma criança pequena, começando a brincar; fez-me uma linda caixa de madeira com adesivos de fadas que guardo em minha sala com grande carinho. Tito acompanhava essas histórias, participava delas, parecia que fazia sentido para todos voltar no tempo, revisitar a infância de Simone e os sentimentos de abandono.

Os filhos cresciam. Victor parecia um artista plástico, fazia "instalações" incríveis, protestava e reivindicava a mãe. Renato, estudioso, muito bem preparado, passou nas melhores faculdades. Tito estava em plenitude profissional. E, Antônio, um adolescente cada vez mais bonito, quase não gaguejava mais, escrevia textos cada dia mais maduros e fantásticos para sua idade, dando voz ao abandono, às perdas, aos medos, à solidão das histórias vividas por toda a família:

Não tinha mãe, não tinha pai, não tinha nome, não tinha nada.
Nasceu menino e menino ficou.
Vivia entre a bondade de uns e o descuido de outros. Apesar de tudo, era pequeno.

Ou esta linda passagem:

Mundo-moinho, mundo-cheiro, mundo-estranho. Mesmo encantado o mundo era triste. Era barulhento de dia e frio à noite. A luz do dia o emudecia e a escuridão da noite o assombrava.

Todos nós, fortalecidos por essas vivências e ampliados por essas rodas de conversação, fomos autorizando o nascimento de cada individualidade. Renato viveu um confronto doloroso com os pais, afirmando-se em suas vontades e repudiando sua descrição como um adolescente que não sabia controlar suas raivas. Momento forte e de estranhamento entre pai e primogênito, no qual, com esforço, Tito procurou fazer novas negociações na hierarquia da família. Renato foi o porta-voz da força de exogamia, tão necessária nessa fase do ciclo vital da família. A alma de nosso trabalho não residia mais somente na construção do tecido do pertencimento; agora, as vozes da diferenciação começavam a ser ouvidas.

Foi Renato também quem anunciou, com meses de antecedência, que ficaria na terapia familiar somente até o final do ano. Novamente, porta-voz da força exogâmica!

Quase no final de nossos encontros terapêuticos, Antônio escreveu:

Ela chora na cama, à noite, no escuro. Eu posso ouvir suas lágrimas, seus ruídos baixos misturarem-se ao zumbido infernal do despertador.
Calada, quase quieta, eu posso sentir o molhado no travesseiro. Ela parece feita de água, uma eterna garoa, uma espessa neblina, um mar sem fim.

Texto que seu professor delicadamente comentou: "É curioso como você tem uma intuição tão certeira a respeito de um tipo de relação que, menino, ainda não viveu".

Não imaginava a vivência profunda da dor que Antônio, de maneira especialmente poética, comunicou como porta-voz da família.

Toda a família cresceu: compraram uma linda casa, "com a árvore das fadas"; entraram nesse grande útero que foi a terapia familiar e puderam nascer inteiros: pertencer, confiar, para depois se separarem e serem autônomos.

Um novo capítulo

Recentemente, encontramo-nos em um jantar que me ofereceram em sua casa – mesa posta com uma beleza delicada e aconchegante, clima de reencontro, carinho e curiosidade.

Adorei revê-los. Antônio, terminando a faculdade de Cinema, tendo já dirigido um curta-metragem, continuava a escrever, com seu jeito amoroso, sensível e encantador; Victor, cheio de energia, alegre, mobilizador, chegou do treino de futebol superenergético, contando muitas histórias. Tito, super-realizado na profissão, absolutamente interessado no mundo dos filhos, apoiando e elogiando amorosamente Simone, uma presença afetiva e consistente; Simone, uma pessoa inteira, cuidadosa, alegre, contando suas histórias, lembrando seus momentos críticos, muito amorosa com a família e dedicando-se a desenhar. Renato, estudando em Nova York, em uma universidade conceituada: conectamo-nos pela internet para que não ficasse fora de nosso encontro.

Não queríamos que a noite acabasse, pois tínhamos muitas histórias para compartilhar. Eles queriam saber como me tornei terapeuta familiar, o papel de mediadora de conflitos em minha família de origem, as dificuldades de uma família transcultural: minhas histórias humanas abriram caminho para lembrarmos nossos encontros terapêuticos e o que escrevi sobre essa experiência.

Aproveitando o convite do jantar, levei o texto para lerem, comentarem e modificarem o que tivessem vontade. Sempre que escrevo sobre as famílias, costumo entregar-lhes minhas reflexões para que possam ou não se reconhecer em minha narrativa, e assim abrir espaços para novas conversas.

Assim aconteceu nesse jantar. Antônio, que havia lido rapidamente enquanto conversávamos, disse que gostara de meu texto, mas que, para ele, o pior momento não tinha sido a ameaça da mãe de se jogar do terraço – ele nem sabia que isso tinha acontecido, pois nem eu, nem os pais nunca havíamos comentado –, mas aquele das fadas, quando a mãe parecia uma criança. Disse a eles que talvez só eu tenha vivido esse impacto, pois estava ao telefone com Simone sentindo que ela poderia pular. Já Tito observou que os momentos mais terríveis para ele foram quando a mãe tomou os comprimidos no hotel – pois pensava que ela estava melhor – e quando precisou comunicar a Renato que talvez a mãe morresse – na ocasião, Simone estava na UTI em decorrência de ingestão de veneno de rato e os médicos achavam que ela não sobreviveria.

Simone estava muito atenta a essa conversa, dizia que não conseguia lembrar-se de muita coisa – por exemplo, ela não lembrava que havia me telefonado do terraço. Tito disse que, quando chegou para buscá-la, ela já havia descido, estava na porta do prédio, e, por isso, talvez não tenha guardado uma vivência muito difícil dessa situação.

Gostamos muito de perceber que, para cada um, havia um momento mais perturbador. Para Tito, é incrível como eles viviam situações primitivas, terríveis e, ao mesmo tempo, eram capazes de elaborações altíssimas.

Simone sorria, participava e, nesse momento, contou que descobrira o prazer de desenhar. Antônio e Tito a elogiavam, e penso que ela estava nos assinalando para curtirmos um novo tempo da família e de sua criatividade.

Ganhei um lindo desenho dela e um livro de poesias de autoria de Tito, além da promessa de Antônio de me enviar seus novos textos por e-mail.

Assim nos despedimos, com uma sensação deliciosa de pertencimento, encontro e transformação.

Um instante ainda de reflexões

Revendo esses encontros com as famílias, volto a me debruçar sobre minha convicção de que o processo terapêutico é constituído por um encontro especial entre seres humanos que se propõem a uma grande aventura de compartilhamento, respeito mútuo, interesse genuíno, ternura e continência diante da dor, assim como confiança nas possibilidades que a roda de conversações pode propiciar.

O processo terapêutico, em minha concepção, vive profundamente da sintonia que se pode construir com o outro, que possibilitará viver o ritmo necessário para aquela experiência, abrindo espaços dialógicos sutis e reflexivos. Não é necessariamente o que falamos, mas como nos conectamos e abrimos as portas para a construção de significados ampliadores e alternativos.

Não posso esquecer alguns autores que me fertilizam nesse caminho. Tom Andersen (1991), com sua presença humana única e sua escuta tão especial que cada um de nós se sentia absolutamente recebido em sua condição humana e interiormente em movimento; Harlene Anderson (2009), com sua ferrenha crença na transformação das conversas "desiguais" em contextos colaborativos, nos quais a construção da confiança e da responsabilidade partilhada não fica em segundo plano diante do destrinchar dos conteúdos e de suas compreensões, e com sua postura de que o terapeuta não precisa esconder sua história humana para atuar profissionalmente – pois, em sua concepção, tudo depende da construção conjunta do significado. Assim como ela, acredito que nós, terapeutas, precisamos ter flexibilidade e desenvolver recursos especiais para cada situação, usando o próprio estilo e criatividade.

Um espaço especial para Mony Elkaïm (1988), que autorizou o terapeuta a se reconhecer como instrumento do trabalho terapêutico, com seus conceitos de interseção e ressonância na construção das possíveis realidades do encontro humano, convidando-nos a refletir sobre a necessidade de trabalhar com nossas histórias de vida no espaço terapêutico; e Pierre Benghozi (2010), a cujas conferências tive a oportunidade de assistir e cujo texto, "Malhagem, filiação e afiliação", pude ler. É interessante quando lemos um texto e parece que o entendemos desde sempre! Faço um paralelo da construção e reconstrução do tecido afetivo das famílias, feito de experiências vinculares significativas, com seus conceitos de malhagem e filiação, e entendo que o "esburacamento" desse tecido, que constitui os contornos, contém e sustenta o grupo familiar e cada um de seus membros, traz um esvaziamento dos recursos que autorizam e legitimam o viver e, portanto, o caminho da autonomia fecundada e gerada no pertencimento. Esse olhar para a construção e a reconstrução dessa malha da identidade individual e grupal me parece presente em todos os processos descritos por mim.

Identifico-me também quando escreve sobre nossa necessidade, como terapeutas, de desenvolver capacidades para acolher e conter uma situação vaga, para ser sensível a um ambiente, a uma atmosfera particular, às vezes carregada, sombria, pesada, quando nossa capacidade de pensar parece alterada. Como ser potencialmente incorporável sem ser destruído? Como nossa capacidade de "rêverie" vai possibilitar a transformação dessas experiências, colocar a impressão em figurabilidade?

Quantas memórias de momentos vividos nesse clima e com esses perigos, como quando recebi pela primeira vez a família de Maria Clara ou fiquei pendurada no terraço junto com Simone, ou quando procurei me conectar com a aflição dolorosa e agressiva e a violência e a morte na família de Andressa. Neste momento, lembro-me de Paiva (2011) quando poeticamente fala da "disposição hospitaleira", pensando a hospitalidade como um resguardo de outro que acolha e legitime os diferentes modos de ser. Isso equivale a dizer que, sem o resguardo de um abrigo hospitaleiro, o outro ficará relegado ao deserto de seu próprio abandono, onde experimentará o anonimato em relação à sua singularidade. Daí a importância de pensarmos a hospitalidade como um recurso terapêutico.

Teci este capítulo com os fios de muitas vozes, que admiro e me fertilizaram. Para encerrar, quero relembrar um artigo que publiquei em 2000 e mantém sua atualidade ao sublinhar que o encontro das famílias com os terapeutas, todos sentados ao redor de um ponto de conversação, funciona como um caldeirão de emoções e afetos sendo aquecidos, às vezes fervidos, mas sempre assegurado e protegido, um ventre fértil para abrigar novas possibilidades de nascimento, no qual se apuraram as forças da vida e da morte, caldo forte que alimentará cada indivíduo do sistema terapêutico em sua jornada. "Temenos, lugar sagrado em grego, onde a confiabilidade de existir, como expressão única, está assegurada."

Referências

ANDERSEN, T. *Processos reflexivos*. Rio de Janeiro: Noos, 1991.
ANDERSON, H. *Conversação – Linguagem e possibilidades: um enfoque pós-moderno da terapia*. São Paulo: Roca, 2009.
BENGHOZI, P. *Malhagem, filiação e afiliação – A psicanálise dos vínculos: casal, família, grupo, instituição e campo social*. São Paulo: Vetor, 2010.
BOWLBY, J. *A teoria do apego*. Porto Alegre: Artmed, 1989.
CERVENY, C. M. O.; BERTHOUD, C. M. E. *Família e ciclo vital*. São Paulo: Casa do Psicólogo, 1997.
COLOMBO, S. F. "Em busca do sagrado". In: CRUZ, H. M. (org.). *Papai, mamãe, você e eu?* São Paulo: Casa do Psicólogo, 2000.
_____. "Como ouvimos nossas crianças". In: CRUZ, H. M. (org.). *Me aprende?* São Paulo: Roca, 2012.
ELKAÏM, M. (org.). *Formações e práticas em terapia familiar*. Porto Alegre: Artmed, 1988.
JAPUR, M. "Sobre um eu que também é você". *Nova Perspectiva Sistêmica*, v. XIV, n. 27, 2007, p. 9-19.
MATURANA, H.; ZÖLLER, G. *Amar e brincar – Fundamentos esquecidos do humano*. São Paulo: Palas Athena, 2004.
PAIVA, J. A. V. *A morada da hospitalidade e o deserto do sem lugar*. Monografia orientada por Denise Mendes Gomes, apresentada no Instituto Sistemas Humanos como conclusão do Curso de Especialização em Terapia Familiar. São Paulo, 2011.
STERN, D. *A constelação da maternidade*. Porto Alegre: Artmed, 1997.
WINNICOTT, D. W. *O brincar e a realidade*. Rio de Janeiro: Imago, 1975.

5 PSICODRAMA, FAMÍLIA, ADOLESCÊNCIA E AUTORIDADE

Dalmiro Manuel Bustos

Como e quando comecei a trabalhar com famílias

Há mais ou menos 30 anos, quando a terapia centrada no núcleo familiar ainda estava em estado embrionário, eu, de repente, me vi diante de uma situação insólita: uma família me consultou porque dois dos filhos estavam com distúrbios de conduta e eles não sabiam como enfrentar o problema. Eu quis encaminhá-los para especialistas no assunto, mas eles insistiram para que eu os ajudasse. Acabei aceitando o desafio. Minha experiência com famílias se circunscrevia à condução do grupo de pais de soldados argentinos durante a infausta Guerra das Malvinas (Bustos, 1982). Naquela época, muitas famílias entraram em crise. Nossos filhos lutavam em uma guerra absurda que refletia o desprezo das duas potências em conflito pela vida humana e nossas famílias viviam com um alto nível de angústia. Diante dessa situação, criamos um grupo de pais que oferecia contenção e apoio diante do desespero. O grupo reduziu nosso desamparo e permitiu que a criatividade ressurgisse. Além de conduzir o grupo de pais, senti a necessidade de assistir particularmente várias das famílias. Apesar de estar na mesma situação que eles, assumir o papel de terapeuta me colocava em uma posição ativa que me permitia sair da impotência. É claro que nenhuma técnica nem teoria poderiam ser aplicadas, mas ter lido os textos de Moreno sobre sociodrama com famílias foi útil para mim (Moreno, 1977).

Como eu ajudava? Segundo os participantes do grupo, eles encontravam em mim alguém que aplicava o princípio da autoridade de forma confiável. Era um parâmetro seguro diante do caos. Meu trabalho como terapeuta nessas circunstâncias era muito divulgado pela imprensa, que atribuía a mim um papel que eu mesmo desconhecia, mas que me conquistou. Eu era terapeuta de grupo desde 1957, quando, durante minha residência como médico nos Estados Unidos, certo dia tive de conduzir um grupo de pacientes porque o profissional titular não estava. Mero acaso? Uma vez fizeram meu mapa astrológico natal e me disseram que meu caminho era inevitavelmente trabalhar com grupos: nasci às 9 da manhã do dia 9 de outubro de 1934, com todos os astros na casa 11 – lugar dos grupos. Como não sou especialista em astrologia, não posso avaliar essa situação, mas minha ignorância não invalida o que eu ignoro. Respeito profundamente os enormes mistérios da vida. Nunca saberemos com certeza científica quais são os condicionantes que traçam nossos caminhos. O fato é que, durante toda a minha vida profissional, sempre trabalhei com vários tipos de grupo.

O papel de terapeuta de grupos foi sendo enriquecido com a prática, com cursos e com o distanciamento que permite armar uma metodologia que facilite uma abordagem clara (Bustos, 1998). Em síntese, o psicodrama possibilita a compreensão profunda das relações interpessoais de todos os tipos, mesmo quando a clareza e a sistematização naufragam diante da complexidade que significa entrar na intimidade de uma família. Contudo, o que mais se consolidou dentro de mim ao longo do tempo, como pai e terapeuta, foi a importância do princípio da autoridade como eixo da dinâmica familiar.

Como é gestado o princípio da autoridade?

Do ponto de vista dos condicionantes sociais, o conceito de autoridade foi evoluindo do caos primitivo ao absolutismo (*L'état c'est moi*), ou seja, a norma ou lei é arbitrariamente gestada e se transforma em um mandato indiscutível, passando por todas as ditaduras e fórmulas reativas de saída, que acabavam recriando o poder, trocando simplesmente as pessoas que o exerciam. Esse poder exigia a participação das pessoas às quais se dirigia. A democracia marca princípios ideais de convivência, mas, por um problema que não é da democracia – e sim de quem a exerce –, a tendência foi a de se apoderar do que simplesmente deveriam representar. Nenhum latino-americano ou pessoa de outra nacionalidade ignora os sofrimentos que isso nos trouxe. Como parte do sofrimento, há a falta de um modelo confiável que funcione como referência para o exercício do poder, uma forma de autoridade que não seja nem autoritarismo nem a impotência inoperante. A corrupção imperante entre integrantes de diversos governos leva a uma descrença que contamina a subjetividade social que serve de base para a família. A palavra firmeza não tem muitos exemplos práticos como referência. A convivência com a diversidade existe como utopia, mas muito dificilmente se vê na prática, que é a grande mestra. Fala-se facilmente de ideais que depois são traídos no cotidiano. Voltarei a essa questão mais adiante.

Normas ideais de vida também costumam ser propostas por outras fontes de valores desejáveis, mas são raros os exemplos confiáveis como instituição. Muitos valores pregados se baseiam em princípios medievais. A diversidade defendida pela liberdade de credo e comportamento desde que não se machuque nem submeta os outros acaba se chocando com fatos que a negam. Pedofilia não castigada que se esconde sob a vontade de manter a estrutura da Igreja Católica, anuente de outras falácias, gera dúvidas sobre sua esperada capacidade de fornecer contenção e normas. O princípio vigente é: ou você pensa como eu ou é meu inimigo. Em vez de buscar o enriquecimento na diversidade, são criadas oposições irreconciliáveis. Tudo isso sempre aconteceu, em alguns momentos mais do que agora, mas os meios de comunicação, por exemplo, que antes tinham menos poder, agora divulgam fatos de corrupção em uma atitude que parece liberdade de imprensa, mas por vezes é uma exploração de fatos negativos para servir aos próprios interesses, o que aumenta a falta de credibilidade. De modo nenhum defendo que se ocultem informações; defendo a objetividade destas. As deturpações a serviço de interesses setoriais geram um fator de insegurança. Outro conceito em desuso é o respeito. Quando presencio discussões nas quais cada orador se dedica a desqualificar o outro, vem-me uma forte sensação de destrutividade. Nesses casos, em quem se deve acreditar? Eu gostaria muito de escutar cada um expondo os seus pontos de vista sem desqualificar o outro.

Família

Voltemos à célula familiar. Há alguns anos, fui consultado por uma família. O pai, médico, foi um militante político que ficou preso um ano durante a ditadura argentina. A mãe, arquiteta, uma mulher muito contida e severa, conduzia a casa com pulso firme. A família tinha três filhos homens, de 12, 13 e 16 anos. O de 16 tinha recebido o diagnóstico da moda: déficit de atenção. Foi reprovado na escola, embora seu coeficiente intelectual fosse muito alto. Medicado, o garoto se recusava a fazer o tratamento recomendado. Os irmãos começaram a exibir sinais de angústia. Os pais descobriram que o filho mais novo fumava maconha e talvez consumisse álcool e outras drogas. O pai ficou deprimido, foi tratado com antidepressivo e seu terapeuta recomendou terapia familiar. Na primeira consulta, recebi apenas o casal. Quando senti que havia uma margem razoável de *rapport*, pedi para fazermos de conta que, em vez de ser nosso primeiro encontro, aquele era o último. Nesse cenário, eles me contaram os resultados atingidos com a terapia. Essa projeção de futuro me permitia chegar aos motivos subjacentes da consulta. Primeiro, eles disseram ter descoberto que Rafael[1], o filho mais velho, não sofria de déficit de atenção, e sim de muito desprezo pelo mundo proposto pelos adultos. Sua dispersão era uma forma de se recusar a usar suas capacidades a serviço da hipocrisia. Como os pais estavam sempre brigando, ele os sentia inseguros. O segundo filho, Martin, ficava entre os problemas de Rafael e os do irmão mais novo, Chacho, que não queria sair da infância, mas, quando ouviu o pai assumir sua raiva contida, ficou muito aliviado. Perguntei qual foi, para eles, a sessão que marcou um antes e um depois na dinâmica familiar. Pedi que eles apontassem, na avaliação de cada um, o pivô da mudança. Os dois afirmaram que foi sobretudo admitir que eles precisavam de ajuda para todos juntos, em vez de passar a vida procurando culpados pelo mal-estar familiar.

A primeira sessão conjunta confirmou essa situação. Os meninos, com cara de desinteresse, ou ficavam calados ou reclamavam uns dos outros. Os pais olhavam com cara de reprovação. Qualquer intervenção minha era neutralizada por um dos meninos, principalmente pelo mais velho. Pedi para criarmos um tribunal aberto, onde todos seriam juízes dos demais. Com isso, o que eu pretendia não era reprimir, e sim dar um cunho catártico às acusações contínuas que dominavam a comunicação, escondendo assim as ansiedades subjacentes. Começaram as acusações agressivas, principalmente a Rafael. O pai, Hector, tentava acalmar a família o tempo todo. Essa dinâmica levou umas três sessões. Na quarta, Rafael disse que estava cansado de todos e começou a explicar por quê, primeiro em tom agressivo, mas de repente começou a rir. Chacho sorriu, primeiro tenso, depois descontraído. Os outros foram contagiados pelo clima e Marisa, a mãe, disse que seria bom parar com as brigas. Abriu-se assim o espaço que poderia levar à mudança da atitude defensiva. Diante dessa abertura, pedi para fazermos um jogo que consistia em cada um, sucessivamente, se colocar no papel de entrevistador. Todos os outros assumiriam em cada rodada de entrevistas o papel desse membro da família. Ou seja, se a mãe era a entrevistadora, os demais assumiriam o papel dela como entrevistada. Isso me levou a investigar o "outro" interno de cada uma daquelas pessoas. Desse modo, cada um veria a imagem que os demais tinham dele mesmo. Pedi que, para entrar no papel do outro, cada um fizesse um solilóquio, dizendo uma palavra-chave para entrar no personagem. O personagem era Rafael; Chacho disse mentira; Martin, cuidados. Marisa mencionou culpa. Hector, impotência. Rafael disse raiva e, ato contínuo, fez a primeira pergunta à sua mãe, que interpretava o papel de Rafael: "Por que você está sempre zangado?" A mãe, no papel de Rafael, disse: "Eu vivo fazendo barulho e reclamando, mas, na verdade, tenho medo porque o papai está

---

1 Todos os nomes utilizados neste capítulo são fictícios.

sempre deprimido e a mamãe se sente sozinha. Eu sinto que deveria fazer alguma coisa, mas não sei o quê".

Dali em diante, todos começaram a apontar o medo de desamparo gerado pela depressão do pai. Quando o pai assumiu o papel de entrevistador, depois de passar por todos os outros papéis, despejou: "O seu papel de vítima da ditadura encarnou em você, você não quer sair, por que você insiste?" O filho mais novo diz, em voz muito baixa: "Acho que tenho medo de mandar todo mundo se ferrar como me ferraram, mas faço que se sintam culpados". A mãe sai do papel e chora. Todos, incluindo o marido, cercam a figura que teve de suprir a falta de autoridade na família.

Há vários cuidados fundamentais a ser considerados. Um deles é levar em conta os valores da família, coincidindo ou não com os do terapeuta. O questionamento deve conduzir à reflexão, jamais à censura. Como frequentemente trabalho com diversas culturas, aprendi que esse respeito à diversidade de valores assegura a confiança no terapeuta. O outro parâmetro fundamental é não desautorizar as normas estabelecidas. Com muita frequência, perante um conflito de autoridade entre os pais, um deles tenta aliar-se com o terapeuta para impor seu ponto de vista. Nesse caso, o terapeuta familiar pode desempenhar o papel de juiz. A dinâmica de um grupo que convive há mais tempo entre seus integrantes exige mais cuidados do que nos grupos terapêuticos nos quais não há convivência entre seus membros. Essa característica dá à terapia familiar uma tonalidade bem diferente da de um grupo terapêutico. Alianças, segredos, confissões fora da sessão com um dos membros são defesas diante do temor da perda da identidade familiar. Exercer a autoridade terapêutica sem substituir a autoridade intergrupal é uma das tarefas mais delicadas que o terapeuta familiar deve confrontar. Na família que relato, o filho mais velho procurava constantemente uma parceria comigo contra o pai. A mãe também fazia isso por meio de comentários, como o elogio à decoração do meu consultório. O gesto do pai delatou que não era um simples comentário, mas uma mensagem subliminar. Pergunto-lhe o que acontece e ele responde que ela, arquiteta, sempre reprovava sua falta de sentido estético. "Inocentemente", estava concorrendo com ele por meio de seu comentário.

Sempre me é de muita utilidade ficar atento aos componentes da comunicação. Os sinais semânticos – o sentido de cada palavra –, a sintaxe, a articulação (afetiva) das frases, o tom emocional concordante ou discordante das frases e gestos, ou seja, a discrepância ou a harmonia do corpo e seus gestos com o conteúdo oral, nos revelam dinâmicas subjacentes, ajudando-nos a compreender profundamente o conflito em pauta.

Compreensão da dinâmica com a teoria de papéis

O exemplo me permite ilustrar a teoria de papéis, com base em meus desenvolvimentos aos quais chamei de *teoria de clusters* (Bustos, 2009). Podemos resumir dizendo que, segundo Moreno, os papéis se agrupam em conjuntos dinâmicos, que ele chama de *clusters* ou "cacho de papéis". A partir daí, continuei pesquisando quais são essas unidades dinâmicas. As relações interpessoais são regidas basicamente por três aspectos: dependência, autonomia e paridade. A primeira evolutivamente se define a partir do vínculo estabelecido por meio da função materna, desempenhado ou não pela mãe. A criança é incapaz de se valer por si mesma. Sem o desenvolvimento do neocórtex, não existe a capacidade de processar experiências. Nessa etapa, aprende-se a depender, condição necessária para aprender a receber, a aceitar os cuidados em momentos nos quais nos sentimos frágeis. Condiciona o vínculo interno com a dor, a perda e a construção de vínculos amorosos. A ternura é o sentimento central dessa etapa evolutiva. As feridas nesse período foram claras na família em questão. A mãe assumiu o papel de condução e, para isso, reprimiu a função de conter e nutrir. Não pôde amamentar seus três filhos porque desenvolveu uma mastite. Os filhos a chamavam de sargento.

A segunda dinâmica define a etapa de autonomia. A criança já pode se valer por si mesma. Anda e atinge suas metas sem ajuda. A função paterna estimula e conduz essa etapa. É importante deixar claro que se trata de uma função, e não de um papel, porque pode ser desempenhada por um homem ou por uma mulher: alguém que ajude a criança a dar os primeiros passos. Sua característica depende da etapa anterior. Se ela pôde incorporar a dependência como uma capacidade potencial positiva, a autonomia será vivida como algo firme, não duro. No entanto, se as feridas da primeira etapa forem sérias, instala-se a angústia, que é o oposto da espontaneidade, e a rigidez suprirá a força, ou, ao contrário, se estabelecerá uma incapacidade de tomar decisões sozinho. Além da família, o meio social também estabelece ideais. Hoje, a autonomia é exaltada como única opção para a autoestima e a palavra dependência soa como "fracasso", independentemente das circunstâncias. Todavia, sem aceitar a dependência que relativiza a idealização de autonomia, não há acesso às relações amorosas em todos os seus aspectos. Muitas vezes, ouço pessoas dizendo que sentem angústia porque o fato de estarem amando atrapalha a busca do sucesso profissional, como se amar fosse uma perda de tempo. Hoje também influi negativamente a transição vivida pelos papéis masculino e feminino. Em outros tempos, o feminino era sinônimo de dependência valorizada. O masculino era identificado com autonomia e autoridade. A mulher era a responsável pelo *holding* e o homem, pelo *grounding*. Embora saibamos que isso causava mutilações tanto em homens como em mulheres, estabelecia regras do jogo claras. Atualmente, ambos exercem as duas funções, mas muitas vezes nenhum dos dois as exerce – em consequência, temos a confusão e o desamparo (Bustos, 2003).

Na família que tomamos como referência, o papel do pai era de produtor de culpa. "É preciso não trazer problemas para o papai, porque ele se sente mal." E havia desamparo pela falta da função materna, com a função paterna exercida pela mãe, que por sua vez se sentia sozinha na difícil tarefa de conduzir o grupo familiar. O medicamento antidepressivo que Hector tomava havia muito tempo cristalizava seu papel passivo (o doente) e a ausência de apoio para Marisa.

Adolescentes

Os três meninos cresceram nessa dinâmica. E a terceira dinâmica, depois da dependência e da autonomia, condiciona a passagem à fratria, em que se aprende a compartilhar ideais e também a competir e a viver rivalidades. Os dois primeiros vínculos (dependência e autonomia) são assimétricos, e a responsabilidade cabe aos pais. A fratria propõe vínculos simétricos, em que a responsabilidade é compartilhada. Esse é o modelo da maior parte das relações adultas. A dinâmica predominante entre as opções de compartilhar, competir ou viver rivalidades recai sobre as duas últimas. Ser melhor do que o outro e ganhar dele, que se transforma facilmente em um rival, levam a uma solidão notória com a qual lucram os vendedores de substitutos mágicos, como cocaína, crack, bebidas alcoólicas, fumo etc. Para se rebelar contra os valores obtidos passivamente, os adolescentes precisam de um núcleo familiar que os contenha. A necessidade básica do adolescente é se diferenciar para começar a eterna tarefa de saber quem é. A oposição é o instrumento para a diferenciação. A adolescência sempre foi uma etapa de conflitos que exige dos pais uma grande capacidade de manter as regras e estabelecer limites em nome do amor. A transição entre tratar o filho como criança e facilitar seu caminho para a vida adulta é muito sutil e, hoje, os limites são vistos como autoritarismo. A rebeldia necessária para a afirmação da maturidade é exercida com violência, e a ordem que gera o limite não aparece definida. A falta de modelos sociais de referência cria uma enorme dificuldade de estabelecer limites como contenção e apoio, não como privação da liberdade. O filho mais novo da família em questão disse claramente que a cocaína era "uma porta para a liberdade". Agora a angústia tem "soluções fáceis", a um custo econômico "razoável". A ausência de autoridade é muitas vezes ocupada por delinquentes que usam a inimputabilidade dos menores para que sejam mãos armadas para seus crimes. Contudo, até a palavra autoridade adquiriu a conotação ditatorial. Hector contou que, cada vez que tinha de dizer "não", se sentia "encapuzado", como durante a prisão.

Basta observar quais são os ídolos dos adolescentes hoje para entender a terrível encruzilhada em que se encontram. Um deles chamou muito a minha atenção: Drácula. Em outras épocas, ele representava uma figura de terror. Os filmes de Drácula são atualmente erotizados e os jovens correm atrás dos adoráveis e belos "sanguessugas". Em troca do sangue, a promessa da vida eterna. A fantasia de poder parar o tempo tem como condição permanecer nas sombras. O sol os destrói. Qualquer semelhança com a dinâmica do mundo adulto não é mera coincidência. A anorexia, outro mal da modernidade, transmite a mensagem clara de que quanto menos necessidade você tiver, mais perto estará da beleza e da eterna juventude. As modelos magérrimas desfilam diante das câmeras e posam para as capas de revistas definindo um ideal para adquirir prestígio, fama e dinheiro. Estamos diante do terrível risco de correr atrás de algo inexistente: a eterna juventude. A cada dia, há mais cirurgiões plásticos. Um deles me contou que, nos congressos, agora as salas dedicadas a cirurgias reparadoras ficam quase vazias, enquanto as dos procedimentos cosméticos estão sempre repletas.

A delinquência exercida por menores é outro caminho para o exercício destrutivo da autonomia. As gangues violentas mostram a agressão como alternativa diante do desamparo. Todos nós já vimos gangues de garotos de classe média ou alta destruindo carros ou atacando pessoas, só para demonstrar poder. Assim como a família que estamos tomando como exemplo foi capaz de recorrer à terapia familiar e encontrou um caminho para reorganizar suas relações, a sociedade como um todo precisa refletir sobre o que está acontecendo. Infelizmente, nem todo mundo pode recorrer a essa instância, e não apenas por falta de recursos financeiros. A questão é que poucas pessoas sabem que esse recurso existe. Além disso, nunca poderíamos acudir todas as famílias que precisam de ajuda. Do ponto de vista do adolescente, a descrença em quem exerce a autoridade é muito grande. Eles buscam modelos de referência para os quais o sucesso é a meta, como é o caso de atletas ou atores. A esse objetivo se opõe o medo do fracasso. Em uma sessão, perguntei aos três meninos quais eram seus ídolos e por quê. Rafael disse Rambo, "porque sobrevive a todos os perigos"; Martin disse Favaloro[2], "porque, apesar de ter se suicidado porque não tinha ajuda do governo, soube manter seus ideais e ensinar aos seus alunos"; Chacho disse Maradona, "porque é o melhor e não fica calado, fala o que tem de falar e faz o que quer". O sucesso desses personagens deve-se, pelo menos, a algum mérito. O pior é a busca da notoriedade a qualquer preço. É claro que a exaltação da imagem a qualquer preço aponta para um sério problema de identidade. Ser fotografado equivale à confirmação de sua existência.

---

2   René Favaloro foi um cirurgião cardíaco argentino, criador da técnica da ponte de safena. Cometeu suicídio no ano 2000.

Outro membro poderoso das famílias atuais é a informática. Aprofundar esse aspecto seria extenso demais, mas não podemos ignorá-lo. A comunicação a distância de forma imediata cria uma nova dinâmica comunicacional que descarta os valores das gerações anteriores, nas quais eu me incluo. Minha perplexidade não pode se tornar uma crítica. Antigamente, meu vizinho era alguém com quem eu me relacionava por contiguidade. Hoje, o vizinho pode estar a milhares de quilômetros de distância. Uma carta levava dias ou semanas. Agora tudo é imediato, e esperam-se respostas iguais. Para tudo. Inclusive nas relações amorosas. Rafael tinha uma namorada que vivia no Equador; dizia que estavam profundamente apaixonados. Nunca se viram. E tenho eu o direito de duvidar desse amor? A formação da subjetividade incorpora elementos que, até há pouco tempo, não existiam, o que nos obriga a reconsiderar nossos parâmetros referenciais. As presenças virtuais quebram os condicionantes espaçotemporais. Rafael tinha relações sexuais por Skype com uma masturbação "muito divertida". Nossa defesa diante dessas variáveis pode tornar-se uma censura pela impossibilidade de incluir essas estranhas variáveis ou admitir nossa conturbada incompreensão e nos dispor a aprender com as novas gerações. Todas as profissões exigem cursos de aperfeiçoamento e atualizações.

O que fazer?

Minha formação com J. L. Moreno me fez enfrentar os conflitos da seguinte maneira: depois que o problema é apresentado, buscar caminhos de saída, sem omitir a utopia como condutora de possíveis projetos. Se o conflito surge no âmbito social, é para lá que precisamos nos dirigir, com os instrumentos que adquirimos em nossa formação. Acredito no sistema democrático. Como disse no início, infelizmente a experiência de morar muitos anos na Argentina e no Brasil, além de ter passado cinco anos nos Estados Unidos e ter conhecido de perto a realidade de muitos outros países, levou-me a perder a confiança em quem exerce a democracia. O ego devora sem piedade o "nós". A maior parte dos políticos se apodera do poder em vez de gerar ações participativas. A família é uma célula do tecido social. Não é possível se isolar dos seus valores, mas é possível relativizá-los.

No psicodrama, já realizamos experiências multitudinárias em praças, ginásios esportivos etc. (Bello, 2004). O conceito de Moreno sobre sociodrama foi usado para gerar trabalhos de reflexão, mas não houve continuidade porque a iniciativa nasceu em lugares privados. Precisávamos ter tido um líder ou vários líderes ocupando um lugar sociométrico central que conduzisse o processo. O que ficou foi uma experiência corajosa que serve como antecedente: é possível. O que aconteceria se os municípios contratassem profissionais que, na linha com que sabem trabalhar, promovessem reuniões nos bairros e dessem voz à impotência que, quando compartilhada, é capaz de encontrar saídas? O que mais instala a impotência é a solidão e a autorreferência. A solução do problema nunca vai sair de um pequeno grupo. É preciso ir em busca da sabedoria latente dos grupos. A instância seguinte que abriga a célula familiar é o bairro. A população mais carente sabe bem disso. A classe média, menos. A classe alta, nada. No entanto, uma vez iniciada a luta, podem surgir saídas que nenhum de nós imagina como indivíduo. Se cada um de nós ativar seus representantes nos seus municípios, e se eles realmente nos representam, terão de nos escutar.

No nosso papel de terapeutas, podemos fazer coisas úteis, mas é o papel de cidadãos que deve ser ativado. E esse papel está profundamente deprimido. Votamos (felizmente, agora podemos fazer isso) e depois... deixamos para lá.

A família que escolhi para ilustrar este trabalho pode representar os nossos países. Cada um dos seus membros se sentia sozinho e tentava reduzir seu sofrimento com recursos individuais, jogando a culpa nos outros pelo sofrimento individual. Quando tiveram voz e uma escuta digna, começaram a encontrar caminhos alternativos. Não como seres isolados, mas sim como um grupo.

Referências

BELLO, M. C. *Escenas de los pueblos*. México: CEIICH/Universidad Nacional Autónoma de Mexico, 2004.
BUSTOS, D. M. *El otro frente de la guerra*. Buenos Aires: Ramos Americana, 1982.
_____. *Perigo, amor à vista*. 2. ed. São Paulo: Aleph, 1998.
_____. *Manual para um homem perdido*. Rio de Janeiro: Record, 2003.
BUSTOS, D. M.; NOSEDA, E. *Manual de psicodrama*. Buenos Aires: Vergara, 2009.
MORENO, J. L. *Psychodrama*. v. 1. Nova York: Beacon House, 1977.
_____. *As palavras do pai*. Campinas: Psy, 1992.

6 AS SETE FASES DA VIDA E A CRISE DA ADOLESCÊNCIA: ESTUDO DA PSICOLOGIA SIMBÓLICA JUNGUIANA

Carlos Amadeu Botelho Byington

Este capítulo resume a crise da adolescência na dinâmica psicológica familiar da ótica da psicologia simbólica junguiana. Ele deve ser considerado na perspectiva histórica que descreve a grande transformação arquetípica da dominância patriarcal no *self* cultural, familiar e conjugal, e sua passagem cada vez mais acentuada para a dinâmica de alteridade. Para compreender melhor essa transição, recomendo a leitura da teoria arquetípica da história, sumariamente descrita em meu livro *Psicologia simbólica junguiana* (Byington, 2008). O *self* familiar expressa a roda da vida, propiciando que de duas a cinco gerações convivam com a dinâmica arquetípica das relações humanas e a representação existencial do passado, do presente e do futuro.

A dinâmica arquetípica familiar tem sido abordada de várias maneiras. Adotarei o caminho das sete etapas da vida individual (em que a adolescência corresponde à quarta fase do desenvolvimento do *self*), o qual complementa o processo de individuação descrito por Jung. A partir da dimensão individual, vamos abordar o funcionamento do *self* nas dimensões conjugal, familiar e cultural. O uso das técnicas expressivas na terapia familiar é mencionado no final do capítulo.

Conceitos básicos

Jung denominou *self* todo consciente e inconsciente da personalidade individual e também o principal dos arquétipos. Para evitar a ambiguidade causada por essa dupla nomeação do todo real e do potencial arquetípico virtual, continuei a chamar o todo de "*self*" e passei a chamar o potencial virtual de "arquétipo central" (Byington, 2008). A denominação de arquétipo central para o principal dos arquétipos foi adotada por Jung em *Symbols of transformation* (1952), circunstancialmente por Michael Fordham (1969) e, corriqueiramente, por John Perry (1974).

Ampliei o conceito de *self* para abranger qualquer dimensão de totalidade além da personalidade individual. Com base no fato de a psique operar com representações de várias dimensões, postulei que o arquétipo central é capaz de reunir essas representações em sistemas de totalidade em qualquer dimensão existencial, além da dimensão do processo de desenvolvimento individual.

Surgiram, assim, os conceitos de *self* conjugal, familiar, institucional, pedagógico, terapêutico, cultural, planetário, cósmico e tantas quantas forem as dimensões tematizadas existencialmente para estudo.

Dessa maneira, o conceito de self familiar visa perceber a família como um todo sistêmico, em função da representação e da interação psicodinâmica de seus componentes. Essas partes são percebidas simbolicamente, elaboradas e coordenadas pelo arquétipo central para estruturar a identidade do ego e do outro na consciência e na sombra, sempre relacionadas, em grau maior ou menor, com as polaridades subjetivo-objetivo e consciente-inconsciente.

Criei a psicologia simbólica junguiana como uma ciência que busca abranger toda a criatividade e patologia da psique e, para isso, centralizei-a no conceito ampliado de símbolo, que aqui inclui tanto as representações subjetivas como as objetivas. Postulei, também, que os símbolos são trabalhados por funções subjetivas e objetivas dentro do processo de elaboração simbólica para formar a identidade do ego e do outro na consciência. "Surgiram, assim, os conceitos de símbolo e de função estruturante, cujo processo de elaboração, coordenado pelo arquétipo central, é a atividade principal do *self*" (Byington, 2008).

Para exemplificar, podemos considerar um cachorro bravo um símbolo estruturante e o medo que temos dele uma função estruturante. A interação do símbolo do cachorro bravo com o medo forma as identidades do ego que teme e do outro, que é o objeto temido em nossa consciência. Essa identidade nos permitirá tomar atitudes inteligentes sempre que depararmos com a situação temida de um cão ameaçador (Byington, 2008).

Quando sentimos amor ou ódio por alguém, por exemplo, vivenciamos muitos componentes subjetivos relativos ao nosso ego, mas outros tantos que se referem às representações do outro com todas as suas características objetivas existenciais. Dessa maneira, não podemos reduzir uma vivência simbólica de amor dizendo que se trata somente de uma projeção, pois a realidade existencial do outro está sempre presente. A vivência de um símbolo inclui, inevitavelmente, a projeção e a introjeção entre o ego e o outro, que alternam existencialmente a identidade de ambos. É claro que a representação do outro inclui a sua abstração e a sua concretude. No amor platônico, predomina a abstração; no amor conjugal, equilibram-se, em dimensões variáveis, a abstração e a concretude, mas ambos sempre estão lá.

Quando os símbolos e as funções estruturantes sofrem fixações, como descreveu Freud, eles passam a formar defesas, aqui concebidas no conceito de sombra de Jung. Como exemplo, imaginemos um episódio traumático, que não pôde ser devidamente elaborado, com um cão ameaçador; a pessoa sofreu uma fixação do medo, que passou a ser expresso de maneira compulsivo-repetitiva por meio de uma fobia a cães com componentes variáveis conscientes e inconscientes, subjetivos e objetivos.

Um conglomerado de símbolos e funções estruturantes forma um complexo, e um conjunto de complexos compõe um sistema estruturante. Complexos e sistemas estruturantes operam de maneira normal ou fixada e defensiva, isto é, patológica.

Assim, podemos considerar a família um sistema estruturante no conceito de *self* familiar e os membros e papéis familiares, símbolos e funções estruturantes que podem operar de forma normal ou defensiva. Sua elaboração é coordenada pelo arquétipo central e contribui intensamente para a formação da identidade do ego e do outro (Byington, 2008).

Por conseguinte, junto com a compreensão da formação da consciência individual e da coletiva por meio da pujança transformadora do *self* familiar, podemos também perceber suas possíveis fixações que dão origem à sombra. Elas são as grandes disfunções que formam os principais capítulos da psicopatologia individual e coletiva. Os símbolos e funções estruturantes estão sempre em elaboração no processo de individuação dos membros da família e, a qualquer momento, podem influenciar a individuação dos demais membros no *self* familiar, seja pela elaboração normal, seja pela sombra.

O complexo mais importante, lado a lado com os complexos materno e paterno, é o do incesto, sendo seu tabu considerado o marco fundamental da civilização (Lévi-Strauss, 1975). Sua grande função estruturante, como chamou atenção Jung, é organizar a família em função das gerações e da separação entre a libido endogâmica e a exogâmica (Jung, 1952).

A elaboração de todos os símbolos, funções, complexos e sistemas estruturantes é coordenada pelo arquétipo central e pelo quatérnio arquetípico regente que opera à sua volta em todas as dimensões do self, *o que inclui o* self *familiar.* Esse quatérnio é formado pelos arquétipos matriarcal, patriarcal, de alteridade e de totalidade, que, junto com o arquétipo central, operacionalizam a relação ego-outro, formando cinco posições características. Tais posições expressam as cinco inteligências arquetípicas do *self*. Nenhum estado de consciência ocorre sem ser pela expressão de uma delas. Elas são a prova de que o funcionamento inteligente da polaridade ego-outro é o produto final da ação coordenadora e estruturante do arquétipo central.

As cinco posições arquetípicas da consciência são as cinco maneiras típicas de a psique existir no mundo. Elas ocorrem em toda elaboração simbólica e, por isso, podem operar em quaisquer situações existenciais, quer as pontuais, quer as que abranjam as etapas do processo de individuação, incluindo evidentemente as que se relacionam com o *self* familiar. Essas cinco posições operam também na dimensão do *self* cultural, cujo processo de desenvolvimento descrevi em minha *Teoria arquetípica da história* (Byington, 2008). Elas podem ser resumidas da seguinte maneira:

A *posição indiferenciada*, também chamada de "urobórica" por Erich Neumann (1995), dá início à elaboração simbólica característica do arquétipo central e expressa a polaridade ego-outro em uma indiferenciação ainda tão íntima que os torna praticamente indistinguíveis.

Na *posição insular*, que expressa o arquétipo matriarcal, o ego e o outro, bem como os polos das demais polaridades, ocupam ilhas na consciência. Em uma ilha, pode ser vivenciada a frustração; em outra, a satisfação. Em uma terceira ilha, podemos ter o ódio, e em outra, o amor, e assim por diante. Embora essas ilhas não sejam encadeadas pelo pensamento lógico, elas podem ser associadas inconscientemente pela intuição e, assim, vivenciadas com coerência dentro do *self*.

A *posição polarizada*, correspondente ao arquétipo patriarcal, articula o ego e o outro, e também os polos das demais polaridades, em uma relação lógica, racional, sempre em oposição. Essa lógica forma sistemas de grande abrangência, como a família, a medicina e a engenharia. Na família, ela contrapõe a criança e o adulto, o homem e a mulher, os pais e os filhos, os sobrinhos e os tios, os avós e os netos, a hétero e a homossexualidade, os vivos e os mortos, e assim por diante.

Na perspectiva da psicologia simbólica junguiana, o *arquétipo matriarcal não é exclusivo do feminino. Ele é o arquétipo da sensualidade, que inclui o feminino e o masculino, a mulher e o homem. Da mesma forma, o arquétipo patriarcal não é exclusivo do masculino, pois é o arquétipo da organização e pode expressar tanto o masculino quanto o feminino, o homem, a mulher e a cultura.* Assim, concebi uma *tipologia matriarcal e patriarcal* expressa pela dominância matriarcal ou patriarcal na personalidade. Ela é muito importante para a compreensão da interação dos papéis familiares, sobretudo porque os papéis tradicionais na família estão sofrendo, atualmente, uma grande transformação.

Na *posição dialética*, o arquétipo da alteridade engloba os arquétipos da *anima* e do *animus* e coordena os polos das polaridades para se relacionarem em um espectro que varia da oposição à igualdade. Esse padrão é democrático e permite um tipo de relacionamento na família em que os polos da polaridade ego e outro e de todas as demais têm direitos iguais de se expressar plenamente. Com o desenvolvimento progressivo dos direitos humanos, essa posição vem se implantando cada vez mais entre os cônjuges e, a partir da adolescência, também na relação entre pais e filhos. Podemos mesmo aferir o grau de humanismo de uma cultura pelo grau da prática da posição de alteridade dentro das famílias que a compõem.

A elaboração simbólica termina com o ego e o outro e as demais polaridades na *posição contemplativa* do arquétipo da totalidade. Nessa posição, o desapego é intensificado, e a oposição entre os polos vai esmaecendo até que eles caminham para se fundir outra vez na unidade.

É comum dizermos que os pais educam os filhos e os avós os mimam. Isso se dá porque os pais, frequentemente, orientam as crianças de maneira dominante dentro da posição polarizada patriarcal, na qual o certo é certo e o errado é errado, e acabou-se. Já na posição contemplativa da totalidade, muito exercida pelos avós, o certo e o errado vão se aproximando e se relativizando a ponto de serem igualmente tolerados.

Na teoria das polaridades, distingo a predominância erótica da libido em um polo em detrimento do outro, que o complementa. Assim, designo o polo privilegiado com o atributo *narcisista* e o polo complementar como *ecoísta,* inspirado nos mitos de Narciso e Eco. O atributo *narcisista-ecoísta* pode estabelecer um desequilíbrio entre os polos das polaridades quando favorece um polo como centro de atenção emocional (por exemplo, a criança) e outro como complemento (caso dos pais). Em geral, a criança ecoa e os pais narcisam ou, mais raramente, vice-versa. Tal desigualdade dá origem à onipotência ou à inflação normal, frequentes nas dimensões insular matriarcal e polarizada patriarcal, e tendem a desaparecer nas posições dialética de alteridade e contemplativa de totalidade, que se caracterizam pelo equilíbrio entre as polaridades.

Outra dualidade que influencia muito as polaridades é a polaridade *ativo-passiva*, que opera de acordo com a função estruturante do poder. Assim como a *polaridade narcisista-ecoísta* (Eros), a ativação desigual normal da *polaridade passivo-ativa* (*poder*) também é comum nas posições insular matriarcal e polarizada patriarcal e diminui nas posições dialética de alteridade e contemplativa de totalidade.

As sete fases da vida e a dinâmica arquetípica familiar

O self familiar apresenta todas as interações possíveis nas relações interpessoais no espaço e no tempo e, por isso, pode ser representado por uma mandala que contém todas as etapas da vida, inclusive a morte e a ressurreição. Uma perspectiva muito frutífera para descrever essas relações é formada pelas sete fases da vida pessoal, pois nelas todos os papéis familiares participam, em maior ou menor grau, de maneira característica.

Primeira fase

A primeira fase da vida, ou intrauterina, faz sobressair na família o arquétipo central, abrangendo todas as dimensões do *self*. Durante os nove meses da gestação, são ativados símbolos e funções estruturantes de grande abrangência, que afetarão toda a dinâmica familiar e a futura identidade do bebê.

Por um lado, temos o crescimento do embrião e do feto dentro do dinamismo matriarcal, acompanhado pelas fantasias dos pais sobre o futuro bebê. As transformações corporais da mãe afetarão sua personalidade e a relação conjugal de forma significativa.

A interação do pai com a gestação e com o futuro bebê tem mudado extraordinariamente com a modernidade. Caracterizada, tradicionalmente, por um distanciamento radical durante a gestação e o puerpério, a relação do pai com a mãe e com o bebê, coordenada pelo arquétipo patriarcal durante milênios, tem se transformado com presença crescente do arquétipo da alteridade no casamento e na família, o qual incentiva o pai a atuar o arquétipo matriarcal junto com a mãe desde as relações primárias.

A segunda metade do século 20 trouxe a implantação social do arquétipo da alteridade, com uma exacerbação do desenvolvimento dos direitos humanos e um grande enriquecimento democrático na relação entre o homem, a mulher, os jovens e as classes sociais. Em contrapartida, esse incremento do processo de individuação e do *self* individual enfraqueceu muito a tradição de dominância patriarcal e a união tradicional no *self* familiar. Dessa maneira, como uma verdadeira epidemia, aumentaram sobremaneira a incidência dos casos de divórcio e de desestruturação da família tradicional e o surgimento de novas famílias, que incluem filhos de pais e mães diferentes. Essa nova modalidade de casamento e de união familiar ainda é recente e está se organizando de várias maneiras para expressar essa transformação social. Ainda é cedo para uma avaliação sociológica da luz e da sombra decorrentes dessa grande transformação.

A primeira fase da vida é também muito influenciada pelo *self* cultural, com seus valores tradicionais, sobretudo no que concerne à identidade do homem e da mulher e a seu relacionamento no casamento. Tudo isso atua na família como sistema estruturante da identidade do futuro bebê e de todos os membros do *self* familiar.

Segunda fase

A segunda fase da vida individual apresenta uma grande dominância matriarcal, que propiciará a formação do ego da criança dentro do quatérnio primário, composto pelos complexos materno (todas as cuidadoras femininas), paterno (todos os cuidadores masculinos), pelo vínculo entre eles e pelas reações do bebê (Byington, 2008). Essa atmosfera sensual, cinestésica, irracional e pré-verbal, que caracteriza a formação da identidade entre o nascimento e os 2 anos sob a dominância matriarcal, ocorre também sob a influência dos outros três arquétipos que expressam o quatérnio arquetípico regente, atuando de maneira variável no *self* familiar.

O referencial teórico da psicologia simbólica junguiana postula que, embora o ego comece a operar simbolicamente de forma ativa somente a partir da segunda infância (2 aos 12 anos), ele já é formado passivamente pelos símbolos na primeira infância (do nascimento aos 2 anos), o que nos permite perceber que *a função estruturante mais importante na formação das identidades emergentes do ego e do outro é a imitação*. Pelo fato de o relacionamento dessa fase ser pré-verbal, a identificação não se exerce por aquilo que os pais dizem, mas sobretudo pelo que fazem, o que expressa profundamente como eles são e funcionará como a matriz da imitação na formação do ego e do outro. Também é importante notar que, pelo fato de a criança, nessa fase, não diferenciar o pai e a mãe pela sexualidade, ela se identifica com características de um e de outro sem que, basicamente, isso afete a formação da sua identidade de gênero.

Terceira fase

A terceira fase da vida caracteriza-se pelo primeiro grande embate entre os arquétipos matriarcal e patriarcal, ou seja, entre a sensualidade e as regras sociais, dos 2 aos 12 anos de idade. Tal confronto, além do *self* individual, mobiliza o *self* conjugal e o *self* familiar, e sua psicodinâmica depende muito da relação entre os arquétipos matriarcal, patriarcal e de alteridade em cada família e em cada cultura.

O início desse conflito caracteriza a primeira crise arquetípica da vida e se dá com o amadurecimento neurológico do controle esfincteriano uretral e anal, que marca a identidade da criança com o começo da socialização por meio da polaridade privada-pública. Ela será acompanhada pela bipedalidade, locomoção e aquisição da fala. Todas essas funções estruturantes são da maior importância no desenvolvimento da personalidade, pois são afetadas e afetam a dinâmica conjugal e familiar.

Outros fatores de central importância na formação da consciência da criança, que merecem especial destaque junto à aquisição da fala, são a percepção da diferença sexual entre o menino e a menina e a ativação das zonas erógenas (Freud, 1972).

Apesar de não concordar com a teoria psicanalítica sobre os complexos de Édipo e de castração no desenvolvimento normal, por considerá-los expressões defensivas, ou seja, patológicas, concordo que a mulher, na família de dominância patriarcal, tende a sofrer tradicionalmente de um complexo de castração defensivo e a ser condenada à inveja antropológica do pênis. Isso pode acontecer pelo fato de a menina não saber e não ser esclarecida por sua mãe e suas professoras sobre a natureza do seu clitóris como equivalente ao pênis. Parece-me que ainda será necessária uma grande transformação cultural e familiar até chegarmos à iniciação das meninas por suas mães e professoras, explicando-lhes a equivalência do clitóris e do pênis e os seus significados. Tal fato, aparentemente tão simples, é revolucionário quando percebido simbolicamente (Hite, 1981). Não por acaso o clitóris não foi reconhecido nem pela medicina, em toda a sua importância, nem pela cultura ocidental até meados do século 20, apesar de ter sido identificado e eleito pelo dinamismo patriarcal, há muitos séculos e em muitas culturas, para sofrer a cliterotomia literal exatamente devido à sua grande sensibilidade, que propicia o prazer sexual e o orgasmo à mulher.

A importância do reconhecimento do clitóris e de sua função no organismo feminino é fundamental e revolucionária na relação mãe-filha e homem-mulher, porque, ao vivê-la, a mãe tem de assumir as implicações da própria sexualidade diante da filha, da família e da sociedade. Esse fato incluirá, em toda família, uma verdadeira iniciação feminina exercida exclusivamente por mulheres, que cultuarão o que é ser mulher anatômica, fisiológica e psicologicamente. Essa iniciação significa a mulher integrar conscientemente sua função estruturante da sexualidade que, na menina, incluirá inicialmente a excitação e, posteriormente, a masturbação e o orgasmo. Essa iniciação é tão difícil ainda hoje para a mãe em razão do complexo patriarcal de castração cultural que ela própria sofreu, em função da identificação tradicional do gozo sexual com a prostituição e a devassidão sexual. Esses fantasmas desqualificam e reprimem o prazer da função estruturante sexual da mulher e o substituem pela assombração da promiscuidade e pela culpa.

É importante notar que a falta desse ritual de iniciação da mulher é a grande causa de as jovens, por conquistarem a liberdade na alteridade, entrarem na sexualidade sombriamente e de qualquer maneira. Assim, criam-se práticas homo e heterossexuais as mais variadas e até esdrúxulas, que incluem o início prematuro e intempestivo do coito, a gravidez precoce e a contração de doenças sexualmente transmissíveis, tudo isso em meio a um grande sentimento de culpa e desorientação das mulheres ao exercerem a sexualidade de maneira defensiva exibicionista para se mostrarem poderosas e desejadas.

O desenvolvimento da identidade do menino, nessa terceira fase da vida, também é afetado de maneira negativa quando a dominância patriarcal é intensa, o que é tradicional, a ponto de se tornar defensiva e reprimir a função afetiva. Diferentemente da menina, a sexualidade do menino não é culturalmente castrada. Ao contrário, ela é orgulhosamente exibida, enaltecida e incentivada. De modo diferente da menina, porém, a castração simbólica no menino não é o sexo, e sim sua função afetiva, acompanhada da delicadeza e da sensibilidade (Byington, 2001). Para corrigir essa distorção, também é necessária uma iniciação masculina para separar a masculinidade heterossexual da agressividade e deixar de relacionar pejorativamente a sensibilidade e o afeto do menino com a homossexualidade. Parte importante dessa iniciação masculina é a maneira como o pai se refere à mulher de modo geral na frente do filho e de outros homens e, sobretudo, como trata a esposa e as filhas no lar.

A construção da identidade individual na família, a partir da terceira fase, complica-se quando levamos em conta *os caminhos opostos do menino e da menina com relação à mãe*. Enquanto a menina a imita, tornando-se "mãezinha" de suas bonecas, o menino dela se afasta e é obrigado a repudiar o aconchego materno e sua afetividade com brincadeiras de lutas, atropelos e correrias. A mensagem é clara: para ser homem, o menino deve se afastar da mãe, enquanto a menina, para ser mulher, tem como caminho natural imitá-la. É evidente que tal conduta do menino, em função da sua identidade sexual emergente, favorece uma atitude misógina imediata e, muitas vezes, também futura, que dificultará sua apropriação da função afetiva com seus componentes de ternura e de sensibilidade, afugentadas pelo fantasma da homossexualidade (Byington, 2001). Ao mesmo tempo, a continuidade simbiótica da filha com a mãe deixará a menina na dependência do seu esclarecimento sexual por sua progenitora, e, se este não ocorrer, ela encontrará maior dificuldade para se apropriar da função estruturante da sexualidade, depositando-a no homem, e tenderá a agir defensivamente em função da projeção da sua sexualidade nele. Isso explica por que tantas mulheres são capazes de amar afetivamente sem, no entanto, conseguirem praticar a masturbação e experienciar o orgasmo e de vivê-los sem culpa. Nesse contexto, o afastamento da menina do pai e a deposição nele do Logos, da racionalidade e do poder sociocultural, muito dificultarão a integração dessas características na sua personalidade. Essa dificuldade será amenizada se o pai for carinhoso e puder assessorar e incentivar a filha em seus estudos.

Essas me parecem ser as duas grandes causas de distúrbios de relacionamento sexual e amoroso conjugal na relação homem-mulher de dominância patriarcal. Ambas poderão causar fixações que contribuirão para a dificuldade de amar e de se desenvolver plenamente. Ao homem, será dificultado o amadurecimento e o exercício da afetividade. À mulher, será limitado o exercício prazeroso da sexualidade com a masturbação e o orgasmo sem culpa.

Assim, a terceira fase da vida individual apresentará, dos 2 aos 12 anos, uma grande tensão entre a espontaneidade da expressividade sensual do arquétipo matriarcal e a organização do arquétipo patriarcal. Ambos os arquétipos regerão essa fase da socialização da criança. O matriarcal o fará por meio da espontaneidade e do lúdico (Winnicott, 1971); o patriarcal, em função do desempenho das funções sociais dentro de horários, metas, permissões e proibições, permeadas de competitividade. A dinâmica dessa confrontação dos dois titãs arquetípicos afetará fundamentalmente o preparo da personalidade individual e será a expressão profunda de todos os papéis da dinâmica familiar e das instituições culturais. Quando predomina a repressão patriarcal, acontece a *fase de latência* descrita por Freud, que, ao meu ver, é defensiva e não normal (Freud, 1972). Quando essa fase é desenvolvida normalmente, a sensualidade matriarcal é expressa pela aquisição paulatina da capacidade de masturbação em ambos os sexos e não existe fase de latência.

Dentro dessa perspectiva simbólica e arquetípica, é impossível deixar de perceber o *self* familiar como sistema estruturante da consciência individual e da coletiva e a dimensão intermediária e inseparável entre o *self* individual e o cultural. A abordagem simbólica e arquetípica do *self* familiar é da maior importância para percebermos a formação da normalidade e da patologia humana, bem como sua interação. Por isso, recomendo que a base da psicoterapia de crianças, adolescentes ou adultos, bem como conjugal e grupal, junto com qualquer estudo pedagógico, antropológico ou sociológico, seja o conhecimento do comportamento normal e patológico da família e sua relação com o desenvolvimento individual.

Quarta fase

A quarta fase do desenvolvimento do *self* individual é a adolescência, que se estende dos 12 aos 20 anos. A adolescência é caracterizada pelo amadurecimento das glândulas sexuais e pela reunião dos arquétipos matriarcal e patriarcal na posição ativa e do arquétipo da alteridade com os arquétipos da *anima*, do *animus* e do herói, na posição passiva. Em muitas famílias e culturas de grande dominância patriarcal, essa fase é muito limitada por ser reprimida e os jovens praticamente não passarem da infância para a vida adulta diferenciada, repetindo o que as gerações passadas fizeram. Nesses casos, deixam de polarizar com os adultos e cada geração é impedida de se diferenciar da anterior. O resultado é a limitação da formação da individualidade, que se estende por muitas gerações. Na Idade Média – e mesmo até hoje em países europeus – existem famílias que se orgulham de passar a profissão de pai para filho durante numerosas gerações. A classe social da família afeta sobremaneira a transformação da adolescência. Na classe mais abastada, esta pode ser prolongada com uma longa formação profissional, enquanto na classe menos favorecida economicamente o processo da adolescência costuma ser encurtado e pode até mesmo não existir, porque as crianças maiores passam a cuidar das menores, ajudam na casa e até mesmo trabalham precocemente para aumentar o rendimento familiar.

Ao tornar-se fértil – ou seja, capaz de formar outra família – e forte – isto é, capaz de matar –, o adolescente começa a disputar a gerência de sua vida dentro da própria família e, simultaneamente, a construir sua posição na sociedade por meio de um grupo de amigos. Essa mudança não se faz em um dia, mas sim dentro de um longo processo, que se desenvolve aproximadamente dos 12 aos 20 anos.

Ao exercer *a posição insular matriarcal de maneira ativa*, o adolescente quer se tornar agente daquilo que veste e come, eleger companhias que lhe agradam, escolher como se divertir e namorar, enfim, dirigir toda a sua vida sensual. Uma questão importante, que vem sendo discutida ao longo dos anos, é a reivindicação de ter vida sexual com o(a) namorado(a) dentro de casa, um símbolo cuja elaboração envolverá os valores morais de toda a família. A seu favor existe uma ideia geral de que tudo que o adolescente puder viver dentro da família será muito mais bem elaborado e com menos risco do que as experiências vividas fora de casa. É claro que a preservação dos limites dentro da dominância patriarcal deve ser exercida com esmero. Aquilo que é crime na sociedade, como o consumo ilegal de drogas, por exemplo, também deve ser considerado ilegal na família.

Simultaneamente, ao começar a exercer o arquétipo patriarcal, que é o arquétipo da organização, na posição ativa, o adolescente passa a querer determinar seus horários dentro e fora de casa, bem como a desenvolver uma filosofia de vida própria, com opiniões sobre valores e posições ideológicas, geralmente revolucionárias e contestadoras das tradições. O processo de transição para a expressão matriarcal e patriarcal ativas na adolescência, que tanto questionam a tradição familiar, é estimulado pelos arquétipos da *anima* e do *animus*, a partir dos arquétipos parentais na posição passiva. Eles constituem o arquétipo da alteridade e impelem a personalidade em busca do outro para vivenciar todo o seu potencial. *Sua pujança é catalisada pelo arquétipo do herói, que reforça o ego no enfrentamento dos desafios e é o grande responsável pelas situações de risco que ameaçam a crise da adolescência.*

Digo que o arquétipo da alteridade é ativado de maneira passiva nessa primeira adolescência porque as vivências simbólicas acontecem por sincronicidade para o adolescente, e não é ele ou ela que as busca. Isso é muito diferente da sexta fase da vida, ou segunda adolescência, quando o adulto já sabe do que gosta e o que quer e buscará um outro de maneira ativa, seja ele uma companhia afetiva ou uma obra criativa específica.

Desse modo, fica claro que *a polarização com a família, que matiza a crise da adolescência*, deve ser vista como *uma revolução interna do* self *familiar* e tende a centralizar-se nas funções estruturantes de Eros e de poder. Os jovens emergem para começar a atualizar sua capacidade virtual de liderança e das escolhas amorosas correspondentes ao seu processo de individuação. Todo o *self* familiar é abalado com esse desafio. Valores e hábitos são desafiados e questionados e passam a estar sujeitos a uma transformação evolutiva.

Do ponto de vista do *self* cultural, a crise de adolescência é um processo que polariza o *self* individual com o familiar e, ao mesmo tempo, o cultural. Os novos desafios e ideias que fascinam a pujança criativa dos jovens muitas vezes não se originam neles próprios, mas foram criados na transformação histórica em andamento no *self* cultural.

Nesse sentido, a juventude opera como um campo fértil onde é semeado o futuro. Nem poderia ser de outra maneira, quando nos damos conta do óbvio, ou seja, aqueles que hoje são o para-raios do novo são os mesmos que amanhã administrarão sua implantação nas várias instituições socioculturais.

Quanto à formação da sombra, oriunda das fixações nessa fase do desenvolvimento, a quantidade e a extensão da patologia confirmam o mote de modo exuberante: quanto maior for a capacidade de um símbolo criar consciência, maior será também sua capacidade de criar sombra quando ele sofre uma fixação.

As disfunções do exercício da sensualidade matriarcal na posição ativa na adolescência podem produzir condutas defensivas muito graves, como é o caso do consumo abusivo de álcool e de drogas, da gravidez precoce, da sexualidade promíscua, sujeita à contaminação por doenças sexualmente transmissíveis (DST), e das transgressões criminosas impulsivas.

As disfunções do exercício da organização patriarcal ativa na adolescência também podem levar a condutas defensivas graves, como o desacato à autoridade, a participação em episódios de agressividade e violência, em condutas competitivas de risco e em transgressões criminosas planejadas, ou seja, expressas por defesas psicopáticas.

As disfunções do exercício da alteridade (arquétipos da *anima* e *animus*) dizem respeito a relacionamentos passionais que tenham grandes fixações ou missões e projetos de aventura que também incluam fixações e desencadeiem regressões ameaçadoras para a integridade da personalidade.

Todos esses fatos, que marcam o desenvolvimento da adolescência, afetam intensamente o *self* familiar e o processo de individuação de todos os seus membros. De especial importância é a reação do casal parental ao adolescente e à integração das emoções que a crise do jovem desperta no seu próprio relacionamento. Tudo vai depender da sabedoria dos pais em perceber a pujança da juventude como continuação da vida deles e das gerações anteriores por meio da inveja criativa ou da insensatez de caírem prisioneiros da inveja defensiva (aquela que ataca o objeto invejado) e passarem a competir e a querer reprimir o processo de transferência dos jovens. Mais difícil ainda é quando um dos cônjuges assume a primeira opção e o outro, a segunda, desencadeando uma luta de poder no seio do casal parental.

A crise da adolescência em famílias formadas pela segunda ou terceira vez, quando o(a) jovem é filho(a) somente de um dos cônjuges, é também mais difícil, pois aqui inexiste o vínculo amoroso primário, que equilibra as reações agressivas da polarização e o tabu de incesto que limita a sensualidade. Tal situação favorece, muitas vezes, a opção de não reunir as famílias desfeitas no mesmo lar e, em vez disso, formar dois lares distintos para favorecer a função estruturante da nova família.

Uma dificuldade dos pais ao lidarem com a tensão da crise de adolescência ocorre quando eles pouco viveram a própria adolescência e formaram uma sombra invejosa defensiva significativa que é projetada nos filhos com defesas intolerantes, competitivas e repressivas. A crise de adolescência põe à prova o amadurecimento psicológico do *self* familiar. O processo de polarização dos jovens com os pais precisa ser vivenciado dentro do padrão de consciência de alteridade para que essa verdadeira revolução chegue a bom termo, com a integração dos arquétipos matriarcal e patriarcal na posição passiva e sua passagem para a posição ativa pelos adolescentes.

O grande erro que os pais podem cometer diante da polarização da adolescência, que pode chegar a vivências de desacato e transgressão da maior violência, é tentar ignorar ou reprimir a crise de adolescência. Tal estratégia defensiva pode desencadear fixações e defesas que lançarão os jovens para atuar sua sombra fora de casa, com risco da delinquência e mesmo da própria vida.

Para atravessar a crise de adolescência, os pais precisam ser firmes e amorosos, buscando ajuda nas famílias amigas e em profissionais experientes, tendo em mente que aqueles jovens, hoje rebeldes, podem se tornar pessoas admiráveis amanhã.

A família e a quinta fase – Individuação

Nessa fase, que se estende dos 20 aos 40 anos, os filhos iniciam a vida profissional, casam-se e constituem uma nova família. Depois de ter integrado nas fases anteriores os arquétipos matriarcal e patriarcal na posição passiva do seu ego, o ser humano passa a exercer os arquétipos matriarcais e patriarcais na posição ativa. O jovem casal abre-se para a sensualidade matriarcal na gestação, no aleitamento e na infância dos filhos. Ao mesmo tempo, é também envolvido pela pujança da organização patriarcal ativa na luta para construir um novo lar e um lugar ao sol para sua nova família.

Nessa situação, o arquétipo da alteridade (com a *anima* e o *animus*) pode ser ativado para propiciar uma divisão igualitária e democrática de papéis na relação conjugal ou reprimido para repetir a relação conjugal tradicional, na qual a mulher se dedica ao lar e o homem, à vida profissional.

A manutenção da alteridade e da interação amorosa e intelectual *anima-animus* no casamento é, sem dúvida, o grande desafio para preservar a unidade da família moderna nas sociedades em que o casal tem papéis profissionais equivalentes. Apesar de essa proposta ser ainda relativamente nova e muitos casais não conseguirem harmonizá-la e dissolverem sua união com grande frequência, há um número razoável que está começando a enfrentá-la com amor e sucesso.

Outro fator que trouxe enorme complexidade à formação de famílias diferentes da tradicional é *a admissão da homossexualidade como um fenômeno normal no desenvolvimento individual e social do homem e da mulher*. Tal inovação não só vem confrontar a imensa sombra do *self* cultural, formada pela repressão da homossexualidade ao longo dos séculos e milênios em diferentes sociedades, como também abriu a possibilidade para a formação de novas famílias com novos papéis e funções, que incluem até mesmo novas formas de maternidade, de paternidade e de gestação.

Junto com essa transformação do *self* individual e do familiar, está em andamento também uma transformação do *self* cultural para acolher o surgimento dessa nova família com a elaboração de leis trabalhistas de pensão, de regulamento da propriedade privada e da herança, de toda a legislação do casamento e da relação com os filhos. É evidente que tudo isso ainda está muito no começo e necessitará de algumas gerações para ser elaborado psicológica, sociológica e juridicamente. Dentro dessa transformação, é preciso perceber que um fator da maior importância em andamento é a separação da homossexualidade normal das sequelas do homossexualismo defensivo e traumatizado, que se manifestam forçosamente nas novas famílias e necessitam ser reconhecidas e elaboradas.

Essas são apenas algumas amostras dos desafios a ser enfrentados na teoria e na prática do estudo do *self* familiar.

As inovações dos papéis familiares, com a criação da família homossexual, suscitam um desafio da maior envergadura para o século 21. Basta pensarmos no que já foi dito sobre a necessidade de o menino se afastar e se diferenciar da mãe para afirmar sua identidade masculina para perguntarmos como isso será feito quando ele tiver duas mães. Da mesma forma, surge a questão de como a menina manterá sua identidade feminina, que tanto necessita de imitação, quando ela tiver dois pais.

Para compreender, aceitar e elaborar essas transformações da família, o referencial arquetípico é da maior utilidade, pois um dos seus pontos centrais é a elaboração da identidade pós-patriarcal do homem e da mulher, desvinculada dos estereótipos tradicionais (Byington, 1986). Nesse sentido, a extensão dos conceitos de arquétipo matriarcal e patriarcal para cada um incluir os dois gêneros é de valor inestimável para se compreender o desenvolvimento das características do homem e da mulher no seu *self* individual e no desempenho dos diferentes papéis no *self* familiar.

Sexta fase

A sexta fase da vida, que se estende dos 40 aos 60 anos, caracteriza-se pela maturidade. No seu decorrer, *a assertividade dos arquétipos matriarcal e patriarcal na posição ativa diminui e tem lugar a ativação do arquétipo da alteridade na posição ativa e do arquétipo da totalidade na posição passiva.*

Com o desempenho da parentalidade e da atividade profissional na vida adulta, os papéis conjugais e parentais amadurecem e começam sua caminhada para a aposentadoria. Os filhos crescem, atravessam a tempestade da adolescência, saem de casa e buscam formar a própria família. Os pais, aos poucos, vão ficando sozinhos e para trás, até mesmo na sua força física. Assim, a maturidade é o apogeu da forma e da produtividade social do casal parental, mas, ao mesmo tempo, o anúncio do seu declínio, alardeado pela possibilidade de ser avós a qualquer momento.

Apesar de os pais ajudarem economicamente seus filhos, sobretudo aqueles que encompridaram a adolescência e se casaram e tiveram filhos tardiamente, a pujança do exercício matriarcal e patriarcal na maturidade diminui muito no *self* familiar, em comparação com a energia despendida no passado. Essa sobra energética é agora empregada pelo arquétipo central para ativar a *anima, o animus* e o arquétipo do herói, com o arquétipo da alteridade, o que caracteriza a segunda adolescência. Diferentemente da primeira, essa alteridade é agora ativa, pois a pessoa sabe muito mais sobre o perfil da sua eleição afetiva e da sua vocação profissional. Trata-se de uma fase importante na relação conjugal porque o casal, se ainda não se separou, precisa aprofundar o romantismo de seu relacionamento, sob pena de ter de administrar relações triangulares. O perigo da reativação da *anima* e do *animus* nessa fase é eles trazerem junto fixações da sombra, sobretudo aquelas formadas na primeira adolescência.

O empreendimento profissional criativo também pode ser vítima da *anima*, do *animus* e do herói, que expressam o novo junto com a sombra. É comum vermos, nesses casos, o fundo de garantia, amealhado pelo árduo trabalho de uma vida, ser investido em um negócio novo, recheado de sonhos e de fantasias, mas muito pouco conhecido na prática, cujo resultado não raramente é a falência, com a perda total da poupança familiar.

Simultaneamente, começa o surgimento passivo do arquétipo da totalidade, que, mesmo sem ser lembrado, insinua-se por meio de fantasias que anunciam o fim. Pelo fato de essa lembrança e elaboração não serem feitas pela luz, ela frequentemente se realiza pela sombra, ao se constatar, por exemplo, um nódulo suspeito na mamografia ou um PSA crescendo no checape da próstata.

A sétima fase da vida e a família

A sétima fase, que se estende dos 60 anos ao fim da vida, caracteriza-se pela continuação do enfraquecimento dos dinamismos arquetípicos parentais. O arquétipo da alteridade com a *anima* e o *animus* pode, aqui, se ativar em um canto romântico de cisne, ou então arrefecer e deslocar-se para o campo espiritual. Nesse caso, ele pode engajar-se com o arquétipo da totalidade, que, de forma cada vez mais frequente e intensa, traz a problemática da morte. Frequentemente, as reuniões familiares são festejadas e dominadas pelo falatório dos adultos e pela correria das crianças, enquanto os avós vão ficando cada vez mais silenciosos. Às vezes, é porque não conseguem acompanhar os assuntos por deficiência auditiva ou limitação do pensamento, fruto do início da demência senil, mas frequentemente, também, pela concentração quase obsessiva no tema da morte.

O arquétipo da vida e da morte está presente o tempo todo no *self* familiar e é ativado nos grandes eventos de transformação que permeiam o longo caminho (Byington, 1993). O início de cada nova fase arquetípica de um membro da família – ou o seu fim – assinala a presença abrangente desse arquétipo. Junto com o símbolo da inexorabilidade da morte está a problemática da ressurreição, que, mesmo sem ter sido eleita como tema central de qualquer reunião, permeia a vida espiritual da família com algum credo religioso, que engloba os rituais de batismo e também os de morte, enterro e celebração de datas póstumas.

No entanto, é nesta última fase da vida individual que elegemos o tema da morte para elaboração direta. Aqueles que vão mais adiante e penetram em vivências da vida após a morte exercem uma filosofia de vida na família que enriquece sua vida espiritual.

Técnicas expressivas na terapia familiar e na sua supervisão

Na elaboração dos símbolos na terapia familiar ou na supervisão desse trabalho, podemos usar todas as técnicas que empregamos na terapia individual e de casal, como a dramatização e a imaginação ativa. Dou especial importância à técnica que desenvolvi das marionetes do *self* (Byington, 1992; 2001). Esta última é semelhante à técnica da caixa de areia desenvolvida por Dora Kalff, mas dela difere em quatro aspectos importantes:

- As marionetes do *self* não necessitam de uma caixa de areia e devem ser montadas sobre um oleado (lona) que normalmente pode ficar embaixo de um tapete, quando guardado. Suas medidas são aproximadamente 1,70 m x 1,20 m.
- As figuras da família devem ser colocadas em pé sobre o oleado. Caso não possam ficar em pé, por terem os pés finos, deve-se mandar confeccionar pequenos cubos de madeira com dois orifícios em cada um para enfiar os pés dos bonecos.
- Cada figura da família pode receber, à sua volta, um ou mais símbolos que a caracterize.
- Em uma das extremidades ficará um boneco cercado de símbolos pertinentes à figura do analista.

No final da sessão, pode-se fotografar as marionetes e enviar a foto para a família ou para os participantes da supervisão.

Considerações finais

O self familiar é um grande transformador psicossocial, cujo potencial se expressa entre o processo de individuação do *self* individual e a pujança da criatividade coletiva do *self* cultural.

Toda essa ação estruturante da família, por um lado, amplia a consciência e o desenvolvimento individual e social, mas, por outro, atua suas fixações na sombra, a serviço da disfunção existencial, que configura inúmeros aspectos da patologia, da destrutividade e do mal altamente deformante na formação da personalidade dos seus membros.

As transformações da história repercutem sempre na família e afetam os papéis familiares e os processos individuais, que, por sua vez, modificam a realidade cultural por meio de sistemas de múltiplo retorno.

O aumento da implantação do arquétipo da alteridade na civilização está modificando intensamente a estrutura e o funcionamento da família. É esta implantação que propiciou o reconhecimento e o espaço sociofamiliar da crise de adolescência (12 aos 20 anos) para favorecer a polarização dos jovens com os pais. Nessa polarização, os arquétipos da *anima,* do *animus* (arquétipo da alteridade) e do herói propiciam a passagem dos arquétipos matriarcal e patriarcal da posição passiva para a ativa no *self* dos adolescentes.

A liberalidade para a busca do processo de individuação vem propiciando um grande aumento de separações conjugais e a organização de um novo modelo de família com a reunião de filhos de pais diferentes. Esse mesmo arquétipo, propiciando o desenvolvimento dos direitos humanos, abriu o caminho para o surgimento da família homossexual, com inúmeras diferenças da família heterossexual tradicional.

As sete fases da vida resumem-se a seguir:
- Primeira fase: intrauterina. Arquétipo central.
- Segunda fase: primeira infância (nascimento a 2 anos). Arquétipo matriarcal na posição passiva.
- Terceira fase: segunda infância (2 a 12 anos). Arquétipos matriarcal e patriarcal na posição passiva; arquétipo do herói na posição passiva.
- Quarta fase: adolescência (12 a 20 anos). Arquétipo matriarcal na posição ativa inicial; arquétipo patriarcal na posição ativa inicial; arquétipos *anima/animus* na posição passiva; arquétipo do herói na posição passiva; arquétipo de alteridade na posição passiva.
- Quinta fase: adulta (21 a 40 anos). Arquétipo matriarcal na posição ativa maduro; arquétipo patriarcal na posição ativa maduro; arquétipos alteridade (*anima* e *animus*) na posição ativa; arquétipo do herói na posição ativa.

- Sexta fase: maturidade (41 a 60 anos). Arquétipo de alteridade na posição ativa; arquétipos *anima* e *animus* na posição ativa; arquétipo do herói na posição ativa; segunda adolescência.
- Sétima fase: terceira idade (acima dos 60 anos). Arquétipo central na posição ativa.

Referências

BYINGTON, C. A. B. "A identidade pós-patriarcal do homem e da mulher e a estruturação quaternária do padrão de alteridade da consciência pelos arquétipos da anima e do animus". *Junguiana – Revista da Sociedade Brasileira de Psicologia Analítica*, n. 4, 1986, p. 5-69.

_____. "Marionetes do self". Trabalho baseado no workshop sobre as técnicas expressivas das "Marionetes do Self" apresentado no XII Congresso Internacional de Psicologia Analítica. Chicago, 1992. Revisado em 2001.

_____. "O arquétipo da vida e da morte". *Junguiana – Revista da Sociedade Brasileira de Psicologia Analítica*, n. 14, 1993, p. 92-115. Revisado em 2001.

_____. "Ternura, sexo, dignidade e amor. Um estudo das funções estruturantes pela psicologia simbólica". *Junguiana – Revista da Sociedade Brasileira de Psicologia Analítica*, n. 19, 2001, p. 79-91.

_____. *Psicologia simbólica junguiana. A viagem de humanização do cosmos em busca da iluminação*. São Paulo: Linear B, 2008.

FORDHAM, M. *Children as individuals*. Londres: Hodder and Stroughton, 1969.

_____. *Freud, Jung, Klein – The fenceless field*. Londres: Routledge, 1995.

FREUD, S. "Três ensaios sobre a sexualidade". *Obras completas*. v. 7. Rio de Janeiro: Imago, 1972.

HITE, S. *O relatório Hite – Um profundo estudo sobre a sexualidade feminina*. Rio de Janeiro: Difel, 1981.

JUNG, C. G. *Symbols of transformation – CW: 5*. 4. ed. Nova York: Bollingen Foundation, 1952.

LÉVI-STRAUSS, C. *Antropologia estrutural*. Rio de Janeiro: Tempo Brasileiro, 1975.

NEUMANN, E. *História e origem da consciência*. São Paulo: Cultrix, 1995.

PERRY, J. W. *The far side of madness*. Nova Jersey: Prentice Hall, 1974.

WINNICOTT, D. W. *Playing and reality*. Londres: Penguin Books, 1971.

7 TERAPIA DE FAMÍLIAS COM FILHOS ADOLESCENTES: ABORDAGEM SISTÊMICA

Rosa Maria Stefanini de Macedo, Claudia Bruscagin e Marianne Ramos Feijó

A família brasileira é tão diversa quanto as influências étnicas e culturais, o clima e as condições geográficas existentes no país. Há diversidade na maneira de ser família, nas muitas configurações familiares e nas formas de exercer papéis dentro dela. Infelizmente, porém, não são só diferenças. Também existem inúmeras desigualdades de condições e de poder.

Os avanços da tecnologia e dos métodos anticoncepcionais, a ampliação da legitimação dos casamentos e uniões estáveis entre pessoas de orientação sexual diferente ou igual e as mudanças nas divisões de papéis entre homens e mulheres na sociedade e no mercado de trabalho são alguns exemplos de fatores associados às transformações sociais e familiares. Muitas famílias já não são como as de décadas anteriores; outras já eram diferentes do que se descrevia nos livros e do que se apontava nas pesquisas; apesar disso, ainda se mantém no imaginário coletivo o ideal de família nuclear: mãe, pai e filhos (Feijó, 2008; Macedo, 2006).

Apesar de muito se apresentar a família brasileira como patriarcal, observa-se, na realidade, que apenas uma parte segue esse modelo, enquanto outros modelos foram se desenvolvendo sob as mais diferentes influências em nosso vasto território nacional. Embora as famílias atuais geralmente valorizem uma hierarquia e tenham apego aos papéis típicos do que é masculino, feminino, adulto e criança, observamos que têm havido mudanças: essas famílias, hoje, se preocupam com o comportamento dos filhos, querem saber o que fazem e com quem. Para isso, veem a necessidade de melhorar a comunicação com eles. No entanto, quando tal comunicação não foi cultivada desde a infância, ela pode ser entendida pelos filhos como intromissão e controle, levando-os a querer se distanciar dos pais, despertando nestes um receio maior quanto à segurança da prole e uma preocupação que os leva a procurar maior proximidade e contato.

Pensando nas diferentes famílias brasileiras, não podemos deixar de assinalar que uma grande parcela da população (37%) vive em condição de pobreza material (IBGE, 2004), o que se reflete nos relacionamentos entre familiares e com a comunidade. Faltam políticas públicas para a redução da desigualdade e da pobreza, a renda ainda é mal distribuída e os recursos públicos, mal administrados. Inúmeras famílias ainda se encontram sem acesso aos bens sociais a que têm direito: alimentação, saúde, educação, transporte, trabalho e lazer (Feijó, 2008).

Tais características contribuem para aumentar a diversidade de contextos familiares, o que demanda dos profissionais de saúde, inclusive os pesquisadores, a ampliação de seus referenciais e olhares ao pensarem a família, sabendo-se tratar de diferentes famílias com grande diversidade de composição (número de membros; papéis; tipo de relacionamento; grau de compromisso). Isso posto, é importante considerar a família com filhos adolescentes, visto que, independentemente do tipo de família e da classe social, quando os filhos chegam a essa fase, ocorrem mudanças de várias naturezas que lhes são próprias e comuns.

Famílias com filhos adolescentes

A adolescência é um dos momentos de maiores mudanças, sendo, primeiramente, aquelas em relação ao corpo, à maturidade mental e à construção de identidade em busca de afirmação e autonomia.

Ao mesmo tempo, nesse momento de vida dos filhos, é frequente que os pais estejam entrando na meia-idade, sofrendo também mudanças físicas, além da necessidade de avaliar os objetivos de vida e fazer o balanço do que já foi vivido no sentido de estabelecer suas metas para o futuro; aqueles que ainda têm pais vivos, com idade avançada e vivendo todas as transformações que a fase final de vida impõe, podem sentir-se sobrecarregados pelos cuidados de que eles necessitam, constituindo uma geração sanduíche, prensados entre duas situações que exigem dedicação e atuações diversas, constantes e delicadas.

As demandas do filho adolescente de mais independência tendem a precipitar mudanças na estrutura familiar e faz-se necessária a renegociação das posições que cada um ocupa no sistema, que, por sua vez, influi nos relacionamentos do casal, podendo chegar ao relacionamento com os avós, o que pode trazer à tona conflitos relacionais não elaborados do passado – desses pais com seus pais.

Por todos esses aspectos, é fácil reconhecer que essa fase de transição da vida infantil para a vida adulta costuma trazer muitos desafios para os jovens e suas famílias, sobretudo uma grande necessidade de flexibilidade de ambas as partes, além de criatividade para cuidar e, ao mesmo tempo, ajudar a abrir caminho para que os que ainda não são adultos se desenvolvam, amadureçam e conquistem autonomia. É tarefa da família estimular a capacidade dos filhos de pensar por si mesmos, orientando-os nesse processo; valorizar suas competências; apoiá-los para agir no espaço público e adquirir, pelo seu trabalho, bens e serviços necessários à sua sobrevivência material (ECA, 1990).

No mundo atual, pode-se considerar a adolescência a partir dos 12 anos, passada a fase da puberdade. Em termos de papel social, espera-se que no máximo com 24 anos, a partir dos 21 anos ou ao término do curso superior ou de uma formação profissional um jovem adolescente seja adulto. Neste capítulo, utilizaremos a expressão jovem quando se fala de uma pessoa com até 25 anos. Naturalmente, tais limites variam muito de tempo e lugar, conforme o contexto no qual se esteja inserido e o critério utilizado para tal fim. Em todo caso, é sempre útil lembrar Freud sobre a capacidade de amar e trabalhar como as características básicas para que um ser se torne adulto.

A fase adolescente é um momento de novas experiências e do exercício de novos papéis para toda a família, na medida em que, por lei, crianças e adolescentes ascendem à condição de seres humanos individualizados que devem ganhar autonomia crescente, ainda que parcial, diante da sociedade. É provável que os filhos já não precisem tanto dos pais, que convivam mais com os pares e façam mais escolhas por si mesmos. Contudo, a prontidão, por parte dos filhos, para a tomada de decisões e, por parte dos pais, para acompanhar o desenvolvimento com maior distanciamento dos filhos geralmente é adquirida de modo gradual e processual. Ao buscarem definir a própria identidade, os adolescentes voltam-se cada vez mais para o grupo de amigos e colegas em busca de apoio emocional e de modelos da própria cultura jovem, sendo muito influenciados pela mídia e pelas redes sociais – com as quais se identificam em busca de valores e ideias para legitimar-se socialmente e encontrar um sentido para a vida.

Para alguns pais, o momento traz dificuldades, sobretudo para aqueles que deparam com algum problema como afastamento conjugal ou dificuldade de comunicação; investiram muito mais nos filhos, na própria profissão ou na realização social do que na vida de casal; abriram mão da carreira e de alguns sonhos em função dos filhos; necessitam cuidar dos mais velhos quando esperavam diminuir suas atividades de cuidado e de proteção aos demais para viver seus sonhos mais plenamente, entre outros (Cerveny e Berthoud, 1997; Bruscagin, 2004).

Muitas famílias, após as primeiras confusões, discussões e desorganizações, são capazes de mobilizar recursos próprios para ir se readaptando, mudando regras, limites e se reorganizando a fim de permitir que o adolescente tenha mais independência e autonomia, e os pais, mais tranquilidade em relação a essas mudanças. Entretanto, certas questões geralmente associadas a essa fase de transição podem resultar em problemas ou sintomas no próprio adolescente ou em outro membro da família.

Grande parte das preocupações da família com o adolescente é relacionada com os comportamentos do jovem com seus pares. Esses comportamentos, muitas vezes, podem trazer riscos a ele, especialmente se relacionados com consumo excessivo de álcool, tabaco e demais drogas; jogo; tempo gasto com as novidades tecnológicas; compra excessiva de roupas e acessórios; relações sexuais sem proteção; falta de motivação para os estudos e para o trabalho; bem como a permanência fora de casa por longos períodos, muitas vezes sem aviso, com celular desligado, em festas e baladas que começam de madrugada e vão até o dia amanhecer, entre outros.

Fora de casa, os adolescentes têm de lidar com as pressões para se encaixar nos grupos. Muitas delas passam por questões de gênero que resultam de expectativas culturais e sociais, ainda baseadas nos valores patriarcais, como a forte pressão sobre as meninas pela beleza física. Para os rapazes, embora sejam muito valorizados ser forte e ter corpo atlético, o peso de não corresponder a tal modelo é bem menor do que a pressão sentida pelas garotas quando não se encaixam nos padrões. Para elas, estar fora do ideal de beleza corrente pode trazer muito mais sofrimento. Além da cobrança sobre a beleza feminina, existe também certa dissonância que contrapõe beleza e inteligência, como a conotação pejorativa de "loira burra" para uma jovem bonita que chama atenção por isso. Há ainda a exigência de ser magérrima, em uma fase em que os corpos estão em constante mudança, levando muitas meninas a passar a se ver gordas, mesmo que não sejam.

Para elas, o regime passa a ser um modo de vida para controlar o peso e se manter magras. A bulimia, a anorexia e o comer compulsivo resultando em obesidade ainda são prevalentes entre as meninas. Em geral, comer sem controle está associado a emoções descontroladas.

A busca de desafios e sensações cada vez mais intensos traz riscos aos jovens e a suas relações: consumo de substâncias cada vez mais fortes e em maiores doses, abuso de velocidade no trânsito e prática de esportes radicais são alguns exemplos. Nas questões sexuais, rapazes e moças estão iniciando sua vida sexual mais cedo do que em gerações passadas. Apesar de todas as informações que recebem na escola e pela mídia sobre doenças sexualmente transmissíveis, gravidez e aids, eles tendem a não usar métodos contraceptivos ou preservativos, causando o que já é chamado por muitos especialistas de epidemia de gravidez na adolescência, abordada aqui como gravidez não planejada na juventude.

As questões relacionadas com a violência, tão presentes nos dias de hoje, somadas à facilidade de acesso às drogas, à sexualidade banalizada e à proliferação de baladas e festas para jovens regadas a álcool e outras substâncias, justificam as preocupações da maioria dos pais. Quando a família busca terapia familiar, esses temas são comumente abordados e mediados.

Neste capítulo, apresentamos alguns pontos que visam incentivar a reflexão de pais, professores e outros profissionais que interagem com jovens sobre alguns dos temas discutidos na terapia de famílias com filhos nessa faixa etária.

Influências de classe social na adolescência

Para grupos familiares com condições materiais muito elevadas, os padrões de consumo do jovem podem não se apresentar inicialmente como um conflito interpessoal. Já a falta de motivação para os estudos, o uso de álcool e outras drogas, o comportamento ao volante e diante do computador e a exposição à violência (trânsito, brigas, assaltos e sequestros) podem estar entre as demandas terapêuticas. Tais jovens podem ser considerados privilegiados no que se refere às suas possibilidades, mas seus pais e familiares algumas vezes se angustiam diante de seu comportamento no presente e de sua visão sobre as perspectivas quanto ao futuro. O jovem sente-se pouco interessado em investir esforços na medida em que, por vias normais (estudo e trabalho), suas possibilidades de ganho e de desenvolvimento lhe parecem muito distantes da condição oferecida por sua família de origem.

Para alguns pais, oferecer aos filhos o que não lhes era acessível na própria juventude traz a sensação de sucesso, com o que podemos concordar até certo ponto; no entanto, no momento em que certas facilidades são excessivas, passam a incomodar e a criar problemas. Citemos, por exemplo, a dependência do jovem em relação à tecnologia, ao consumo e aos serviços e cuidados que lhes são oferecidos sem custo nem esforço pessoal. Por vezes chega um período em que os pais passam a se questionar se seus filhos estão, de fato, preparados para um futuro com autonomia; se, da mesma forma que eles, esses filhos procurarão realizações próprias, valorizando o que lhes foi propiciado e buscando suas conquistas pessoais.

Nas famílias com condições financeiras menos folgadas (camadas médias da população), é provável que os conflitos relacionados com o desejo de consumo do jovem apareçam mais frequentemente, bem como as pressões relacionadas com estudo e, a partir de certa idade, a definição da profissão e o preparo para a entrada no mercado de trabalho. As brigas e divergências na divisão de tarefas domésticas também são comuns, assim como, em algumas famílias, o questionamento dos papéis de gênero socialmente construídos (Bruscagin, 2004; Macedo, 2006, 2007).

Famílias com condições materiais difíceis, além de lutarem pela própria sobrevivência, enfrentam o medo da violência em seus bairros, tentando manter crianças e jovens longe de situações de risco, como pequenos furtos ou tráfico de drogas (que oferece a eles ganho alto e rápido). De maneira diferente, porém, angustiam-se por motivos semelhantes aos das famílias com melhores condições de renda: as drogas, a violência fora de casa, a prática sexual precoce e sem proteção, a motivação para os estudos, a possibilidade de inserção no mercado de trabalho. Entretanto, tais jovens enfrentam desafios como a má qualidade da escola e do atendimento dos centros de saúde, que resultam na defasagem no aprendizado e na falta de acesso à prevenção e aos tratamentos quando necessários; a larga distância que os separa dos padrões de consumo e de *status* impostos pela mídia e, muitas vezes, a sensação de que seus esforços não serão suficientes para transformar sua realidade.

Há também jovens de famílias de baixa renda e de baixa escolaridade inseridos em projetos e instituições educacionais que lhes propiciam desenvolvimento e, às vezes, renda. Nesse caso, há de se pensar se suas famílias contam com a força e a assertividade necessárias para apoiar sua formação, cuidando deles para assegurar a continuidade dos estudos e, ao investir-se da autoridade que lhes cabe como pais, conseguir impor-lhes os limites necessários (Feijó e Macedo, 2012).

Quando o jovem adquire benefícios, como conhecimentos e facilidades, muito além das condições familiares, é comum ocorrer uma inversão de hierarquia nessas famílias, especialmente quando o jovem passa a sustentar a casa; por outro lado, ele pode se distanciar dos pais por dificuldade de comunicação, em virtude de suas aquisições, menosprezando-os, desqualificando-os e desautorizando-os por julgá-los sem informação. É comum ainda tal distanciamento quando há violência dentro de casa, situação em que é possível que o jovem se rebele e reaja diante do comportamento agressivo de alguém que determinava as regras enquanto tinha o poder, invertendo assim a ordem de mando na família. Excluindo a situação de violência, estudos mostram que grande parte dos problemas de relacionamento referentes à desconsideração dos filhos pelos pais se deve ao fato de os programas sociais de atenção aos jovens não incluírem minimamente esses pais, ao menos para informá-los de seus objetivos, de como poderão ser úteis para seus filhos, dando-lhes assim oportunidade, por pequena que seja, de falar com eles sobre o que fazem (Feijó e Macedo, 2012).

Além do enfrentamento das figuras parentais, às vezes com violência para autodefesa e/ou proteção de alguém (irmãos, um dos progenitores), pode haver não apenas um afastamento do jovem, mas a ruptura deste com a família.

Por maiores que sejam as mudanças em termos da posição social e do trabalho de homens e mulheres, a educação das crianças ainda tem sido bastante tipificada em termos sexuais. Ainda em diversas famílias, independentemente do poder aquisitivo, as exigências de tarefas domésticas e a liberdade quanto aos comportamentos sociais são diferentes para meninos e meninas. No entanto, nas relações entre jovens nos diferentes grupos, nota-se maior equidade, sobretudo do ponto de vista do comportamento sexual, com maior liberalidade e aceitação nas relações entre os sexos. Em geral, tal situação é menos compreendida pelos pais e familiares mais velhos, causando estranheza, dificuldade de lidar e, muito frequentemente, conflito entre pai e mãe – permissão para dormir na casa do(a) namorado(a), por exemplo.

Álcool e outras drogas

O álcool é a substância psicoativa mais ingerida no mundo, e seu consumo é iniciado cada vez mais cedo pela juventude, sendo comumente valorizado por esta como comportamento social de compartilhamento, camaradagem e coragem. Os jovens consomem uma quantidade cada vez maior de bebidas alcoólicas, sendo atualmente mais frequentes os episódios de uso pesado, o chamado *binge drinking,* no qual a pessoa ingere cinco ou mais doses de uma só vez (Noto, Sanchez e Moura, 2012; Vieira, 2012; Silva, 2011; Galduroz et al., 2004).

O contato com as demais drogas, também mais precocemente, tem sido relatado na literatura e aparecido com maior incidência na clínica, o que vem causando grande preocupação aos estudiosos do assunto e a pais, professores e profissionais de saúde, entre os quais incluímos os psicoterapeutas. A maconha, por exemplo, é considerada de baixo risco por muitos jovens e também por pais, o que aumenta o seu consumo. Além disso, os pais em geral não dominam os argumentos contrários ao seu uso para discutir abertamente a questão com os filhos, a fim de alertá-los para a possibilidade de a droga precipitar crises psicóticas nos já predispostos, por exemplo. Além disso, as mudanças de comportamento ocasionadas pelo consumo dessas substâncias deveriam ser mais conversadas com os jovens, que estão em fase de sedimentação da responsabilidade por seus atos. O crack tem levado os dependentes a furtar, a cometer outros atos ilícitos e a abandonar o lar. O álcool é responsável por diversos problemas familiares, sociais e de saúde em geral, incluindo acidentes de vários tipos, os quais muitas vezes levam à morte do próprio usuário ou de pessoas à sua volta. Na rotina dos hospitais e clínicas psiquiátricas brasileiras, o álcool é responsável por mais de 80% das internações por transtornos decorrentes do uso de substâncias psicoativas (Noto *et al.*, 2002a).

O uso de substâncias psicoativas fabricadas em laboratório é outro fator de grande preocupação para as famílias, especialmente as de melhores condições materiais, para as quais o acesso a esse tipo de drogas é mais fácil. Há jovens consumindo medicamentos associados (estimulantes nas baladas, calmantes e moderadores de apetite em casa). Para Orlandi e Noto (2005), o uso de benzodiazepínicos sem prescrição médica por adolescentes no Brasil vem crescendo e pode ultrapassar o de outras drogas (com exceção da maconha). Novamente, a percepção de risco é minimizada nesse caso, por tratar-se de uma droga lícita, de uso medicinal; como a aquisição desta não depende do contato com o tráfico, há possibilidade de uso e acesso na própria residência, na qual também são usadas por um ou mais adultos (com ou sem receitas médicas).

O comportamento dos adultos, no que se refere ao uso diário de bebidas, cigarros e outras drogas (de uso prescrito e não prescrito), é um ponto a ser observado. A oferta de medicamentos e de bebidas aos adolescentes pelos pais vem sendo apontada na literatura como um aspecto preocupante. Segundo Galduroz (2004), geralmente o primeiro contato com o álcool ocorre em casa, em doses menores do que na rua, com os pares, mas pode se dar com maior frequência (Vieira, 2012). A dependência de álcool dos pais aumenta em quatro vezes as chances de os filhos também se tornarem dependentes (Patterson, 1982). A atitude que os jovens acreditam que os pais tomariam se os flagrassem fumando tabaco também influencia seu uso. Assim, o suporte e o envolvimento parental têm sido associados a fatores protetivos em relação ao uso de álcool, tabaco e outras drogas pelos adolescentes. A ausência parental, o comportamento violento e/ou abusivo dos pais e o consumo de substâncias por pais, mães e pares são riscos associados a fatores de vulnerabilidade (Ronzoni e Paiva, 2012).

Silva (2011) estudou o uso de drogas e a dinâmica familiar e ressaltou a importância de um olhar sistêmico em relação à família e à sociedade atual, uma vez que estressores do dia a dia e padrões de relações familiares devem ser considerados na compreensão da dependência química. Malbergier, Cardoso e Amaral (2012) estudaram o consumo de álcool, tabaco e outras drogas associadas a aspectos como relacionamento ruim entre os pais, violência doméstica, monitoramento dos pais em relação ao comportamento dos filhos e outros aspectos familiares, reforçando a necessidade de cuidar da família e do uso de substâncias de seus membros como fatores relacionados (Silva e De Micheli, 2012; Barbosa, 2012; Silva, 2011; Monastero, 2010; Schenker e Minayo, 2003).

Esteja quem estiver dependente de drogas, o abuso de substâncias sempre interfere no funcionamento da família, constituindo grande dificuldade de enfrentamento por parte desta.

Sexo/sexualidade

A descoberta das relações sexuais e as relações afetivas na juventude podem ser bem saudáveis, cuidadosas e responsáveis. É nessa etapa de vida que muitas pessoas sedimentam sua identidade sexual e, como uma parte desta, identificam a predominância de seu desejo sexual (hétero, homo ou bissexual). Tal amadurecimento é esperado e positivo, mas pode vir carregado de conflitos, tabus e dificuldades. Além das dúvidas e dos preconceitos que permeiam as questões de orientação do desejo sexual, o tratamento que se dá ao tema na mídia é frequentemente inadequado. Crianças têm sido expostas a assuntos e imagens ligados a sexo de forma precoce e banalizada. A prática sexual se inicia cada vez mais cedo e, em geral, de maneira não planejada, sem proteção e sem o uso de métodos contraceptivos, isso quando não é forçada. A gravidez não planejada na juventude, com consequente interrupção dos estudos e dos sonhos, também é comum.

Com relação às repercussões para a saúde da adolescente, a gravidez representa uma das principais causas de morte de mulheres entre 15 e 19 anos, seja por complicação na própria gravidez ou no parto, seja pela prática clandestina do aborto (Ministério da Saúde, 1999).

Para algumas adolescentes, a gravidez pode significar realização pessoal e a expectativa de felicidade, mas, para a maioria delas, implica um momento de tristeza, medo e até mesmo desespero, pois o filho não estava nos seus planos e o aborto pode se apresentar como única saída, ainda que problemática, posto que é ilegal.

Em contrapartida, estudos mostram que, para muitas adolescentes, a gravidez representa um *upgrade* nas suas condições de existência (Desser, 1993; Macedo e Souza, 1996).

Em comunidades carentes, a menina – que, muitas vezes, desde pequena, ocupava-se dos cuidados da casa e das crianças menores para a mãe poder trabalhar fora –, ao engravidar, pode passar a receber tratamento diferenciado dos programas de atenção à gestante: cuidados médicos no pré-natal, enxovalzinho para o bebê, enfim, atenção e cuidados que nunca teve. Com todo esse acolhimento, a jovem se sente valorizada e competente ao produzir um novo ser, passando a alimentar sonhos de que sua vida será diferente da de seus pais. Assim, engravidar pode ser visto como a possibilidade de ter a própria família e de viver melhor que seu núcleo de origem.

O aborto é prática comum em todas as classes sociais, idades e estados civis; porém, dependendo da situação financeira e do acesso aos cuidados médicos, os riscos são maiores ou menores, assinalando a diferença entre a adolescente de maior e a de menor poder aquisitivo. As adolescentes mais ricas recorrem a clínicas especializadas (embora clandestinas) e têm acesso a assistência qualificada; muitas vezes, são até mesmo acompanhadas e orientadas pela família. Por outro lado, as adolescentes pobres não costumam procurar essas clínicas por não terem condições financeiras. Em geral, buscam a alternativa com pessoas não habilitadas ou com métodos abortivos rudimentares, que geralmente levam a graves complicações e à morte.

Entre os problemas trazidos pela gravidez não planejada estão a questão do *status* social da família pela inversão do curso da vida da jovem em termos de formação acadêmica e a habilitação profissional para dar conta da própria vida. Por essa razão, em muitos casos, é comum a família de origem se encarregar de criar o bebê, independentemente da classe social, embora por motivos diversos: na classe alta, para que a jovem não interrompa sua formação; na mais baixa, por falta de condições de manutenção de outra casa.

Na adolescência, os índices de doenças sexualmente transmissíveis, como a aids, também preocupam profissionais da área da saúde e estão relacionados, entre outros aspectos, com o pensamento mágico e onipotente dos jovens. Alguns jovens não usam o preservativo pautados em ideias como "comigo não acontece"; "o amor é maior do que tudo"; "uma vez só não tem perigo" (Zampieri e Macedo, 2012).

Concomitantemente, o uso de álcool e outras drogas tem sido associado ao comportamento sexual sem proteção, o que aumenta o número de jovens infectados pelo HIV e que engravidam de forma não planejada.

Abusos sexuais e psicológicos (por diferenças de sexo biológico, de orientação ou de comportamento sexual) são mais comuns do que se imagina. A discriminação de pessoas que manifestam e/ou vivenciam sua sexualidade de forma diferente da maioria ainda é frequente nos dias atuais (Soares *et al.*, 2011).

Para jovens homossexuais, é nessa fase que eles começam a ter maior compreensão de sua orientação sexual. Hoje, apesar de uma maior visibilidade e aceitação na sociedade, o preconceito que eles sofrem nessa situação ainda é imenso. Contar aos pais talvez seja o momento mais difícil e angustiante, sobretudo para os jovens que dependem financeira e emocionalmente deles e têm na família seu principal sistema de apoio. Em geral, os adolescentes conseguem se abrir mais com as mães, temendo muito a reação dos pais.

Relacionamentos afetivos

A busca intensa de prazer imediato, de novidades que levam ao consumismo, se reflete nos relacionamentos como o ficar, a tendência a se esquivar de compromissos, relações sexuais fortuitas, sem discriminação – características que permeiam muitos dos temas aqui discutidos. Tais atitudes estão interligadas e inseridas no contexto da sociedade atual com suas múltiplas e complexas facetas: tecnológicas, econômicas, culturais.

Os relacionamentos entre as pessoas na atualidade têm feições específicas da época, sendo o individualismo, a falta de compromisso e a flexibilidade suas características principais. Diferentemente dos relacionamentos "antigos", os atuais parecem ser moldados pelo estilo de vida líquido (Bauman, 2004); tal como pensados anteriormente, têm um limiar totalmente novo: supostamente devem ir e vir em uma velocidade cada vez maior, com o maior número de parceiros, na busca contínua de relacionamentos cada vez mais satisfatórios e completos. Pensamos que, ao estabelecer relações mais superficiais e trocas mais constantes de parceiros, um impacto é gerado na saúde e na estabilidade emocional das pessoas. De forma recursiva, tais comportamentos afetam suas relações, que, por sua vez, afetam-nas como pessoas. Essas características se refletem nas suas relações afetivo-sexuais, podendo-se observar nos jovens a tendência de evitar compromissos, o que resulta em relacionamentos abertos, com a possibilidade de "ficar" com vários(as) parceiros(as) ao mesmo tempo, facilitando a promiscuidade. Admitir envolvimento emocional com uma pessoa tem, para alguns jovens, conotação negativa: perder a oportunidade de ficar com outras pessoas e o temor de perder tanto o(a) amigo(a) tão valorizado(a), bem como o(a) namorado(a) se o namoro não der certo. Daí a conotação de amor líquido utilizada por Bauman (2004). Os adultos, por sua vez, sentem-se confusos pelo fato de não haver definição clara do(a) parceiro(a).

Acontece que tais relações geram cada vez mais insegurança e ansiedade entre os jovens. Os relacionamentos em geral parecem estar sendo tratados como mercadorias: se aparece algum defeito, pode ser rapidamente trocado por outro, mesmo sem a garantia de que o novo vai ser o que se busca. Os relacionamentos também têm sido chamados de "relacionamentos de bolso", do tipo que se pode usar e dispor quando necessário e depois guardar para ser utilizado em outra ocasião.

Observa-se, portanto, na sociedade atual, a criação de uma nova ética dos relacionamentos, na qual estes estão cada vez mais superficiais e impessoais. A confiança mútua é cada vez menor e mais frágil: as pessoas estão usando umas às outras – e até mesmo a si mesmas sem perceber!

Por outro lado, pode haver uma relação um pouco mais estável, com as características do amor confluente descrito por Guiddens (1993, p. 62): O amor confluente presume igualdade na doação e no recebimento emocionais, e, quanto mais for assim, mais se aproxima o laço amoroso do modelo do relacionamento puro. Desse modo, o amor somente se desenvolve até o ponto em que se desenvolve a intimidade, quando cada parceiro está preparado para manifestar preocupações e necessidades em relação ao outro e está vulnerável a ele. Entretanto, como se pode deduzir, tal tipo de relacionamento exige mais amadurecimento, autoestima, segurança e autoconfiança.

Nas famílias, ainda com a visão do amor romântico, as formas atuais de relacionamento afetivo causam confusão e dúvidas sobre como agir e reagir diante das novas situações vividas pelos seus filhos. Os pais costumam ficar desorientados ante um comportamento que lhes soa promíscuo, dado que os jovens ficam com um amigo, mas não se assumem como namorados.

Outro aspecto a ser observado nos relacionamentos dos jovens é o padrão de violência muitas vezes aprendido na família. Relações afetivo-sexuais em que há grande diferença de poder também preocupam aqueles que acompanham a família com jovens. Além disso, as pressões sociais para que o jovem se comporte de determinada maneira, consuma algo ou se relacione sexualmente de determinado modo são outros pontos importantes para discussão em terapia, quando surgirem.

Violência

A curiosidade, a sociabilidade e a frequente busca do jovem de atividades e novidades o levam para fora de casa, seja concretamente ou por via digital. Para alguns pais, filhos fora de casa significa preocupação (violência nas ruas, nas escolas, nas "baladas", proximidade de pessoas que cometem atos ilícitos e que se arriscam, no trânsito, por exemplo, pelo uso abusivo de substâncias, principalmente álcool).

Muitos pais já estão alertas para o perigo da rede (internet), na qual a inserção do jovem se dá sem certos cuidados, como a manutenção de seus dados em sigilo (por exemplo, endereço, condições materiais). A internet é fonte rica de informações, mas também meio de difusão de fatos incorretos, ilícitos, imorais e maléficos, além de ser viciante. Fofocas, intrigas e outras formas que denigrem a imagem de pessoas do grupo são também violências que correm em alta velocidade na rede, muitas vezes trazendo problemas para a escola e/ou a família (o chamado *cyberbullying*).

A violência é um problema de ordem pública e, na família, tem um caráter ainda mais grave, pois, pelo tipo de relações que se espera acontecer nesse meio (proteção, cuidado), afeta seus membros profundamente, deixando marcas difíceis de ser superadas.

Estudos sobre a transmissão intergeracional mostram que a violência interpessoal e o abuso de álcool, repetidos por gerações, são assuntos de grande complexidade e relevância (Cerveny, 2011; Aldrigui, 2010; Covington, 2008). O fato de o jovem crescer presenciando atos de violência entre os membros da família pode ser um fator de risco importante para a perpetuação da violência nos relacionamentos interpessoais, no presente e no futuro. No seu seio, são aprendidos padrões de relacionamento e de resposta ao estresse e aos conflitos, que podem ser repetidos ao longo de gerações (Cerveny, 2011; Tondowski, 2008; Levy, 2005). Além disso, a construção social dos papéis de gênero, que estão na base de muitos atos violentos e da desigualdade de poder entre o homem e a mulher, tende a ser mantida nos padrões familiares de repetição (Monastero, 2010; Aldrigui, 2010; Covington, 2008; Macedo, 2007; Macedo e Kublikowski, 2009; Cerveny, 2011).

Construir valores positivos, como respeito ao próximo e valorização das diferenças, é mais difícil quando os pais transmitem mensagens verbais e não verbais opostas a tais ideias – por exemplo, por meio do seu comportamento violento, físico ou psicológico (xingamentos, ironias, desprezo, humilhação, abandono, negligência, entre outros).

Tecnologia

O uso inadequado e excessivo da internet e de outros recursos tecnológicos, como os computadores pessoais, os equipamentos de acesso a dados (música, livros, jogos), os telefones celulares e câmeras fotográficas e filmadoras, é um tema frequente nas discussões sobre o comportamento dos jovens. Em contraponto com os benefícios que tais recursos possibilitam, há novamente o risco do uso prejudicial, que pode tornar a pessoa dependente, indevidamente exposta e, por vezes, isolada. Há jovens muito hábeis na manipulação de tais equipamentos, aos quais priorizam em detrimento de relações pessoais presenciais, que, por sua vez, demandam maior habilidade social, desembaraço e resistência à frustração.

O afastamento das pessoas da família pode ocorrer quando cada um se conecta paralelamente a um computador ou televisão, razão pela qual se diz que, em termos de sociabilidade e contatos, o computador possibilita efeitos paradoxais – aproxima os distantes e afasta os que estão próximos; por isso, é preciso saber usá-lo.

O jovem tende a esconder dos pais informações pessoais, comportamento oposto ao que acontece em relação à rede, na qual divulgam suas particularidades com a maior abertura. Por esse motivo, muitos pais entram em Facebook, Twitter e redes sociais similares com a expectativa de saber o que seus filhos andam divulgando.

A impulsividade e a falta de bom senso no uso dos recursos das redes sociais expõem o jovem a extorsões e abusos. Fotos, vídeos e dados publicados na internet sem autorização podem causar sérios danos à moral e à imagem pessoal, levando muitos, na sua dor extrema, a buscar o suicídio a fim de se livrar de situações que os exponham e humilhem. Uma prática crescente entre os jovens é *o sexting,* que consiste no envio de mensagens com conotação sexual explícita. Além disso, com a facilidade de envio de fotos e vídeos visando manter segredo entre duas ou poucas pessoas, essas informações podem se tornar um fenômeno viral na rede, com consequências geralmente bem negativas.

Orientar os filhos de modo consistente em relação a tais questões, preveni-los quanto aos riscos, informá-los sobre os casos de pedofilia e outras atividades criminosas que vêm à tona e fiscalizar suas atividades são tarefas constantes dos familiares.

Estudos e profissão

Existem hoje inúmeras carreiras possíveis além das clássicas mais conhecidas e uma enorme oferta de cursos. A conexão entre as áreas e as novas demandas de um mercado de trabalho globalizado aumentam o rol de opções, mas também, para alguns, a dificuldade de escolha. A competitividade no mercado de trabalho exige mais preparo e estudo, o que torna o cenário mais complexo.

O jovem, por sua vez, nem sempre se mostra preparado, informado e motivado para se lançar em tais escolhas e para se comprometer com algo que exija dedicação e esforço continuados, pois, como já foi comentado, tais atitudes não fazem parte da geração atual, acostumada com facilidades e desejo de sucesso rápido e poucos limites em geral, que os torna ainda mais onipotentes. Mais ainda, é uma geração descrente de que o esforço valha a pena, na qual os jovens são informados pela mídia que o poder, o dinheiro e a fama são importantes e garantem o sucesso, a segurança e a impunidade. Histórias de corrupção e de ganhos financeiros elevados, sem estudo, sem ética e sem esforço são diariamente exibidas na televisão e na internet, de modo que o investimento pessoal em um futuro que lhes parece remoto não soa compensatório.

A escola, por outro lado, está obsoleta e nem sempre cumpre seu papel de gerar jovens questionadores, curiosos, cientes de seu potencial e de suas habilidades, confiantes do futuro que podem construir por si mesmos pelo trabalho e dedicação pessoal.

Imediatismo e menor investimento em jornadas de médio ou longo prazo são comuns entre os jovens. Pensar em estudar muito e por períodos longos desmotiva aqueles mais acostumados com recompensas imediatas a partir de pequenos esforços, sobretudo em uma cultura como a nossa, que valoriza e estimula a esperteza, o jeitinho, o "se dar bem".

Daí a importância do papel dos pais no desenvolvimento intencional e ativo de valores por meio de diálogos, exercícios de crítica sobre os acontecimentos diários, exemplos de atitudes éticas e distribuição de tratamento justo para com os membros do grupo familiar.

Intervenções terapêuticas

Nessa fase, os pais precisam de uma série de habilidades diferentes das requeridas para cuidar de crianças pequenas. Devem estar atentos aos limites pessoais e acreditar na comunicação aberta e na negociação. Precisam perceber e reconhecer os conflitos de poder em vez de estimulá-los. Ao mesmo tempo que devem soltar os filhos e estimular sua autonomia e capacidade de julgamento moral, não podem deixá-los sem atribuição de responsabilidades, respeito às regras e limites. Muitos pais demoram a perceber que o que funcionava na educação dos filhos quando pequenos não funciona mais, levando uns e outros a momentos tensos, de desorientação e frustração.

Aceitar que sua influência não tem mais tanta força, que sua autoridade pode ser questionada e suas proibições, menos acatadas pode levar os pais a reações insuficientes ou excessivas em relação aos comportamentos dos filhos. Nesse momento, é importante trabalhar a recordação da própria adolescência: exigências, medos, erros, arrependimentos pelas coisas feitas ou não realizadas, histórias que, muitas vezes, não querem ver repetidas com os filhos precisam vir à tona para que todos entendam suas condutas e possam, juntos, refletir sobre como lidar com a situação, lembrando sempre que os tempos e os costumes são outros e, portanto, os pais também podem aprender com eles "o que rola".

Ajudar os pais a manter o vínculo emocional com os filhos é uma tarefa que merece ser trabalhada em terapia, pois, quando se diz que nesse momento os pais devem se afastar e deixar os filhos "terem as próprias experiências", quer-se dizer: ficar na retaguarda, prontos para intervir ou tomar as providências necessárias. Terapeutas podem encorajar os pais a manter uma escuta diferenciada, confrontar os próprios limites, orientar os filhos e, portanto, assumir essa retaguarda do processo de busca de independência e autonomia do filho, mantendo bom relacionamento, como um porto seguro com que pode contar quando necessário, para onde poderá sempre voltar nas tempestades e dificuldades que vão enfrentar na vida. Estudos apontam que os adolescentes que se sentem próximos à família têm menos probabilidade de se envolver em comportamentos de risco, como ingerir bebida alcoólica e usar tabaco, maconha e outras drogas, ter relacionamentos sexuais sem proteção e dirigir alcoolizados (Gilbert, 1997; Macedo, 2006; Macedo e Kublikowski, 2009).

É importante que o terapeuta mantenha uma atitude que respeite a responsabilidade dos pais de proteger seus adolescentes ao mesmo tempo que encoraje e apoie sua necessidade de independência. Não é fácil lidar com a montanha-russa emocional dos filhos, em que eles se ausentam mais de casa, ficam arredios, têm vergonha de aparecer na escola ou festas e baladas acompanhados dos pais, não aceitam mais tantos beijos e carinho (principalmente os meninos) ou mantêm segredos e constantemente lembram os pais que "eles não entendem".

Na maioria dos casos de terapia com adolescentes e suas famílias, uma combinação de abordagens é mais eficaz. Em sessões só com os pais, o terapeuta pode ter o espaço para encorajá-los a ser mais firmes e objetivos em seu papel; ser mais decididos em suas atitudes e demandas; explorar mais suas lutas em outras áreas da vida. Esses encontros os ajudam a se unir para enfrentar juntos, como uma equipe, os confrontos com os filhos, a encorajá-los a ser claros quanto às suas expectativas, a negociar as diferenças sobre normas e limites em casa. Os pais podem estabelecer juntos a forma de lidar com as diferenças e divergências, de quebrar padrões que não estejam sendo úteis para o momento e oferecer sua relação com os filhos como um suporte, um lugar de segurança com que podem contar irrestritamente e sentir-se acolhidos nos momentos de dúvidas e problemas que não consigam resolver.

Trabalhar algumas sessões só com o adolescente ajuda no sentido de abrir para ele um espaço seu, individual, onde se possa lidar também com suas questões de autonomia, independência e afirmação da identidade. Essas sessões possibilitam ao terapeuta compreender seu comportamento sem os demais familiares, deixá-lo mais livre para se colocar com respeito a eles sem receio de causar problemas no relacionamento, permitir mais liberdade para expressar suas opiniões sobre o mundo e revelar segredos e fantasmas.

Quando há outros filhos na família, pode ser útil fazer uma sessão só com eles, a fim de compartilhar as visões de mundo da fratria, tanto dos mais velhos – o jovem "problema" em questão – como dos mais novos – estes ansiosos e temerosos da própria adolescência; todos podem usufruir das experiências uns dos outros no sentido de diminuir medos e expectativas equivocadas sobre a experiência de adolescer, facilitando a criação de um clima de apoio entre os irmãos. Conhecer como cada um funciona em casa e fora dela, com amigos, esclarecer a imagem que um tem do outro, da família e do mundo e, inclusive, propor atividades e tarefas juntos constituem aspectos, sem dúvida, muito desejáveis entre irmãos no sentido de fortalecer a união.

Amigos também podem ser trazidos para a sessão; isso estimula o companheirismo na medida em que estes podem mostrar como o adolescente em questão é visto no grupo, o que pensam e quanto se preocupam uns com os outros. É muito útil também no sentido de desfazer certas opiniões menos favoráveis dos pais, tanto em relação aos amigos dos filhos quanto em relação aos próprios.

Considerando as diferenças familiares aqui esboçadas entre as condições de vida e as preocupações e necessidades dos jovens e de suas famílias, Feijó (2011)[1] sugere perguntas que podem nortear o trabalho dos terapeutas:
- Jovem e família caminham para a convivência com maior autonomia, preservando seus laços de afeto, sem frear o desenvolvimento de ninguém?
- Todos têm força de expressão, independentemente da idade, do sexo, da escolaridade e da renda?

---

[1] Comunicação pessoal em aula dada no curso de Intervenções Familiares em Diferentes Contextos: Psicoterapia e Orientação Sistêmica, da Famerp.

- Há respeito pelo outro na comunicação e no relacionamento?
- Cada um respeita a si mesmo (saúde e limites)? Rotina, sono e alimentação são preservados? Todos equilibram seus afazeres e responsabilidades com lazer?
- Há membros da família com dependência (de sexo, álcool e outras drogas lícitas e ilícitas, comida, tecnologia, compras, jogo)?
- Família e jovem cultivam relações sociais? Suas redes sociais de apoio estão fortalecidas?
- O estilo de vida é sustentável? É possível que se mantenham assim nos próximos tempos e com os recursos disponíveis?
- Todos estão satisfeitos com a relação que vêm mantendo entre si? Já refletiram sobre a participação de cada um em tal relação? Têm pedidos a fazer uns para os outros?

A importância da comunidade

Quando a família passa por uma adolescência turbulenta e difícil, são comuns os sentimentos de solidão e até de vergonha.

Quando têm contato com outras famílias ou outros adolescentes e percebem que essas situações não acontecem apenas consigo, crescem as possibilidades de enfrentamento saudável dessa fase, na medida em que compartilhar experiências reforça a resiliência. O contato dos pais com a escola e outros pais é uma intervenção que leva ao fortalecimento dos sistemas de apoio e diminui o isolamento que algumas famílias vivem nessa fase. As intervenções que levam em conta o contexto sociopolítico no qual vivemos e seus efeitos na família adolescente são críticas e têm mais chances de ajudar efetivamente essas famílias.

A busca ou o encaminhamento à terapia familiar em geral resulta da dificuldade de comunicação e de relacionamento entre as pessoas. Inicialmente, pode estar ligada a uma demanda específica, o que não significa que esta esteja desvinculada, que não afete nem seja afetada pelas relações vividas na família em geral. Ao terapeuta de família cabe ouvir cada um dos membros e com eles definir demandas, regras e combinações razoáveis para todos, coerentes com sua condição de vida, suas necessidades (dos jovens, inclusive) e os valores que tenham construído e queiram construir. A rapidez das mudanças sociais e a constante avalanche de informações em tempos atuais exigem de pais e terapeutas flexibilidade para pensar de acordo com o contexto vigente. Portas abertas, para que os jovens expressem suas demandas, bem como as novidades em sua vida e relações, são fundamentais. As discussões e orientações construídas com os jovens não podem ser descoladas de sua realidade. Mediante uma perspectiva novo-paradigmática, segundo a qual a realidade é construída socialmente, significada pela linguagem, diferindo de uma pessoa para outra de acordo com as experiências vividas por cada um, o profissional procura compreender a família, seus sofrimentos, suas demandas e valores (Feijó, 2008; Soares et al., 2011). Cada jovem, cada família e a relação entre eles devem ser vistos em seu contexto, de acordo com suas especificidades, evitando comparações (Macedo, 1994; Feijó, 2008). Estudos sobre teorias e práticas são úteis para enriquecer os diálogos e gerar abertura, de forma que a interseção do domínio teórico com a prática não resulte em excesso de normatização e de idealização, mas permita olhar para a "família de cada um" (Macedo, 1994).

Algumas considerações

O jovem procura suas verdades. No mundo atual, dadas a avalanche de informações, diversidade de opiniões e teorias explicativas sobre todas as coisas, geram-se tantas verdades que isso exige de todos um exercício de reflexão sobre tal multiplicidade. Essa é uma das maiores dificuldades para o entendimento entre as pessoas, em virtude das diferenças quanto ao que cada um julga ser a verdade, à necessidade de ter razão, à dificuldade de lidar com a incerteza. Quando o jovem e/ou familiares se apegam a determinadas ideias sem disposição para trocar opiniões e estabelecer um diálogo aberto à compreensão mútua, as posições se cristalizam e produzem sérios entraves nas relações.

Os jovens buscam suas possibilidades. Estas lhes parecem infinitas no mundo globalizado e enquanto navegam na internet, razão pela qual se sentem um pouco perdidos quando esbarram nas dificuldades do mundo concreto em que vivem: entrada no mercado de trabalho, desigualdades de oportunidades segundo classe social, nível educacional, cor da pele, violência nas ruas, nas instituições, em suas próprias casas. Além disso, há padrões socialmente idealizados, almejados pela maioria, além de estereótipos desqualificantes em relação à juventude e aos jovens de modo geral: por um lado, o excesso de valorização da beleza e da juventude; por outro, representações culturais e significados negativos construídos em torno dos "excessos" da juventude (brigas, bebedeiras, excessos de todo tipo) produzem atitudes ambíguas nos adultos, tornando vulnerável a condição do jovem. Exemplo típico dessa afirmação é referir-se a essa fase da vida como "aborrescência", em uma clara alusão às confusões e aos problemas que "certamente", segundo os adultos, eles causarão pela intensidade com que vivem, sem pensar muito nas consequências de seus atos.

A terapia familiar deve centrar-se em demandas, incômodos, sofrimentos, insatisfações, desejos, valores das famílias e de todos que participam do processo terapêutico, crendo que, se vieram buscar ajuda, é porque seus recursos não foram suficientes para fazê-los encontrar soluções satisfatórias para suas dificuldades. A terapia pode oferecer aos participantes uma oportunidade para refletirem sobre os padrões de comportamento e narrativas que vêm mantendo e que os mantêm aprisionados (preconceitos, atos de discriminação e de violência, segredos). Sua contribuição para o desenvolvimento familiar e social será tanto melhor se, além de ajudar os participantes a encontrar alternativas viáveis para a solução dos problemas que trouxeram, conseguir incrementar nessas famílias o hábito de discutir as diferenças, compartilhar decisões, tanto em relação aos seus desejos pessoais como na busca por seus direitos e no exercício de seus deveres sociais. Valores como compreensão, cooperação, amizade, solidariedade, respeito, autocuidado e até mesmo preservação ambiental, entre outros, podem ser ancorados no processo terapêutico conforme façam sentido aos que dele participam.

A família, bem como a escola e outras instituições sociais importantes, é responsável pela transmissão de valores. A terapia pode favorecer o diálogo sobre os juízos de valor da família e suas maneiras de ser e de pensar. Consequências de atos e de certos posicionamentos também são pontos importantes de discussão na terapia para que os envolvidos se conscientizem de sua participação no mundo e nas inter-relações. Responsabilidade ética e pessoal pode ser construída junto com as escolhas e os caminhos dos jovens e de sua família.

Aspectos importantes para pais, professores e terapeutas

A atitude em relação ao jovem ou ao adolescente é muito importante. Pelas notícias veiculadas na mídia, comentários entre pais, professores, enfim, entre adultos, a adolescência é vista como um período difícil, produto de problemas e desafios que perturbam os pais e a vida de família. É frequente ouvirmos de pais e professores afirmações sobre o que apontamos anteriormente: "Ah! Estou me preparando para a aborrescência!"; "Ih! Meu filho com 9 anos já é duro de levar, imagine quando estiver na adolescência!" Essas expressões mostram uma antecipação da adolescência marcada por preconceito, denotando uma construção social envisada pela dificuldade de estabelecer uma relação dialogada com o adolescente como alguém que tem suas opiniões, suas razões e merece ser ouvido. A questão, a nosso ver, se coloca no receio dos pais de perder a autoridade, que, nesses casos, manifesta-se com posições pouco flexíveis, acostumados a ditar regras e não a discuti-las ou negociá-las, como seria desejável em se tratando de adolescentes.

Não se pode esquecer de que a adolescência é uma fase do ciclo de vida da família como outra qualquer, nem pior, nem melhor. Como nas fases de bebê e de criança, ela requer que os adultos do entorno conheçam suas características básicas e necessidades para interagir com eles do modo como a sociedade em que vivem espera.

Nesse sentido, pensamos que a dificuldade maior está em acompanhar as mudanças sociais e de costumes dos grupos jovens, como linguagem, roupa, gostos, atividades de lazer, para poder compreender seu mundo em cada tempo e lugar e poder flexibilizar as maneiras de pensar e agir em relação a eles. Com certeza, as experiências vividas pelos pais quando adolescentes são totalmente diversas das de seu próprio filho adolescente, portanto as crenças construídas na sua época em relação aos seus pais, as regras a que foram submetidos, não podem mais ser as mesmas, pois não servem aos tempos atuais.

É claro que há certos padrões familiares que tendem a se repetir, porém até as repetições podem sofrer adaptações. O adolescente precisa ser respeitado, levado a sério em suas preocupações, pois muitas vezes os adultos se esquecem de que a carga de expectativas sobre eles aumenta muito nesse período: tem de mudar de nível na escola, escolher uma profissão, viver as primeiras experiências amorosas e sexuais com maior responsabilidade pessoal, pois têm mais liberdade de estar com o grupo, sem os pais. Justamente porque passa a desenvolver mais as próprias ideias e maneiras de ver o mundo, diferentemente dos adultos que o cercam em muitos aspectos, é que o adolescente necessita de privacidade e respeito.

Os adultos têm, nesse tempo, a responsabilidade de dialogar em todas as ocasiões possíveis a respeito das próprias ideias, das notícias, dos acontecimentos em família, com a intenção de colocar-se eficazmente diante dos fatos e ouvir a opinião do adolescente. Isso irá ajudá-lo no exercício de desenvolver seu juízo moral, sua capacidade de julgamento, de idoneidade para escolher o que é bom, legítimo, de acordo com as tradições de sua família e do grupo a que pertence na sociedade em que está inserido.

O exemplo de conduta dos adultos, sua coerência com os princípios que comunicam são fundamentais para essa tarefa evolutiva. Os jovens devem sentir que os adultos se preocupam com eles e exercem essa preocupação por meio de regras e sanções que visam ajudá-los a refrear seus impulsos, a julgar, analisar uma situação antes de agir, pois isso lhes dá uma sensação de segurança. Portanto, estabelecer limites protege o adolescente mais do que deixá-lo à vontade para agir conforme a oportunidade e seus impulsos. É um exercício de amadurecimento ir passando paulatinamente a responsabilidade pelos próprios atos pela vida conforme a criança vai crescendo. É o modo como ela adquire autoconfiança, segurança para agir, porque a realidade de cada um é construída por meio de suas experiências, na relação com o outro, vida afora. Aprende-se o mundo e aprende-se com acertos e erros, desde que haja um juízo crítico e diálogos de orientação em que se cotejem as diferenças de opinião e se avalie cada vez mais a consequência das escolhas feitas para poder se responsabilizar por elas. Assim se amadurece, assim os jovens se tornam pessoas de respeito.

Referências

ALDRIGUI, T. "Família e violência". In: CERVENY, C. (org.). *Família e narrativas*. 2. ed. São Paulo: Casa do Psicólogo, 2010.

BARBOSA, T. *Terapia familiar em grupos com familiares de dependentes de drogas*. Dissertação de mestrado em Psicologia Clínica pela Pontifícia Universidade Católica de São Paulo, São Paulo, 2012.

BAUMAN, Z. *O amor líquido*. Rio de Janeiro: Zahar, 2004.

BRASIL. *Estatuto da Criança e do Adolescente (ECA)*. Lei 8.069 de 1990.

_____. Ministério da Saúde. Secretaria de Políticas de Saúde. *Saúde e desenvolvimento da juventude brasileira: construindo uma agenda nacional*. Brasília: MS, 1999.

BRUSCAGIN, C. *Sob a proteção de Deus: famílias cristãs na fase adolescente*. Tese de doutorado pela Pontifícia Universidade Católica de São Paulo, São Paulo, 2004.

CERVENY, C. *A família como modelo*. 2. ed. São Paulo: Livro Pleno, 2011.

CERVENY, C; BERTHOUD, C. *Família e ciclo vital – Nossa realidade em pesquisa*. São Paulo: Casa do Psicólogo, 1997.

COVINGTON, S. "Women in addiction: a trauma-informed approach". *Journal of Psychoactive Drugs*, sup. 5, 2008, p. 377-85.

DESSER, N. A. *Adolescência, sexualidade e culpa*. Rio de Janeiro: UNB/Rosa dos Tempos, 1993.

FEIJÓ, M. *A família e os projetos sociais voltados para jovens: impacto e participação*. Tese de doutorado em Psicologia pela Pontifícia Universidade Católica de São Paulo, São Paulo, 2008.

FEIJÓ, M.; MACEDO, R. "Família e projetos sociais voltados para jovens: impacto e participação". *Estudos em Psicologia*, v. 29, n. 2, 2012.

GALDUROZ, J. C. et al. "Levantamento sobre consumo de drogas psicotrópicas entre estudantes do ensino fundamental e médio da rede pública de ensino nas 27 capitais brasileiras". *Cebrid*, 2004.

GILBERT A. "Youth study elevates families' role". *New York Times*, 1997.

GUIDDENS, A. *A transformação da intimidade: sexualidade, amor e erotismo nas sociedades modernas*. São Paulo: Unesp, 1993.

INSTITUTO BRASILEIRO DE GEOGRAFIA E ESTATÍSTICA (IBGE). Síntese de Indicadores Sociais, 2004.

LEVY S. *Cansados de guerra. Um estudo clínico sobre a coautoria na violência familiar*. Dissertação de mestrado em Psicologia Clínica pela Pontifícia Universidade Católica de São Paulo, São Paulo, 2005.

MACEDO, R. M. S. "A família do ponto de vista psicológico: lugar seguro para crescer?" *Caderno de Pesquisas*, n. 91, 1994, p. 62-68.

_____. "Família e gênero". In: CERVENY, C. (org.). *Família e...* São Paulo: Casa do Psicólogo, 2006.

_____. "Sexualidade e gênero". In: HORTA, A.; FEIJÓ, M. *Sexualidade na família*. São Paulo: Expressão e Arte, 2007.

MACEDO, R. M. S.; KUBLIKOWSKI, I. "Valores positivos e desenvolvimento do adolescente: perfil de jovens paulistanos". *Psicologia em Estudo*, v. 14, n. 4, 2009.

MACEDO, R. M. S.; SOUZA, R. M. "Adolescência e sexualidade: uma proposta de educação para a família". *Coletâneas da ANPEPP*, v. 1, n. 2, 1996.

MALBERGIER, A.; CARDOSO, L.; AMARAL, R. "Uso de substâncias na adolescência e problemas familiares". *Caderno de Saúde Pública*, v. 28, n. 4, 2012, p. 678-88.

MONASTERO, L. F. *Família e dependência química: uma relação delicada*. Dissertação de mestrado em Psicologia Clínica pela Pontifícia Universidade Católica de São Paulo, São Paulo, 2010.

NOTO, A.; SANCHEZ, Z.; MOURA, Y. "Uso de drogas entre adolescentes brasileiros: padrões de uso e fatores associados". In: SILVA, E. A.; DE MICHELI, D. *Adolescência uso e abuso de drogas: uma visão integrativa*. São Paulo: Ed. FAP-Unifesp, 2012.

NOTO, A. et al. "Internações por transtornos mentais e de comportamento decorrentes de substâncias psicoativas: um estudo epidemiológico nacional do período de 1988-1999". *Jornal Brasileiro de Psiquiatria*, n. 51, 2002a, p. 113-21.

NOTO, A. R. et al. "Violência doméstica e o uso de substâncias psicoativas". III Encontro Latino-Americano de Terapia Familiar, Salvador, 2002b.

ORLANDI, P.; NOTO, A. R. "Uso indevido de benzodiazepínicos: um estudo com informantes-chave no município de São Paulo". *Revista Latino-Americana de Enfermagem*, n. 13, 2005, p. 896-902.

PATTERSON, G. *Coercive family process (social interactional approach)*. Oregon: Castalia Pub Co, 1982.

RONZONI, T; PAIVA, E. "Adolescentes e drogas: estilos parentais de socialização como risco ou proteção". In: SILVA, E. A.; DE MICHELI, D. *Adolescência uso e abuso de drogas: uma visão integrativa*. São Paulo: Ed. FAP-Unifesp, 2012.

SCHENKER, M.; MINAYO, M. "A implicação da família no uso abusivo de drogas: uma revisão crítica". *Ciência e Saúde Coletiva*, v. 8, n. 1, 2003, p. 25-36.

SILVA, E. *Avaliação do funcionamento de famílias com dependentes de drogas por meio da Family Assessment Measure III (FAM III)*. Tese de doutorado em Ciências pela Universidade Federal de São Paulo — Escola Paulista de Medicina (Unifesp-EPM), São Paulo, 2011.

SILVA, E. A.; DE MICHELI, D. *Adolescência uso e abuso de drogas: uma visão integrativa*. São Paulo: Ed. FAP-Unifesp, 2012.

SOARES, M. et al. "O apoio da rede social a transexuais femininas". *Paideia*, v. 21, n. 48, 2011, p. 83-92.

TONDOWSKI, C. *Padrões multigeracionais da violência familiar associada ao abuso de bebidas alcoólicas: um estudo com genograma*. Dissertação de mestrado em Ciências pela Universidade Federal de São Paulo — Escola Paulista de Medicina (Unifesp-EPM), São Paulo, 2008.

VIEIRA, O. "Adolescência, gênero e uso de substâncias". In: SILVA, E. A.; DE MICHELI, D. *Adolescência – Uso e abuso de drogas: uma visão integrativa*. São Paulo: Ed. FAP-Unifesp, 2012.

ZAMPIERI, A. M. F.; MACEDO, R. M. S. "Sociodrama construtivista da aids como estratégia de prevenção do HIV/aids para o empoderamento dos profissionais de saúde e educação de adolescentes da região do Butantã". In: MUNHOZ, M. L. P.; VITALE, M. A. F. *Terapia familiar em pesquisa: novas contribuições*. São Paulo: Roca, 2012.

PARTE II RELAÇÕES FAMILIARES, CONJUGALIDADE E PARENTALIDADE

8 EM PRIMEIRA PESSOA DO SINGULAR: OUVIR ADOLESCENTES

Helena Maffei Cruz

Três histórias, três adolescências

Há algum tempo, fui assaltada por dois adolescentes. Não sei quantos anos tinham, mas eram meninos magrinhos, de olhar feroz, com uma arma apontada para minha cabeça. De brinquedo? De verdade? Era noite, eu estava parada em um sinal vermelho, com um caminhão enorme à minha frente, muito longe de casa e eles queriam por força que eu ficasse no carro que eles pretendiam levar. Nessas horas, foco na solução, guardo outros sentimentos para depois e converso com uma calma que não sei de onde vem. Negociei a entrega do carro com bolsa, *laptop*, celular e consegui ficar fora do passeio indesejado.

A caseira de um sítio da família era analfabeta, honestíssima, supercumpridora das obrigações. Criou as filhas entre nós. Educadas, exigidas na ajuda às tarefas domésticas, escolarizadas, dentes tratados, uniformes impecáveis. Umas gracinhas, queridas por todos da família, ajudadas por nós, com aulas extras ou algum tratamento de saúde não atendido pelo SUS. Uma engravidou aos 16 anos. Catástrofe familiar. Recebi um pedido: "Você precisa fazer uma terapia familiar com a Elza[1] e o Benedito porque senão vai sair morte". O pai era o mais inconformado. Conversamos por duas horas – a família toda reunida, ouvi a todos, ajudei a negociar e a construir combinados provisoriamente aceitáveis. Nosso Papai Noel completou o enxoval do bebê por chegar. O pai da criança permaneceu um mistério. O filho foi criado pelos avós, restabeleceu-se a paz entre pai e filha.

Como presente de aniversário de 15 anos, tenho feito uma viagem com a neta que chega lá. Já viajei com duas. Semelhantes na curiosidade e nas grandes teorias universais que categorizam o mundo em "amei", "odiei", "absurdo" e "ridículo", diferentes

---

[1] Todos os nomes utilizados neste capítulo são fictícios.

quanto às crianças que trazem consigo e às mocinhas que as habitam por algumas horas, ensinaram-me muito sobre uma afirmação da qual não gosto: "o luto pela perda da infância, do corpo infantil, dos pais perfeitos etc.". Essa descrição com ênfase nas perdas do processo de crescer não me ajuda a produzir conversas transformativas, mas aprendi sobre como, ao abrirmos as cortinas para um cenário maior, guiamos nossos adolescentes como cegos que ganham a visão e topam com o lixo, a feiura, o malfeito que nunca lhes foram descritos antes. Entendo o radicalismo ressentido dos "odeio", "absurdo", "ridículo"; como o desapontamento pela descoberta de que, mesmo varrendo as cinzas, esfregando o chão e suportando os maus-tratos das malvadas meias-irmãs, Cinderela pode não casar com o príncipe – ou ganhar o troféu correspondente em nossos dias. Uma das irmãs compra pela internet um sapato imitação do legítimo, a outra o surrupia e leva para o programa de TV Big Brother Brasil, pois é amiga do assistente do produtor e sabe que haverá um baile com prova de sapatinho de cristal; ganha o concurso e hoje é celebridade.

Conversamos muito e várias vezes ouvi, proferida com um tom sentido: "Por quê, vó?" Visitar castelos mostrando outros costumes, conversando sobre outros tempos gerou muita reflexão.

Todas essas vinhetas contam alguma transformação. Do quê? De quem? Certas palavras geram atitudes e ações menos violentas, outras legitimam alguém não ouvido, outras acolhem perplexidades. Que questões cada um desses adolescentes nos propõe? O que o discurso, ou melhor, os discursos da psicologia nos ensinam sobre adolescência?

Adolescências construídas

Adolescências construídas: a visão da psicologia sócio-histórica (Ozella, 2003) apresenta a visão da psicologia sócio-histórica sobre vários temas relativos à adolescência e contrasta duas perspectivas opostas em relação à compreensão do ser humano. Os discursos descritos pelo autor como positivistas, termo que eu ampliaria para "modernos", têm como objeto de estudo um ser humano apriorístico, livre e dotado de potencialidades naturais, gerando conceitos que explicariam a "natureza humana". Os discursos da perspectiva sócio-histórica entendem esse ser com base na "condição humana", como "alguém que constrói formas para satisfazer suas necessidades junto com outros seres humanos. Um ser histórico com características forjadas de acordo com as relações sociais contextualizadas no tempo e no espaço histórico em que vive".

O autor prossegue e aponta uma concepção vigente bastante comum na psicologia sobre a adolescência:

Uma etapa marcada por conflitos e crises "naturais" da idade, por tormentos e conturbações vinculados à emergência da sexualidade, enfim, uma etapa marcada por características negativas, sofridas, patologizadas, que ocorreria necessariamente em qualquer condição histórica e cultural, isto é, universalizada.

Contrapondo-se a esse conceito a-histórico e atemporal, adota uma abordagem sócio-histórica que não nega a importância do conceito de adolescência para a psicologia, mas considera-a algo que passou a fazer parte da cultura, com significados construídos, como um período criado historicamente.

> [...] O jovem não é algo "por natureza". Como parceiro social, está ali, com suas características, que são interpretadas nessas relações; tem então um modelo para a sua construção pessoal. Construídas as significações sociais, os jovens têm a referência para a construção de sua identidade e os elementos para a conversão do social em individual. (Ozella, 2003, p. 9)

A pesquisa realizada por Ozella no final da década de 1990 entrevistou 51 psicólogos que atuavam com adolescentes em diversas áreas: da saúde, do trabalho, jurídica, da educação formal e da reeducação. Foram analisadas 46 entrevistas abertas que tinham roteiro temático geral com três pontos:
- Qual é a concepção de adolescente do psicólogo?
- Qual é sua forma de intervenção?
- Qual é sua compreensão sobre uma possível política de saúde pública voltada para o adolescente?

Trinta consideraram a adolescência uma etapa e 24 consideraram-na inerente, inata, parte da natureza humana. Algumas das afirmações foram:

> Acho que tem aspectos que são da própria adolescência [...] são características que você vai encontrar no adolescente em qualquer cultura. É um período de transição conturbado onde ocorrem mudanças físicas e psíquicas [...] esta transição é complicada, pois o adolescente não é criança nem adulto, é um problema.

Vista como problemática, a adolescência é objeto de estudo de práticas curativas mais do que de promoção de saúde. Um dado significativo durante as entrevistas foi a surpresa de grande parte dos entrevistados diante da pergunta sobre a concepção de adolescência. Resposta comum: "Como assim, minha concepção? Nunca havia pensado nisso". É surpreendente para o entrevistador (e para mim) o fato de um profissional que lida com determinado fenômeno não ter uma concepção clara sobre ele. Qualquer definição ganha sentido como parte de alguns discursos, mas "adolescência" encontra-se, tanto nos manuais quanto nas teorias, tão naturalizada que não promove questionamentos e reflexões que permitam aos profissionais dar-se conta de suas teorias a respeito dessa categoria.

Construcionismo social

A abordagem sócio-histórica tem em comum com o construcionismo social a compreensão da origem social do que consideramos mental. Kenneth Gergen (1992, 1996), psicólogo social norte-americano, autor de vasta obra sobre a postura socioconstrucionista, apresenta as críticas que provocaram o que ele denomina "crise da representação", apontando que esta surge da insatisfação nos meios científicos e filosóficos com a noção de representação objetiva da realidade.

Movimentos nomeados de pós-empiristas, pós-estruturalistas ou pós-modernos não buscam uma base lógica racional para uma vinculação precisa da palavra com o mundo, mas, caso a caso, seus argumentos propõem um desafio à suposição de que a linguagem pode representar, refletir, transmitir ou armazenar o conhecimento objetivo. Tais críticas convidam a uma reconsideração completa da natureza da linguagem e de qual é seu lugar na vida social; e o que é mais importante, começam a formar a base de uma alternativa à suposição do conhecimento individual.

O autor considera que essas críticas surgem de inteligibilidades discursivas cujas consequências são as bases para uma completa transformação do enfoque da linguagem e, consequentemente, dos conceitos de verdade e racionalidade. Proporcionam os meios para uma revisão da psicologia e das ciências humanas com ela relacionadas.

Aponta como principais fontes críticas a ideológica, a literário-retórica e a social. A *crítica ideológica* desafia a noção de neutralidade da ciência e da possibilidade de produção de conhecimento isenta de valores. Analisa a presença de interesses de classe ou de grupos sociais nas afirmações de verdade e racionalidade. Critica a compreensão de linguagem como carregando – ou não – a verdade e de ciência como fonte de descrições objetivas e exatas do mundo. A *crítica literário-retórica* entende que as descrições do mundo não são determinadas por qualidades intrínsecas dos acontecimentos, mas pelas convenções da interpretação literária. A retórica aponta a linguagem como o meio de representação, com força persuasiva, construindo, assim, ontologias e formas de vida. A *crítica social* foca o contexto em que se produz conhecimento, isto é, entende esse processo como cultural e historicamente construído. A linguagem é, por natureza, um processo social.

Bebendo nas fontes do marxismo em sua crítica ideológica, principalmente dos autores da Escola de Frankfurt (década de 1930), a postura construcionista social oferece um panorama mais amplo de possibilidades de leitura do que consideramos realidade, ultrapassando a abordagem sócio-histórica, cujas fontes datadas tornaram-se insuficientes para a abrangente sociedade contemporânea, muito mais complexa do que aquela em que foi gerada a teoria marxista, quando o conceito de classe social descrevia a maioria das relações sociais.

Como não é objetivo deste texto explorar o alcance e as variantes do construcionismo social, mas apenas apresentar as suposições básicas da minha prática terapêutica, sintetizo as características do psicólogo pós-moderno no Quadro 1.

O saber psicológico aplicado à prática psicoterápica, em grande parte, relaciona-se seguindo, modificando ou contrapondo-se às construções teóricas, metodológicas e técnicas de Freud. Embora sua obra explore como o sujeito se constitui e interpreta sua vida a partir do que ele denomina constituição do "aparelho psíquico", a cultura e a sociedade estão implicitamente presentes, por exemplo, no conceito de repressão, como também explicitamente em teorizações sobre religião, educação, em questões sociais, culturais e no que hoje denominaríamos questões de gênero.

Quadro 1 – Características do psicólogo pós-moderno

Crenças modernas	Crenças pós-modernas
Método lógico e empírico	Métodos qualitativos/reflexão
Leis gerais do comportamento	Leis histórica e culturalmente contingentes
Universo psicológico cognoscível por ato de observação neutra	Universo psicológico construído pela relação observador-observado

Adaptado de Grandesso (2000).

Tomando a obra freudiana como uma prática discursiva cujas palavras adquirem significado no contexto das relações humanas em que ocorreram, podemos interrogá-la sobre que noções a respeito de adolescência ela oferece. Em 24 volumes, de índices e bibliografias, encontro a palavra adolescência (também puberdade) apenas em um deles – o 2, com cinco citações e uma observação. Em uma época e lugar, Europa Central, em que a menarca ocorria a partir dos 14 anos, podendo até mesmo ocorrer mais tarde, quase coincidindo com o momento do casamento das jovens, adolescência e puberdade são tratadas na obra freudiana com o mesmo significado.

O capítulo 3 dos *Ensaios sobre a sexualidade* intitula-se "As transformações da puberdade", que Freud (1969, p. 213) descreve como "mudanças destinadas a dar à vida sexual infantil sua forma final normal. O instinto sexual fora até então predominantemente autoerótico; encontra agora um objeto sexual". Ao ler as construções sobre normal e patológico, em relação à transformação da sexualidade na puberdade informada pela compreensão socioconstrucionista, encontro, nos relatos clínicos referentes a esse período, descrições detalhadas de sintomas ou modos de agir semelhantes aos que hoje ouvimos na clínica de adolescentes que sofreram ou sofrem abuso sexual.

Revisitando Dora

Dora – a paciente levada a Freud pelo próprio pai e que interrompeu o tratamento após três meses – deixou Freud insatisfeito com sua própria atuação, levando-o a buscar explicações que resultaram no conceito de transferência. Não é objetivo deste capítulo discutir a importância ou a utilidade do conceito, mas assinalar que todo o pensamento de Freud, a partir desse atendimento, desenvolveu-se sem nenhum questionamento ao diagnóstico de histeria que ele fez ao ouvir os relatos de Dora.

Depois de transcrever vários relatos da paciente, em que as atenções do sr. K. para com a adolescente Dora aconteciam na forma de presentes, passeios, "mas que ninguém via mal algum nisso" (Freud, 1969, p. 23), Dora deveria passar várias semanas na casa dos K., ao passo que seu pai pretendia voltar para casa depois de alguns dias:

> Quando ele se preparava para partir, a moça subitamente declarara com a maior determinação que iria com ele e, com efeito, assim o fizera. [...]
> Alguns dias mais tarde, esclarecera seu estranho comportamento. Contara à mãe que o Sr. K. tivera a audácia de lhe fazer uma proposta amorosa, enquanto andavam depois de um passeio no lago.

Seguem-se as acareações e negativas típicas dessa situação. A jovem é culpada de só ter interesses por assuntos sexuais, provavelmente se excitara demasiado com leituras e simplesmente imaginara a cena que descrevera.

Freud prossegue com relatos de Dora em primeira pessoa; entre eles, menciona uma cena anterior, quando ela tinha 14 anos, em que o sr. K. havia combinado com ela a ida a um festival religioso, juntamente com sua esposa. No entanto, ele persuadiu a esposa a ficar em casa, mandou os empregados embora e estava sozinho quando Dora chegou. Pediu que ela o esperasse em um lugar específico enquanto ele fechava portas e janelas, e, quando se encontrou com ela, agarrou-a subitamente e beijou-a nos lábios.

O significado atribuído por Freud (1969, p. 26, grifos meus) foi:

Essa era, *sem dúvida*, uma situação capaz de despertar nítida sensação de excitamento sexual em uma moça de 14 anos que nunca fora tocada antes. Mas Dora teve naquele momento uma violenta sensação de repugnância, livrou-se do homem e passou por ele correndo para a escada, aí se lançando para a porta da rua. Ela, todavia, continuou a encontrar-se com o sr. K. Nenhum deles jamais mencionou a pequena cena. Dora a manteve em segredo até a confissão no tratamento. Durante algum tempo, depois disso, ela evitou ficar sozinha com o sr. K. Os K. tinham planejado uma expedição que duraria alguns dias na qual Dora devia acompanhá-los. Depois da cena do beijo, ela recusou juntar-se ao grupo, sem dar qualquer motivo. Nesta cena, o comportamento dessa criança de 14 anos já era inteira e completamente histérico. Eu, sem dúvida, consideraria histérica uma pessoa na qual uma ocasião para excitação sexual despertasse sensações que fossem preponderante ou exclusivamente desagradáveis; e o faria fosse ou não a pessoa capaz de produzir sintomas somáticos.

Essa longa citação contém afirmações e inferências que nós, terapeutas familiares acostumados a compreender os significados como gerados de modo relacional, submeteríamos a questões. Seria enganadoramente simplificador considerar que "não contar para ninguém" ou "evitar ficar sozinha com" sejam indicadores universais de abuso sexual. Entretanto, eles sugerem para nós esse significado porque este está inserido em discursos sociais conhecidos e legitimados por nós sobre pedofilia e abuso.

A interpretação freudiana, que nos parece quase caricata, é parte da sua teorização sobre a sexualidade, que, naquele momento, era um discurso revolucionário. Afirmar que a situação era, *sem dúvida*, capaz de despertar excitação sexual (entenda-se prazerosa) em uma jovem de 14 anos insere-se, naquele contexto, em um discurso revolucionário sobre a sexualidade feminina: mulheres têm desejo, têm prazer. Sob essas premissas, Dora não foi ouvida pelo que disse, mas pelo que Freud, com sua chave de leitura, entendia que ela queria dizer.

Em primeira pessoa do singular

Esse título enfatiza a reflexão sobre como ouvimos nossos pacientes, em especial crianças e adolescentes; dirijo a atenção para nossa escuta às narrativas em primeira pessoa do singular procurando desenvolver o que Harlene Anderson (2011) chama de "escuta colaborativa", uma escuta que honra a história trazida pelo cliente.

Como psicoterapeuta, proponho-me, com quem me solicita atendimento, a coordenar conversas colaborativas "que procuram levar de um lugar de mal-estar para outro de bem-estar emocional, da incompetência ou paralisação para a competência e possibilidade de ação, do isolamento à participação, da desqualificação à legitimação de modos de existir" (Cruz e Riguetti, 2009, p. 250).

A priori, que ideias sobre adolescência informam minha escuta? Sobre infância? Sobre sexualidade? Quando utilizo a palavra "limites", que territórios estou medindo e com que metro?

Rosset (2009, p. 262), no seu trabalho com famílias com adolescentes, relata como evitou com delicadeza e sensibilidade "o senso comum na psicologia e na população em geral sobre a relação entre adolescentes e pais. Era esperado que adolescentes tivessem problemas com seus pais, pois existia a ideia inquestionável do conflito de gerações". Embora a autora escreva no passado, atualmente a categoria "adolescência" ganha mais adjetivos como propulsora de vendas na indústria de moda e lazer, ao mesmo tempo que o neologismo "aborrescente" pode servir de passaporte para a desculpa, por parte de pais e professores, de condutas discutíveis, eventualmente antissociais ou para a não reflexão sobre o efeito negativo da imposição de estilos, da criação do que é "necessário".

A autora abre suas crenças aos leitores: "Acredito que também são tarefas de um adolescente funcional estudar e/ou trabalhar, ter turma e amigos, ter vida afetiva e/ou sexual, tomar parte nas tarefas da casa". Ela especifica a importância de cada uma dessas tarefas e termina afirmando que "a adolescência não é uma fase fácil. A mesma crise de identidade da pré-adolescência mantém-se [...] é uma fase de angústias, ansiedades e indefinições, e é muito importante que as pessoas que estão próximas de adolescentes lembrem-se disso".

Na abordagem socioconstrucionista, entendemos que categorias não estão no mundo, mas são estratégias linguísticas que criam e explicam mundos e, por meio de utilização reiterada, adquirem qualidade ontológica (Spink, 2000).

Quando Erik Erikson (1976) cunhou a expressão "crise de identidade", em seu livro *Identidade, juventude e crise*, o conceito referia-se à adolescência. Em um reconhecimento tácito de como as categorias linguísticas criam realidades, ele apontava para a reificação dessa noção ao entrar para o vocabulário leigo graças à vulgarização de suas ideias, por meio da pergunta: "Atuariam alguns de nossos jovens de um modo tão manifestamente confuso e gerador de confusão se eles não soubessem que estão supostamente passando por uma crise de identidade?"

Atualmente, em nossa sociedade, as crianças de classe média e alta festejam sua entrada nos dois dígitos – 10 anos – como uma mudança biográfica importante. São pré-adolescentes e ganharam sua crise. Encontramo-nos com o adolescente já trazendo inoculada uma crise denominada "pré-adolescente". Dependendo de sua maior ou menor imunidade aos discursos da "sociedade do espetáculo" (Debord, 1992), entrará na adolescência propriamente dita com o que pode ser descrito como uma identidade de portador de necessidades especiais, com direitos especiais, uns e outros a ser preenchidos pelo que dá visibilidade, a categoria valorizada da sociedade do espetáculo, que deu um novo significado à palavra celebridade, antes reservada a pessoas que realizavam atos relevantes nas artes, ciências, política ou para sua comunidade, e hoje atribuída a quem mais aparece na mídia.

Do ponto de vista sociológico, toda e qualquer identidade é construída. A principal questão, então, é: a partir *de quê, por quem* e *para que* isso acontece. É um conceito que traz implícita a relação entre múltiplos discursos.

Em uma perspectiva construcionista, essas questões podem ser construídas por meio de que práticas discursivas? Sustentadas por que discursos? De que vozes sociais? Para provocar que ações?

Essas perguntas são organizadoras da escuta para situar que construção de mundo e de *self* tem cada membro de uma família com quem nos encontramos na terapia, o que inclui o(a) adolescente. É a partir desse cenário que a singularidade de cada família, com sua história, crenças, recursos e dúvidas, ganha significados que dialogam com as vozes que nos habitam, não só as profissionais – em geral as mais claras –, mas também o que Spink (2000) chama de vozes do "tempo vivido", isto é, narrativas sobre quem somos e sobre como o mundo é, ouvidas e assimiladas dos adultos significativos, em geral os pais em primeiro lugar, e as mais elusivas chamadas do "tempo longo", ou seja, vozes sem rosto da cultura que dão os parâmetros de como as coisas são.

Aprender com Joana e sua família[2]

Os relatos que se seguem são recortes de um atendimento em que tive o privilégio de estar com uma família amorosa e cuidadosa em três momentos diferentes do crescimento das filhas.

Conheci Joana quando ela tinha 7 anos e, repentinamente, começou a ficar extremamente aflita na hora de ir para a escola. Chorava muito, em um estado de grande sofrimento, sem que nem ela nem seus pais soubessem o que estava se passando. O pai é europeu e não tem família no Brasil. A mãe, da mesma origem europeia, mas nascida no Brasil, é bastante próxima dos pais, que são avós muito queridos pelas duas netas. Joana é a mais velha e Sandra é cinco anos mais moça.

Não sabemos o que desencadeou aquele episódio de aflição, mas, ao chegarmos a um nome aceitável para Joana – preocupação –, trabalhamos com desenhos e histórias

---

[2] Para garantir o sigilo, algumas características da família foram modificadas.

que, externalizando o problema (White e Epston, 1984), abriram caminhos para narrativas sobre o que, quem e que práticas alimentavam a preocupação e com a ajuda do que, de quem e como Joana se fortalecia.

Nosso trabalho se desenrolou com sessões com toda a família, com Joana e a mãe e com encontros só entre nós duas. Foi rápido e com bons resultados apresentados por Joana e por mim à família, na reunião final, por meio de teatro de fantoches com uma bicharada que havia ajudado a tartaruga a vencer sua preocupação "com grande sucesso", nas palavras entusiasmadas de Joana.

Quatro anos depois, Joana pediu para voltar para a terapia porque estava com dificuldades de dormir na casa de amigas, além de algumas outras aflições. Encontrei-me, então, com uma pré-adolescente de 11 anos muito exigente consigo mesma, e chegamos, de novo, ao "bichinho" da preocupação. Joana não gostava de magoar ninguém e achava muito difícil dizer não para os convites de algumas colegas, então preferia dizer não a todas. Revisitamos a história que escrevemos juntas e Joana espantou-se ao constatar que a velha preocupação aparecia com outras roupas. Trabalhamos com uma história – a lata dos sentimentos (Guttman, 2003) – e, seguindo o caminho do mágico da história, conversamos sobre como transformar alguns sentimentos que doem, envergonham ou atrapalham em outros mais úteis. Durante um semestre, nos encontramos semanalmente.

Recentemente, voltei a me encontrar com a família e com Joana adolescente, prestes a completar 15 anos, terminando o ensino fundamental, às voltas com os desafios dessa idade, em uma cidade organizada pelo medo da violência, onde as famílias são convidadas diariamente a mais consumos do que podem arcar e a ter de decidir o que é "necessário" para o bem-estar dos filhos.

Joana estuda em um colégio conceituado com ótimas propostas pedagógicas, o que também significa que ele é procurado por famílias que, em sua maioria, têm altas expectativas quanto ao desempenho dos filhos no vestibular, tema que começa a ser mais presente nas conversas entre pais e filhos e entre pais e escola no final do ensino fundamental – atualmente nono ano. Involuntariamente, ela está envolta na competição feminina por grifes, peso e altura "certos" e, o mais perigoso, popularidade. É bastante crítica em relação a modas obrigatórias, usos e abusos de bebidas ou drogas por colegas que temem dizer não e perderem popularidade, mas sobretudo fica indignada com fofocas e mentiras.

Popularidade nesse estrato socioeconômico pode significar dar a festa mais legal, onde há bebida e, eventualmente, drogas. Pode significar receber um pedido de namoro do "gato" mais disputado do colégio, ser parte da rede social X, ser bem citada no blogue Y.

Cair do lugar de popular para algum muito negativo, em tempos de fotos tiradas com celular à revelia de quem é fotografada, ou fotos enviadas a um pequeno grupo, ou mesmo a uma única pessoa, espalhadas por toda a rede, sem o consentimento de quem enviou, é um risco cotidiano.

A história tem nos mostrado que as grandes revoluções tecnológicas não vêm com a ética do seu uso como bula ou manual de instruções; inicialmente, grandes estragos acontecem (sendo a bomba atômica o exemplo mais conspícuo), produzindo reflexões sobre que regras devem ser criadas para assegurar um uso social não destrutivo; no caso das redes sociais, a ética da exposição própria e alheia.

Ao descrever crenças e desejos presentes entre adolescentes, com variação dos objetos com poder mágico de propiciar a popularidade, não os considero invenções juvenis, mas a versão juvenil de algumas características do que é nomeado por Guy Debord (1992) de sociedade do espetáculo, com ênfase na "visibilidade" (Kehl, 2002, p. 2):

> A onipresença do olho mágico da televisão no centro da vida doméstica dos brasileiros, com o poder (imaginário) de tudo mostrar e tudo ver que os espectadores lhe atribuem, vem provocando curiosas alterações entre o público e o privado.

Acrescento que o mesmo se aplica, com maior poder, à exposição nas redes sociais: "Na sociedade do espetáculo em que o espaço da política é substituído pela visibilidade instantânea do show e da publicidade, a fama torna-se mais importante do que a cidadania" (Kehl, 2009, p. 4).

O fenômeno de audiência dos *reality shows*, em que pessoas anônimas se candidatam a situações humilhantes para ganhar um pouco de notoriedade, mostra jovens adultos sendo assistidos por famílias inteiras, com pessoas de todas as idades. Não é uma invenção adolescente, mas de grande efeito para esse momento em que a casa e os familiares mais próximos estão deixando de ser a fonte de inspiração, a referência do bom, valorizado e respeitado e as opiniões do grupo de pares tornam-se o referencial máximo.

Esses modelos atravessam todas as camadas sociais, embora aquilo que é mais desejado varie de acordo com o grupo de pertinência.

Joana dança desde pequena, tem um estilo muito pessoal e odeia ser "maria vai com as outras", mas sofre com as pressões do grupo, embora as ache, frequentemente, "ridículas".

Tem amigas e amigos e se preocupa muito quando algum deles envereda por um caminho que pode ser perigoso. Festinhas sem a presença de adultos, com bebida alcoólica, criam um problema de consciência: Joana gostaria de ir, sabe que não beberia nessas condições, mas não quer mentir para os pais. Se contar a verdade, não será autorizada a participar da festa. Quer ter a experiência de decidir autonomamente, mas, ao mesmo tempo, em alguns momentos gostaria de ouvir um "quem decide sou eu, você é criança". Com muita vivacidade, Joana se descreve como é: às vezes, "Joana grande"; outras vezes, "Joana pequena".

Os desencontros acontecem a cada vez que um dos pais começa uma conversa com a grande e a pequena aparece de mau humor com aquela conversa incompreensível, chora, fica brava. Lá vai uma iniciativa de organizar a vida da pequena e a grande se ofende com a falta de confiança e a intromissão indevida. É um terreno de areias movediças para a adolescente e para os pais. Mantermo-nos atentos ao tom, às palavras, ao contexto em que ocorre alguma atitude crítica ou reivindicativa pode ajudar a compreender a comunicação a "grande" pode estar dizendo "eu quero" esperando que a resposta seja não.

Quando Marco, o pai, diz: "Eu tenho confiança em você, mas não nos outros", está dando voto de confiança à grande? Ele acredita que sim; ela diz que não ajuda porque ele desconfia dos amigos, e a lealdade a eles tornou-se tão grande quanto a que devota à sua família.

A família fez algumas sessões em que o foco principal estava nas discussões de Joana com o pai, na tentativa da mãe – que cuida muito das palavras que desaprova ou com as quais discorda em qualquer conversa, de modo a não desqualificar seu interlocutor – de resolver os desentendimentos e em uma habilidade nova de Sandra: ser mediadora no lugar da mãe. Aproveitamos essa nova colaboração de Sandra nas sessões. Referindo-se às bravezas que tomam conta de nós algumas vezes, perguntei para ela que bicho representaria essa braveza; depois de pensar um pouco, ela disse: "Um elefante, elefante africano". Conversamos sobre o elefante africano que nos habita e o que acontece quando ele toma conta do cenário. A brincadeira dos bichos gerou uma atividade divertida, que foi desenhar em um círculo que animais representavam os diferentes modos de ser de cada um, mostrando de que tamanho era a fatia da pizza de cada bicho.

Todos fizeram o desenho e Joana colocou a maior quantidade de bichos. A mãe e Sandra também colocaram vários bichos, e o pai, apenas três. Um imaginário e dois grandes e fortes – um solitário e outro que toma conta da manada, em suas palavras. O imaginário ocupava meia pizza e representava os sonhos.

É importante dizer que Marco é um homem sem dificuldades no trabalho, que toma decisões racionais em relação à vida prática; os sonhos são o guia do seu grande esforço de buscar para si e para sua família uma vida muito diferente da que levou em sua juventude aventureira, quando deixou a casa dos pais aos 14 anos.

Quando discute com Joana, repete, com frequência, "sou seu pai", o que a deixa irritada. Para ele, porém, essa afirmação não tem o significado de "me obedeça" ou "sou autoridade", e sim de "estou aqui".

Essa ferramenta inspirada na presença de uma criança na família provocou muitas reflexões. Ajudou a ampliar o foco para além do confronto filha-pai, lembrando que qualquer ferramenta conversacional utilizada na clínica não é uma técnica, mas um exemplo de abertura para sairmos do afunilamento em situações de conflito.

Joana considerou que seu desenho com tantas fatias mostrava como é insegura. Discordei, bastante surpresa. Eu estava genuinamente encantada com a quantidade de possibilidades abertas àquela adolescente. O sentido que ela deu mostrou-me mais um cuidado a se observar na escuta em conversas com adolescentes: quando eles se avaliam com um "metro" de adultos, que não cansamos de lhes oferecer como "o metro", confundem incerteza diante do que começa a se abrir para sua vida com falha sua. Isso nos ajuda a compreender a facilidade de se ligarem a cultos, sejam religiosos, sejam ao *pop star* mais radical do momento. Roupas, dialetos, hábitos iguais aliviam a enorme tarefa que o *self* "grande" exige a todo momento – "você não é mais criança, tem de escolher".

Esses recortes não são prova empírica de algum método, mas exemplos da postura de "não saber" (Anderson e Goolhishian, 1988), isto é, não saber o que é adolescência, problema, solução, *a priori*, mas oferecer um espaço de indagação compartilhada de descrições mais ricas geradoras de ações mais satisfatórias para todos os envolvidos na situação considerada problemática.

Com a palavra, os autores

Seguem a carta da mãe, Roberta, e, na sequência, a da filha, Joana:

Ultimamente a "Joana pequena" não tem aparecido aqui em casa, quero dizer, as questões em relação ao cresço/não cresço parecem ser parte do passado. Agora ela cresceu!

Feliz pelas conquistas e liberdades que esse crescimento lhe trouxe. Ainda ontem, Joana, vendo uma foto sua com 7 anos de idade, dizia: "Que saudades de mim nessa idade".

Como mãe, em uma cidade como São Paulo, posso dizer que não é fácil dormir com as baladas, festas de 15 anos, noites na casa de amigos, mas tenho a sorte de contar com a possibilidade de ela confiar em mim, e isso é muito precioso. Agora, ela já não me conta tudo, mas sei que, se precisar, ela vai me pedir ajuda e até, como já fez outras vezes, pedir pra "marcar" com a Helena!

Acho importante contar que a Sandra não tem mais falado "estamos precisando de terapia", e isso é um sinal de que estamos conversando melhor.

Obrigada, Helena. Só eu escrevo, mas todos agradecem!

Roberta

Estes três encontros, em diversas etapas de minha vida, me fizeram conhecer mais sobre mim. Minha grande insegurança/preocupação sempre esteve e estará presente, mas agora sei lidar com ela, não me aflige mais.

Sinto-me outra pessoa, crescida, cheia de descobertas e histórias pra contar.

Nem me lembro de como era a pequena Joana.

Estou vivendo a melhor fase da minha vida; pode-se falar que a adolescência é uma época difícil, cheia de escolhas, mas quando se faz as certas a gente aproveita da melhor maneira possível. É o que importa, pois ela não dura pra sempre.

Beijos,

Joana

Referências

ANDERSON, H. *Conversação, linguagem e possibilidades – Um enfoque pós-moderno da terapia*. São Paulo: Roca, 2011.

ANDERSON, H.; GOOLISHIAN, H. "Los sistemas humanos como sistemas lingüísticos: implicaciones para la teoría clínica y la terapia familiar". *Revista de Psicoterapia*, n. 2, 1988, p. 6-7.

BATESON, G. *Pasos hacia una ecología de la mente*. Buenos Aires: Carlos Lohlé, 1991.

CRUZ, H.; RIGHETTI, R. "Terapia de família com crianças pequenas". In: OSÓRIO, L. C. et al. *Manual de terapia familiar*. Porto Alegre: Artmed, 2009.

DEBORD, G. *A sociedade do espetáculo: comentários sobre a sociedade do espetáculo*. 3. reimp. Rio de Janeiro: Contraponto, 1992.

ERIKSON, E. *Identidade, juventude e crise*. Rio de Janeiro: Zahar, 1976.

FREUD, S. "Fragmentos da análise de um caso de histeria". In: *Obras completas de Sigmund Freud*, v. 7. Rio de Janeiro: Imago, 1969.

GERGEN, K. J. *Toward transformations in social knowledge*. Londres: Sage, 1992.

_____. *Realidades y relaciones: aproximaciones a la construcción social*. Buenos Aires: Paidós, 1996.

GRANDESSO, M. *Sobre a reconstrução do significado: uma análise epistemológica e hermenêutica da prática clínica*. São Paulo: Casa do Psicólogo, 2000.

GUTTMANN, M. *A lata de sentimentos*. São Paulo: Evoluir Cultural, 2003.

KEHL, M. R. "Visibilidade e espetáculo". Tercer Encuentro Latinoamericano de los Estados Generales del Psicoanálisis. Buenos Aires, 2002. In: *Estados gerais da Psicanálise*, 2002. Disponível em: <www.estadosgerais.org/terceiro_en-contro/kehlespectaculo.shtml>.

OZELLA, S. (org.). *Adolescências construídas: a visão da psicologia sócio-histórica*. São Paulo: Cortez, 2003.

ROSSET, S. M. "Famílias com adolescentes". In: OSÓRIO, L. C. et al. *Manual de terapia familiar*. Porto Alegre: Artmed, 2009.

SPINK, M. J. (org.). *Práticas discursivas e produção de sentidos no cotidiano*. 2. ed. São Paulo: Cortez, 2000.

WHITE, M.; EPSTON, D. *Narrative means to therapeutic ends*. Londres: Norton & Company, 1984.

9 VIOLÊNCIA ENTRE IRMÃOS NA ADOLESCÊNCIA: ABUSO FÍSICO, MORAL E SEXUAL

Gisela Castanho

Introdução

Este trabalho surgiu pelo desejo de estudar a fratria em famílias violentas. Sendo eu a quinta filha de uma família de seis irmãos, na qual se cultivaram a justiça, a harmonia e a convivência pacífica, e onde a violência nunca foi um tema perturbador, muitas vezes em minha vida profissional surpreendi-me com o número de situações abusivas ou violentas entre irmãos, especialmente na adolescência. Foram os inúmeros relatos de abuso, que tanto me chamaram a atenção, que me levaram a dedicar meu trabalho à análise e à busca de alternativas possíveis para a convivência fraterna. Quando comecei a pesquisar violência doméstica nos livros brasileiros e em publicações em inglês, percebi a escassez de bibliografia sobre a violência entre irmãos, o que me faz pensar que isso é fruto de uma negligência cultural em relação a esse assunto, apesar de ouvirmos tantas queixas nos consultórios e na vida social (nesta, especialmente, abuso moral e físico).

Procurei em diferentes edições do *Handbook of family therapy* e em diversos livros, e, para minha surpresa, apenas um deles (Brito, 2002) trata especificamente disso.

Quero usar três ideias como pano de fundo para desenvolver esse tema:
- Quando pensamos em fraternidade[1], pensamos em um sentimento afetuoso para com o semelhante, uma amizade íntima, igualdade, aliança, união estreita, ter uma causa comum, comungar das mesmas ideias e valores, afeto, harmonia, proteção mútua e pactos de amizade. Quando adolescentes querem dizer que são muito amigos, dizem: "Ele é meu *brother*".

---

[1] "Fraternidade: parentesco de irmãos; irmandade; amor ao próximo; união ou convivência como de irmãos, harmonia, paz, concórdia, fraternização. Fraterno: afetuoso, fraternal" (Holanda, 1997).

- Em livros que relatam os mitos mais antigos da humanidade, nem sempre é assim. A história de Caim e Abel, um dos mitos fundadores da cultura judaica, cristã e muçulmana, relata que, ao ver que o pai só elogiava os frutos do trabalho de Abel, Caim, furioso de inveja, matou o irmão.
- Tenho percebido, nos relatos de pacientes e em atendimento de famílias, o excesso de tolerância com a briga entre irmãos na convivência doméstica em geral, especialmente quando é entre dois homens ou dois meninos: "Irmãos não brigam, treinam". Assim, ao aceitarem o clima de disputa ou ao se omitirem de proteger o mais fraco, os pais alimentam a semente da rivalidade que germinará posteriormente.

A violência entre irmãos nem sempre causa olho roxo, não impacta a economia nacional com faltas no trabalho nem chama tanta atenção quanto a violência contra a mulher ou contra a criança; pelo contrário, ela costuma não aparecer. Quando se fala em violência doméstica, ninguém pensa nela, mas ter de conviver com o abuso e a violência do próprio irmão, todos os dias, distorce e envenena as relações e destrói a autoestima do mais fraco, que cresce achando que conviver com o inimigo dentro de casa é natural, faz parte da vida em família. Estamos tão acostumados a que certa dose de violência faça parte da convivência entre irmãos que nem sentimos falta de textos e livros sobre isso. "Só o peixe não percebe a água" é um ditado que pode ser aplicado à situação: somos peixes nadando em uma cultura que aceita a violência fraterna.

Tenho visto que, além dos bons sentimentos entre irmãos, há também um grande potencial destrutivo nessa relação de profunda intimidade se os pais não regulam a convivência por meio de normas de conduta. Neste trabalho, que não pretende esgotar o assunto, abordo o lado tóxico da fratria e tento compreender por que as coisas chegam ao ponto de comprometer, entre outras coisas, a saúde, a aprendizagem escolar, a construção da autoestima e a futura escolha do parceiro amoroso. Além disso, proponho uma reflexão sobre a violência moral (desconfirmação, gritos, humilhação), física e sexual entre irmãos. Meu principal objetivo é alertar terapeutas para perceber, tratar e prevenir o abuso entre irmãos.

Definições de violência

Em termos jurídicos atuais, a violência pode ser considerada um constrangimento moral exercido sobre alguém por meio de ameaça ou ofensa à integridade corporal e à saúde de outrem, podendo disso decorrer lesões corporais de maior ou menor gravidade. Presume-se violência se a vítima não pode oferecer resistência (Couto, 2005).

A definição de violência doméstica, segundo Guerra (*apud* Levy, 2005, p. 21), é:

> Todo ato ou omissão praticado por pais, parentes, ou responsáveis contra a criança e adolescente, que pode causar danos físicos, sexuais ou psicológicos à vítima; implica, de um lado, abuso de poder/dever de proteção do adulto e, de outro, uma coisificação da infância, isto é, uma negação do direito que crianças e adolescentes têm de ser tratados como sujeitos e pessoas em condição peculiar de desenvolvimento.

A visão sistêmica refere-se à violência doméstica como um sintoma de um sistema disfuncional, e esse modo de ver procura não estigmatizar os papéis de vítimas e agressores, pois considera ambos seres mergulhados em um sistema violento que, em geral, usa a violência como forma de comunicação e de relação social (Levy, 2005). A violência doméstica é construída pelo sistema familiar, no entanto temos de sublinhar a diferença de responsabilidade quando envolve um adulto e uma criança ou dois irmãos de idades distintas e força física muito desigual, caso contrário podemos cair na armadilha de responsabilizar a vítima pela agressão que ela recebe. Cremos, também, que a família violenta está inserida em uma cultura de violência que, em suas inúmeras instituições, emprega-a de maneira banal, como polícia, trote nas faculdades, *bullying* nas escolas etc.

O que diferencia a violência entre irmãos da violência doméstica contra crianças e adolescentes é que, no caso dos irmãos, existe uma instância superior a eles a quem caberia interferir e colocar a justiça e a proteção do mais fraco, mas não o faz, em geral por omissão. Isso causa raiva e desespero na vítima (ou no grupo de irmãos). Frequentemente, pais se omitem por pertencerem a uma família de origem também violenta ou por estarem, inconscientemente, beneficiando-se da briga entre os filhos. Falaremos sobre isso mais adiante.

Um aspecto fundamental é a associação entre violência, medo e construção da subjetividade. Couto (2005) afirma que o centro de todas as formas de violência é o medo que sente a pessoa a elas submetida. Este produz alterações em seu funcionamento físico e mental, transformando seu comportamento e personalidade. A força física é o estímulo mais simples, podendo chegar, em casos extremos, à tortura e à morte. O objetivo da violência é produzir um sentimento de insegurança e fortes respostas emocionais de submissão. Nesse processo, a pessoa submetida torna-se susceptível a responder ao agressor conforme seu desejo, anulando-se, muitas vezes, em sua própria subjetividade. Não é raro o agredido ver-se coagido a mudar seu ponto de vista e maneira de pensar, chegando a manifestar empatia e aceitação do domínio sobre si.

Muitas vezes, ouvimos de um pai violento a explicação sobre a maneira como foi educado: "Minha mãe me batia muito forte, mas era para me educar. Ela estava certa e naquela época era assim". Aos poucos, se conseguimos falar sobre esse tipo de educação, se conseguimos repensar se eram mesmo necessárias tantas surras e quanto isso o ajudou, o sujeito passa a questionar a violência da mãe ao educá-lo: "Pensando bem, ela me batia quando estava nervosa, e eu não era uma criança difícil". Encontramos também a empatia com o agressor na síndrome de Estocolmo, na qual a pessoa sequestrada se apaixona pelo sequestrador e de quem é totalmente dependente para os mínimos cuidados.

Lei, limite e disciplina: função paterna

A família é, nas palavras de Seixas (2006, p. 9),

> matriz do processo de humanização do indivíduo, sendo o primeiro núcleo de socialização do sujeito, transmitindo em primeira mão os valores, usos e costumes que formarão as personalidades e sua bagagem emocional. É a entidade mediadora das relações entre seus membros e a coletividade, bem como núcleo de administração de conflitos e afetos e do desenvolvimento da personalidade infantil.

Falar sobre a violência familiar entre irmãos implica reconhecer que algumas famílias têm dificuldade de cumprir sua função de possibilitar o crescimento e o desenvolvimento de seus membros em ambiente seguro e protegido. Famílias despreparadas para compreender, administrar e tolerar os próprios conflitos tendem a tornar-se violentas.

A violência doméstica não é um fenômeno inerente à família, mas construído e transmitido por gerações, de modo que crianças e adolescentes submetidos à violência doméstica podem reproduzir esse padrão de interação nos diversos relacionamentos (Seixas, 2006). Assim, pais que conviveram com violência doméstica em suas famílias de origem serão mais tolerantes com a rivalidade e o abuso entre irmãos do que aqueles que cresceram em um ambiente de respeito e proteção aos mais fracos. Esse aspecto multiplicador da violência doméstica precisa ser interrompido, pois a família violenta, ou a família que tolera e aceita violência entre irmãos, cunha pessoas violentas, que serão, no futuro, pais e mães violentos e, portanto, transmitirão esse modo de administrar conflitos aos seus filhos.

A função paterna é desempenhada por adultos no início da vida da criança. A instância superior aos filhos, em termos de poder (seja pai, mãe, avós, tios ou cuidadores), a quem cabe regular a convivência entre irmãos, deve ser exercida com competência, isto é, é preciso estabelecer e fazer cumprir as regras de convívio social e familiar. Função paterna é interdição e repressão dos excessos, é autoridade que regula as relações, é justiça, equilíbrio entre irmãos e distribuição de privilégios. É o pacto que instituiu o tabu do incesto para todas as comunidades humanas (Kehl, 2000). Pais, mães e qualquer adulto que crie uma criança não podem omitir-se de exercer essa função educadora. O pequeno sujeito precisa de parâmetros para constituir-se e para procurar alternativas criativas ao que é considerado errado ou proibido.

Função fraterna

Maria Rita Kehl (2000) discorre sobre a função fraterna na constituição de um sujeito, ressaltando que a condição fundamental da convivência entre irmãos é a semelhança na diferença.

A psicanálise sempre deu muita importância ao complexo de Édipo e isso levou a se considerar pouco a importância do irmão. O outro, o semelhante com quem cada pessoa forçosamente deparará, tendo ou não irmãos de sangue, tem grande importância na constituição psicológica dos indivíduos. Para Freud, os ciúmes entre irmãos são causados pela disputa pelo amor da mãe (e, mais tarde, do pai), em relação ao qual todos os irmãos gostariam de ter exclusividade.

A adolescência é o período das grandes formações fraternas. O grupo de pares traz aos adolescentes a segurança do reconhecimento dos traços que os identificam como semelhantes (compartilha determinadas músicas, maneira de ver o mundo etc.). A fratria também estabelece laços de cumplicidade necessários às ousadias dessa fase da vida, quando o indivíduo não mais aceita a identidade que a família lhe confere ou lhe conferiu na infância. A cumplicidade entre irmãos permite, em muitos casos, enganar os pais. Com o apoio dos irmãos, o adolescente experimenta o que os pais ou outras figuras de autoridade proíbem. Aqui não me refiro à delinquência, mas às tentativas de ampliação da liberdade, legitimadas pelo grupo de iguais, que possibilitam a criatividade, a inovação e o enfraquecimento do poder de verdade absoluta que os pais tinham sobre os filhos pequenos.

Quando um grupo, que se autoriza a uma experiência marginal, força seu reconhecimento e sua inscrição na cultura a que pertence, está contribuindo para a transformação social e cultural e trazendo a possibilidade de que novas ordens sociais sejam fundadas (por exemplo, o movimento *hippie* na década de 1960 e a maior aceitação dos homossexuais no mundo ocidental a partir dos movimentos LGBT). A experiência inovadora, compartilhada pelos jovens, permite a troca de impressões e reflexões sobre o vivido, o que contribui para alterar o campo simbólico, já que se questionam verdades tidas como certas e absolutas pela cultura. Dessa forma, a cultura renova-se e a sociedade transforma-se.

Assim, vemos que são os grupos de jovens que modificam a linguagem com as gírias e os neologismos, procurando nomear vivências significativas e inscrevê-las na vida cotidiana. O outro/o irmão/o igual tem a função de compartilhar e dar sentido às experiências que se têm com indivíduos com o mesmo nível de poder e que vivem o mesmo tipo de experiência.

Segundo Kehl (2000, p. 43), na circulação horizontal (embate e trocas entre iguais),

> a linguagem se modifica para expressar as demandas emergentes que a ordem parental não permite satisfazer. É também na circulação horizontal que se produzem, ou se confessam, as moções de transgressão, não necessariamente à lei, mas às pequenas interdições arbitrárias que partem das autoridades comprometidas com a manutenção dos poderes disciplinares.

Sem se referir à perversão, a desobediência civil coletiva, organizada e atuada em nome de ideais alternativos aos vigentes (sustentados pela tradição), pode ser transformadora da cultura e tornar-se legítima, se for capaz de renovar os termos do pacto civilizatório.

Para Kehl, "fraternidade" não se sobrepõe aos conceitos de amor e amizade porque não é um laço primordialmente afetivo. O afeto participa da fraternidade assim como de toda forma de vínculo humano, mas a fraternidade define-se, antes, por um campo identificatório. Posso me sentir "mana" de pessoas que nem conheço, identificada com os discursos que produzem ou com a forma de elas serem. Posso sentir que pertenço a várias fratrias, algumas de convivência direta – pessoas com quem produzo algum trabalho ou grupos de amigos fiéis –, outras de pertinência simbólica: movimentos musicais, políticos, correntes de pensamento etc. O resultado é uma composição fraterna, caracterizada pelo que se consideram as melhores características da fraternidade: a tensão permanente, criativa, entre a identificação e a diferença, as afinidades e as divergências.

De acordo com Kehl (2000), o conceito de função paterna é necessário, mas insuficiente para se pensar a constituição dos indivíduos, sobretudo na atualidade. Sendo assim, a função dos laços e das identificações horizontais enriquece e complementa a função estruturante da relação vertical (com o pai, a autoridade, a tradição etc.), mas não a substitui.

A noção de função fraterna não vale só para se pensar a subjetividade contemporânea, embora faça mais sentido e provavelmente seja mais importante nas sociedades modernas, onde o sujeito, carente de uma estrutura tradicional forte, sente-se sozinho diante de seu próprio destino.

Vejo a função fraterna como uma forma de "cicatrização emocional" para as dores da alma, à medida que compartilhar essas dores, muitas vezes, permite às pessoas ressignificá-las. Na última etapa da sessão de psicodrama, o grupo compartilha aquilo que foi vivido pelo protagonista em cena. Nesse momento, a plateia manifesta-se, contando como a cena vivida no palco psicodramático tocou, emocionalmente, cada um. Tenho presenciado muitos *insights* na plateia e no protagonista a partir dessa circulação horizontal das emoções e dos significados, e também tenho acompanhado a ampliação de possibilidades de ação na vida. Afirmo que o simples e verdadeiro compartilhar emoções faz mágicas, pois me refiro à possibilidade de ver os fatos com os olhos de outras pessoas também, além dos nossos próprios.

A visão do psicodrama

É na infância que as pessoas necessitam e deveriam receber o melhor alimento emocional. É na fase de dependência e desproteção que o indivíduo modela como virá a perceber o mundo e relacionar-se com ele. Esse tema foi tratado pela psicanálise como função materna, como arquétipo da grande mãe, pela psicologia analítica (Jung), e pela teoria do apego, descrita por J. Bowlby (Montoro, 1994). Já Moreno, criador do psicodrama, propõe que os papéis sociais que as pessoas desempenham na vida se agrupam em cachos, com a mesma dinâmica básica.

Bustos (*apud* França e Benedito, 2005, p. 355) desenvolve a teoria dos cachos de papéis (*clusters*) para explicar as três dinâmicas essenciais que nos acompanham ao longo da vida.

> Os modelos relacionais vivenciados ao longo da vida são incorporados e integrados em suas amplas dimensões familiares e sociais, envolvendo experiências de natureza materna, paterna e fraterna. Essas mesmas experiências se tornam o alicerce que moldará futuros vínculos, imprimindo a estes características de funcionamento dos vínculos primários, interferindo principalmente nos de natureza mais íntima.

Os papéis do *cluster* 1 desenvolvem-se mediante a vivência com a figura materna, por intermédio da experiência de ser cuidado. Envolve aspectos de dependência, de incorporação passiva, de como se vive a proteção e a desproteção e o receber passivamente (ser alimentado, cuidado, aconchegado). O clima emocional amoroso na relação com os cuidadores faz o bebê introjetar a mensagem: "Sou alguém bom e querido.

Sempre que quero algo, alguém me atende, porque sou importante para as pessoas". Entretanto, se o clima emocional na relação com quem faz a função materna é ruim, a mensagem a ser introjetada será: "Estou sozinho no mundo para me defender. Quem cuida de mim não se importa comigo, porque eu não sou importante. A relação com pessoas é sempre fonte de angústia. Vou usar todas as armas de que disponho para me proteger da solidão, do medo, da angústia e do desamparo". Os papéis que a pessoa vier a jogar, se tiverem dinâmicas de incorporação passiva, vulnerabilidade e dependência, terão o mesmo clima afetivo de como foi vivido o papel de filho com a figura materna. Por exemplo, ser cuidado quando se está doente (incorporação passiva) pode ser uma experiência que reedita as vivências de desamparo da infância, época em que o bebê teve necessariamente a vivência de incorporação passiva.

> A possibilidade de cuidar do outro, que aparecerá mais tarde, é aprendida basicamente por intermédio da vivência do "ser cuidado", assim como a capacidade de amar se desenvolve a partir do "sentir-se amado". Algumas crianças ainda muito pequenas cuidam de seus irmãos menores carinhosa e apropriadamente, reproduzindo algo vivenciado muito mais do que observado ou aprendido cognitivamente. (França e Benedito, 2005, p. 357)

Isso nos mostra que a criança vivencia e aprende as características do papel complementar ao de filho (o de mãe ou de pai), captando essencialmente a qualidade emocional do vínculo.

Os papéis do *cluster* 2 envolvem dinâmicas ligadas à relação pai/filho: independência, autonomia, autoridade, uso de regras. O pai separa a simbiose mãe/bebê e impõe regras. É como se dissesse: "Sai desse colo porque você já pode ficar sozinho e explorar o mundo, eu confio em você. Vai que você consegue". É também função paterna introduzir as leis sociais e familiares, as noções de justiça, de moral e ética. Se os pais dão um bom modelo de justiça e ordem, o sujeito cresce e submete-se às regras justas com tranquilidade, quando estiver em papéis sociais que envolvam se submeter a regras ou impô-las a outrem. Na falta de regras, quem as teve na infância não terá dificuldade de criá-las para conseguir organizar, com justiça, uma situação que necessite de leis e limites.

> A limitação, o dever, a disciplina, o exemplo, a coerência, a coragem, a organização e a justiça estruturante do cluster paterno, bem como a vivência cuidadosa e carinhosa do cluster materno, prepararão a criança para o futuro desabrochar do cluster 3. (França e Benedito, 2005, p. 359)

Os papéis do *cluster* 3 são ligados à vivência no papel de pares, os papéis com simetria de poder (irmãos, colegas, companheiros). A pessoa apreenderá, nesses papéis, a desenvolver a empatia, a cooperar, competir, compartilhar, viver a simetria e a igualdade de direitos e deveres.

Se na fase dos papéis do *cluster* 1 o indivíduo vive, com ansiedade e angústia, a espera por receber alimento, carinho, atenção, toda vez que estiver em um papel que tenha implícita a dinâmica da dependência e incorporação jogará esse papel com angústia, desconfiança e raiva. Se, ao contrário, foi uma vivência boa que a pessoa teve quando filho pequeno, mais tarde experimentará os momentos de espera e de dependência de cuidados alheios com paciência e confiança. O mesmo vale para os papéis do *cluster* 2: se confiaram na sua autonomia, valorizaram as suas primeiras produções, será mais fácil lidar com a autoridade, com as regras, atuará com confiança e firmeza, aceitará a disciplina e tolerará, com mais facilidade, as frustrações da espera por resultados.

Ter vivido bem a fase do *cluster* 1 e do *cluster* 2 permitirá viver bem os papéis de irmão que confia, que pode resolver problemas sem violência, que confia na justiça e investe nela, que recorre aos pais para desfazer confusões e injustiças. Experienciará a fratria como pertencimento, com solidariedade e colaboração, sem competição nem rivalidade excessivas. Mais tarde, terá facilidade para lidar com as dificuldades inerentes ao casamento com clima de cooperação e tolerância e saberá negociar as necessidades com diálogo. Ter o *cluster* 3 bem desenvolvido possibilita ao indivíduo ser um parceiro que colabora, não compete por atenção e deixa o(a) companheiro(a) brilhar, quando necessário, sem sofrer com inveja. Esse parceiro desempenhará, no papel parental, um bom modelo de relação de cooperação para os filhos.

Desenvolvimento infantil, sistemas familiares e convivência entre irmãos

Sistemas familiares são sempre complexos. Uma razão é que eles são feitos de muitos subsistemas que convivem em uma coerente e interconectada rede (Sroufe, Cooper e Dehart, 1992). Um exemplo disso é que podemos prever a qualidade da relação entre os irmãos analisando a qualidade do vínculo dos pais com um filho. A ligação de um pai com o filho é conectada com todas as outras, na família. Então, se uma mãe é sedutora para com um filho, a relação com a sua filha, frequentemente, é marcada por hostilidade e, com seu marido, por distância emocional. Mais do que falar que o vínculo de sedução mãe/filho causa a distância mãe/pai, ou dizer que a distância mãe/pai causa a sedução mãe/filho, devemos enfatizar que essa rede, dentro da família, é coerente. Vínculos de apoio entre pais, geralmente, não são achados em famílias em que um filho é emocionalmente superenvolvido com o genitor do gênero oposto ao dele e vice-versa. Assim, em uma família em que o casal não tem uma relação próxima e a mãe é superenvolvida com o filho, provavelmente encontraremos uma filha distanciada da mãe e ciumenta do afeto dedicado ao irmão. A filha, ressentida, procurará a proximidade com o pai ou hostilizará o irmão, descarregando a agressividade no filho querido da mãe. Está pronta a situação para essa menina brigar violentamente com o irmão (que está sempre certo aos olhos da mãe). Essa moça não vai desenvolver boa autoestima e fará de tudo para chamar a atenção dos pais de forma negativa (Sroufe, Cooper e Dehart, 1992), podendo vir a envolver-se com namorados complicados.

Ter um bom relacionamento interpessoal com outras crianças é divertido e traz muito prazer. A criança que é querida por seus pares (irmãos e colegas), frequentemente, consegue aprender muito com eles. O grupo de pares é um *setting* perfeito para a aprendizagem de habilidades como justiça, reciprocidade e cooperação. É, também, um *setting* crítico para aprender a manejar a agressividade interpessoal. No grupo de irmãos, a criança aprende muito sobre normas culturais e valores, como os papéis associados a ser homem ou mulher. A experiência, no grupo familiar, negativa ou positiva, pode afetar sobremaneira o autoconceito do jovem e seu modo de lidar com outras pessoas no futuro.

As pesquisas relatadas por Sroufe, Cooper e DeHart (1992) mostram que, na metade da infância, as crianças classificam as alianças com pais e com irmãos como mais duráveis e mais confiáveis do que aquelas formadas com pessoas de fora da família.

Relacionamentos com irmãos são mais igualitários em *status* do que aqueles da criança com pai/mãe. A relação com irmãos, nesse sentido, é parecida com o vínculo com colegas, mas não são completamente iguais: com irmãos, há diferença de idade e, em geral, há também desigualdade de poder e de privilégio; a relação com irmãos cruza fronteira de gênero, enquanto no meio da infância as crianças raramente são amigas de colegas do outro gênero. O vínculo afetivo entre irmãos é complexo e sempre envolve sentimentos positivos e negativos. Forte rivalidade entre filhos pela atenção dos pais e pela aprovação é um assunto comum, sobretudo com crianças do mesmo sexo. Conflito entre filhos são frequentemente relatados como a razão mais comum de os pais exercerem disciplina com crianças em idade escolar.

A criança desenvolve-se baseando-se em comparação social: quem é melhor? Quem é mais inteligente? Quem é mais rápido? Isso se intensifica por volta de 8 anos de idade, quando adquire habilidades cognitivas necessárias para comparar-se com os outros. Misturados com rivalidade e conflito, no entanto, existem fortes sentimentos positivos entre irmãos. Os mais novos veem os mais velhos não só como controladores, mas também como facilitadores e figuras de apego; já os mais velhos não só se ressentem dos mais novos como também se veem como protetores e nutridores no contato com eles. Então, com frequência o irmão mais velho proíbe o mais novo de fazer determinadas coisas e também ensina a ele novas habilidades, ou seja, irmãos frequentemente mostram emoções misturadas em relação ao outro.

A ambivalência emocional, que costuma caracterizar a ligação entre irmãos, tem importantes implicações para a aprendizagem que eles fornecem um ao outro, pois oferece a oportunidade única de aprender a lidar com raiva e agressão no vínculo. Quando irmãos lutam e se tornam agressivos, não podem, simplesmente, decidir terminar todas as futuras interações, como colegas e amigos que se recusam a ver-se depois que brigam. Irmãos em conflito têm de continuar a viver na mesma casa e são constantemente encorajados pelos pais a dar-se bem e a tratar o outro como irmão/irmã da forma como deveria ser. Assim, a relação entre irmãos é uma excelente forma de aprender que expressar a raiva não precisa, necessariamente, ser uma ameaça ao afeto mútuo ao longo do tempo.

Segundo E. Mavis Hetherington (1988), algumas crises dentro do ciclo de vida familiar costumam causar mais brigas entre irmãos. Uma delas é o divórcio. Durante divórcios ou recasamentos, em geral, os filhos passam por duas situações:

- Os irmãos podem ficar muito hostis um com o outro e mostrar grande rivalidade, porque competem pelos escassos recursos de atenção e amor parental. Segundo pesquisadores, isso acontece logo em seguida ao divórcio ou recasamento, quando os pais estão muito envolvidos com sua própria situação de transição. Nesse período, o adulto pode cuidar menos dos filhos, isto é, há diminuição da parentalização, do envolvimento e do afeto, e aumento da irritabilidade dos pais e do comportamento de punição, especialmente pela mãe, que ficou com a custódia dos filhos. Similarmente, as crianças podem perceber menos disponibilidade e afeição da mãe que cuida delas e perda do poder pessoal e da independência, com a introdução de um padrasto.
- Em oposição à situação acima, em família com transição marital, os irmãos podem ver as relações com adultos como instáveis, não merecedoras de confiança, causadoras de sofrimento. Além disso, podem voltar-se um para o outro como fonte de conforto, apoio e aliança. Se, antes da transição, a relação entre os irmãos era boa, eles tendem a unir-se para trocar afeto e consolo em um momento de crise.

Hostilidade parental

Hetherington (1988) relata como o relacionamento dos pais para com os filhos tem impacto na relação entre irmãos. O padrão de correlação entre o comportamento dos pais com uma criança e o da criança para com seu irmão é similar, ou seja, em famílias nas quais pais são punitivos, pouco afetivos, pouco responsivos para as necessidades das crianças e inconsistentes na manutenção da disciplina, encontramos, na interação entre irmãos, alto nível de hostilidade, rivalidade e falta de afeto.

Disparidade no tratamento dos filhos

Embora haja muitas correlações significativas, um dos maiores achados obtidos, quando se estuda o comportamento parental e a relação entre irmãos, refere-se à diferença de tratamento dispensada pelos pais aos filhos. Se um irmão, em comparação com os outros, é tratado pelos pais com menos afeto, mais coerção, mais irritação, mais punição e restrição, esse filho tende a mostrar-se agressivo, cheio de rivalidade para com seus irmãos. É essa disparidade afetiva, mais do que a falta de amor, que tem maior efeito na relação de hostilidade entre irmãos. Pais hostis terão filhos rivais e hostis, mas quando os pais fazem diferença no tratamento, a rivalidade é muito maior do que quando não o fazem.

O mais surpreendente é o achado de que, em casos de disparidade no vínculo, o filho que recebe melhor alimento afetivo, aquele que recebe mais carinho, pode ser aquele que vai mostrar mais agressão, e não o que recebe menos afeto. Acredito que, nesses casos, o filho protegido sente-se autorizado pelos pais a maltratar o irmão.

Finalmente, quando ocorre tratamento preferencial por um dos pais ou se ambos os pais favorecem a mesma criança, a rivalidade e a agressão são mais intensas do que quando a mãe favorece um e o pai, outro. A interação mais positiva encontrada entre irmãos se dá quando ambos são bem tratados pelos pais e, nesse aspecto, não há diferença em meninos e meninas.

Aspectos da violência fraterna

Abuso físico e moral

Em geral, a agressividade natural das crianças varia com a idade, da forma física para a forma verbal e hostil. Dos 6 aos 14 anos, a agressividade entre irmãos é mais comum e as pequenas rivalidades do cotidiano assumem enorme importância. A partir da adolescência, toda agressividade tende a diminuir, e é normal os irmãos tornarem-se cúmplices, aliados (até contra os pais) e amigos (Brazelton, 2005).

O grupo de irmãos tem grande potencial para experimentar afetos negativos (ciúme, inveja, raiva), porque convive intimamente, por muito tempo, e todos possuem a mesma necessidade de reconhecimento dos pais, além de disputar o amor preferencial deles (Brito, 2002). Todo filho quer ser o mais amado, o mais valorizado e o mais reconhecido; portanto, quanto menos afeto parental disponível no sistema familiar, mais briga haverá.

A fratria também tem grande potencial para viver toda a gama de afetos que o ser humano é capaz de sentir, porque a família é o laboratório da vida, então é com os irmãos que se aprende a compartilhar os brinquedos e as guloseimas; dominar e ser dominado; defender-se de pequenos abusos do mais forte; tentar ser mais esperto e tirar vantagem; viver a ternura de ensinar algo que se sabe; criar a travessura que farão juntos; entrar no mundo da fantasia; compartilhar do mundo mágico dos foguetes, navios, super-heróis, princesas e sereias. Com os irmãos, também se aprende a competir, ganhar e perder, proteger o mais fraco, sentir e treinar a empatia; portanto aprende-se a proteger, ceder, compartilhar, não porque haja uma lei que ordene isso (a lei do pai), mas pelo princípio moral básico da função materna (lei da mãe), que é a lei da empatia e do acolhimento: "Eu não faço com o meu semelhante aquilo que eu não quero que façam comigo".

O papel dos pais é fundamental no equilíbrio das tensões domésticas. A eles cabe estar de olho nas possíveis injustiças que o mais velho, ou mais esperto, cometa contra o irmão mais fraco ou mais novo. Devem ser a referência a que o filho pode recorrer em busca de reparação para uma situação de injustiça na qual se sinta vítima. Cabe também aos pais instituir ordem: "Nesta casa não se briga, conversa-se"; "Vocês são irmãos, têm de se dar bem, têm de aprender a conversar"; "Quem grita/briga está errado, não é assim que se conversa, não é assim que vocês vão se entender"; ou "Seja menos duro com seu irmão, ele está tentando conversar com você".

A violência moral é, em geral, a que precede a violência física. Ela gera a violência física quando as palavras não bastam para parar o processo de abuso, o que leva pessoas submetidas à violência moral (não receber atenção, ser desconfirmado, ser provocado, ser ridicularizado na presença de estranhos) a sair do campo do simbólico e entrar na concretude da violência física.

Diversas dinâmicas familiares são antecedentes de um aumento de violência entre irmãos. A seguir, apresento aspectos que podem ser considerados raízes da violência na convivência familiar e situações que favorecem seu aparecimento.

Pais violentos. Estudos sobre agressividade na adolescência mostram que adolescentes punidos violentamente por seus pais têm oito vezes mais chance de ser violentos com irmãos (Giuliani, 1988), indicando que a violência doméstica molda a maneira de reagir diante de conflitos, tornando-se uma forma destrutiva de manejo de conflitos e de comunicação em família.

Rafael[2] conta que até hoje, com 62 anos, não se dá bem com os irmãos. Na infância, todos brigavam e o pai batia violentamente nos três quando a mãe se queixava de-

---

2   Todos os nomes utilizados neste capítulo são fictícios.

les. A revolta do mais velho, o que mais apanhava, era descontada em Rafael, que, por sua vez, vingava-se no mais novo.

Filhos brigam para desviar a atenção dos pais de suas divergências conjugais. Assim evitam os conflitos e a temida separação do casal, que precisa se unir para cuidar do caos que se instala quando ocorrem as brigas. Na verdade, há uma cooperação inconsciente dos filhos para mascarar os conflitos, evitando a separação do casal, que se deixa enredar na briga dos filhos, porque é mais fácil olhar para o problema deles do que para si mesmos.

Joel (16 anos) não frequenta a escola como deveria e maltrata Bruno (18 anos), que é deficiente mental e não fala. Por meio da terapia de família, encontramos uma situação de acomodação do casal, apesar do desconforto e da insatisfação profundos com o casamento. Com dois filhos problemáticos, não encontravam forças para lidar com a situação, e a vida doméstica era um caos. Conforme conseguiram organizar a convivência entre os filhos e impor limites a Joel, puderam olhar para o casamento e pensar o que queriam fazer com a vida conjugal.

Filho predileto. Nesse caso, os pais não amam igualmente os filhos ao longo do tempo de convivência. O filho preterido tem sentimento de dor, inconformismo e injustiça em relação aos pais, especialmente à mãe, por não conseguir despertar nela um tipo de afeto que é totalmente reservado ao outro irmão. Essa raiva volta-se principalmente contra o irmão favorecido, e não tanto contra a mãe, porque ela é o objeto de amor disputado. O filho privilegiado sente culpa, porque o irmão não recebe o mesmo privilégio, sente-se mal, mas não recusa o benefício (especialmente se for criança). Quando o menos querido passa a brigar com ele, aí o preferido passa a sentir, além da culpa, raiva do irmão que o agride. Ele percebe a injustiça, mas não consegue fazer a reparação (e não é sua função), se ainda não for adulto, porque fica enredado pelos pais na dinâmica familiar. Quando chega à fase adulta, a relação já está tão deteriorada que dificilmente os irmãos podem mudar o estado das coisas.

Alan (22 anos), Beto (17 anos) e Carlos (15 anos) são irmãos. Alan já está casado, mas mora com a esposa na casa dos pais. Beto sempre foi uma criança fácil, vive fazendo graça, cheio de carinho, é o xodó da mãe, o mais parecido e sorridente com ela. Carlos, que sempre foi uma criança difícil na opinião da mãe, hoje é mal-humorado, reclama muito, todos dizem que é chato, não ajuda em casa, briga com os irmãos e é irritado. No último ano, começou a implicar com tudo que Beto fazia. Passou a desafiar os irmãos e, por ser muito grande e forte, a bater em Beto. A mãe, por medo de que ele largasse os estudos e se envolvesse com drogas, procurou terapia em uma instituição.

Trabalhamos, durante algumas sessões, as qualidades de cada um e as dificuldades no relacionamento. Passamos a propor que mãe e pai dessem mais atenção a Carlos, que se sentia esquecido. Depois de dois meses, o clima em casa já era outro. Após seis meses de terapia, Carlos não falava mais em deixar de estudar. Ele não gostava de ir à escola, mas queria se formar no ensino médio. Trabalhamos para fortalecer o vínculo conjugal, liberando Beto de ser aquele que dava atenção à mãe no lugar do marido, que deixava tal função para o filho e depois se ressentia da distância dela. Beto não provoca mais Carlos, ou, quando o faz, a mãe impõe limites, sem achar que tudo que Beto faz é lindo. Carlos não se sente mais esquecido, passou a ser o "beijoqueiro da mamãe" e está achando seu valor nessa família.

O folgado. É o filho que não respeita o que é dos outros, usa e estraga as coisas dos irmãos, não pede permissão para nada. Nessa situação, se os pais não interferem, o irmão abusado cria tumulto, pois não aguenta mais a situação de ser injustiçado, perde a tolerância, inicia a briga e, muitas vezes, é visto como culpado pela discórdia. O irmão folgado, quando reiteradamente usa objetos do outro sem autorização, em primeiro plano está desconsiderando a existência do irmão e, em segundo plano, é possível que esteja propondo um tipo de relação que quer estabelecer com o mundo: um contrato em que ele tem mais direitos e menos deveres que os outros, dentro e fora de casa. O perigo acontece quando "os pais acham que tal atitude não passa de uma brincadeira e que, com o tempo, as coisas mudam. Com o tempo as coisas mudam, mas para pior" (Brito, 2002).

Muitos pais recuam, silenciosamente, tentando passar a ideia de neutralidade – "Os dois são filhos, temos de tratá-los de uma mesma maneira". Entretanto, essa imparcialidade não existe (Brito, 2002).

Outros irmãos não querem tomar partido, preferindo não fazer parte do conflito, para que o iniciador da briga fique com o trabalho de "arrumar as coisas em casa". O iniciador briga pelos outros e, se ele briga, os outros podem descansar. É o "justiceiro" da casa empenhado em denunciar os abusos do "folgado".

Em uma família de três filhas, Joana sempre se queixou de tristeza e cansaço, porque sua mãe não impunha limite aos abusos da irmã mais velha, que usava tudo que era das outras. Isso resultava em brigas nas quais chegavam a machucar-se. Se alguém comprava uma roupa nova ou ganhava um presente, tratava logo de escondê-lo para Miriam não o usar sem permissão. Na terapia de família, trabalhamos o descaso da mãe com o tema do respeito entre as filhas. Sendo os pais separados, Ana, a mãe, trabalhava muito para sustentar todos em casa e também não sabia o que era se respeitar; muitas vezes, deixava-se abusar pela patroa, que não pagava as horas extras nem os fins de semana em que ia ao trabalho só para cuidar dos animais domésticos. Aos poucos, Ana passou a impor limites para Miriam e, vagarosamente, criou coragem para mudar de emprego, já que não via como modificar as coisas naquela situação profissional.

Ciúme e inveja entre irmãos são normais. A relação fraterna desejável deve ter também amor, empatia, cooperação, amizade e todo o espectro de sentimentos. Irmãos deveriam ser iguais em *status*, o que não acontece, por terem idades distintas e serem muito diferentes (alguns têm mais facilidade para determinadas coisas e outros, para outras). O filho mais bem-dotado na característica que os pais mais valorizam goza de um *status* maior. Isso pode não ocorrer conscientemente para os pais, que fazem diferença no reconhecimento e na valorização do comportamento de cada um deles.

João foi um menino que gostava de ler em uma família de esportistas. Seus dois irmãos maiores chamavam-no de "sem jeito", porque ele não era bom de bola, nem de corrida, nem de bicicleta. De patinho feio na família de origem, João tornou-se cisne na família da esposa, em que sua cultura e intelectualidade são valorizadas e ele compartilha dos mesmos interesses. Da infância, João guarda mágoas e lembranças de ser forçado pelo pai a deixar os livros para envolver-se com esportes, em que ele sempre era ridicularizado pelos irmãos e primos.

O grupo fraterno é um grupo como qualquer outro, que se desenvolve em diferentes fases, com regras próprias de funcionamento, peculiares a cada família, com hierarquias e funções diferentes. Dentro desse modelo de desenvolvimento, o grupo estrutura-se, fornecendo proteção e segurança aos membros, gerando coesão, cumplicidade, solidariedade, companheirismo, laços afetivos.

Os filhos são sempre muito diferentes um do outro. Aos pais, cabe o desafio de valorizar cada um por aquilo que ele tem de bom e ensiná-lo a "se gostar como ele é", mas também possibilitar que desenvolva tudo que pode "vir a ser". Esse é um paradoxo da função paterna e materna: "Eu gosto de você do jeito que você é, mas quero que você seja melhor ou diferente em alguns pontos".

Alguns filhos, por terem uma natureza mais parecida com a dos pais, ou por serem naturalmente mais engraçados ou extrovertidos, são mais valorizados e o que se exige deles não é tão marcante quanto de outro filho que causa preocupação. Na casa dos pais esportistas: "Larga o livro e venha jogar com a gente, que você precisa tomar sol". Na casa do intelectual: "Larga essa bola e vai ler um livro, para ser alguém na vida". O filho mais valorizado vai sofrer ataques dos outros irmãos que o consideram "o queridinho".

Injustiça/coalizão. Todos os dias, na mesa, o pai briga com João porque ele não come verdura. A mãe, com medo de enfrentar a violência e a injustiça do pai, protege-o, faz com ele uma aliança e, como sente que o filho é extremamente castigado pelo pai, tenta compensá-lo dando-lhe condições especiais, privilégios, tratando-o de forma diferente dos outros filhos. Se a maior exigência do pai sobre João começou justamente por ciúme dessa relação mãe/filho, o círculo vicioso instala-se e os outros filhos ficam de fora, esquecidos, enquanto os três brigam. Os filhos deixados de lado, não podendo brigar com os pais (mais fortes e figuras de autoridade), vão atacar o irmão protegido da mãe. Quem se sente injustiçado ataca o privilegiado desde pequeno, criando uma situação de eterno conflito; se os pais consideram esse ataque injusto e violento, interferem, castigam aquele que já se sente injustiçado e o círculo vicioso é realimentado. Coalizões que cruzam as fronteiras dos subsistemas são sempre muito nocivas ao sistema familiar. A união entre filhos contra os pais, para reivindicar privilégios, por exemplo, pode ser saudável e funcional.

Doença crônica. O filho doente causa muita preocupação e os pais naturalmente dedicam-lhe mais atenção. Os filhos saudáveis ficam carentes, sem a devida atenção necessária ao seu desenvolvimento, e são capazes de se unir aos pais para cuidar do mais fraco, ou podem começar a brigar, para extravasar a agressividade que não podem dirigir ao irmão doente. Quando o problema de saúde dura meses ou anos, a família toda fica muito estressada e vai perdendo a capacidade de lidar com as frustrações e com os conflitos entre os filhos. É possível que os pais, cansados, deixem de ver as necessidades dos filhos saudáveis, como nos exemplos: "Meninos, vocês não estão vendo o que seu pai e eu estamos passando e ainda ficam nos trazendo mais problemas? Parem de brigar e não me venham mais com probleminhas!"; "Mas, mãe, eu quero ser buscado na festa por você e não pelo meu irmão, tem de ser você".

O grau de sofrimento varia de acordo com a capacidade de cada um dos envolvidos no sistema de perceber o que se passa e solicitar o que realmente precisa. Também depende da capacidade ou possibilidade de os pais atenderem às solicitações (de atenção, cuidado, companhia e carinho) dos filhos saudáveis e encará-las como legítimas.

Dinheiro. Em nossa cultura, o dinheiro é símbolo de valor material, sendo comum que o valor das coisas seja transferido para as pessoas: quem tem mais vale mais, é melhor, é mais do que quem não tem (mais poderoso, mais importante). Por isso, o dinheiro regula a autoestima das pessoas, define e conduz o desempenho do seu papel social (Brito, 2002).

Na família, os filhos estão sempre pedindo dinheiro e medindo quanto é dado para um e para outro (por exemplo, um faz faculdade pública e o outro, privada). Se o filho que se sente injustiçado não cobrar explicitamente, acabará deixando por fazê-lo quando já houver uma grande diferença e apresentará uma contabilidade de anos em que os pais devem dinheiro e afeto.

Nesse caso, esse filho causa uma revolução na família por três motivos:
- os pais lutam para não reconhecer a dívida apresentada;
- não se sentem preparados para arcar com aquele acerto àquela altura da vida;
- o acerto financeiro solicitado é apresentado com outra fatura: o afeto que eles não têm como saldar.

Isso instala um desconforto eterno entre pais e filhos, porque, enquanto os genitores ficam com a sensação de que nada do que fizerem adiantará, o filho terá a sensação de prejuízo eterno e passará a agredir o irmão mais favorecido. O mesmo ocorre em uma partilha desigual dos bens familiares. Os irmãos não perdoam aquele que recebe mais que os outros. Em uma família de cinco filhos, o primeiro a casar-se ganhou um pequeno apartamento. Em seguida, os pais morreram e o que aconteceu com os outros filhos? Sentiram ódio do irmão mais favorecido, que se recusou a dividir o bem com os outros.

Omissão dos pais. Se os pais ficam alheios e omissos, aos filhos cabe a "lei da selva". Em qualquer situação, pais omissos deixam os filhos entregues aos leões: um se aproveita do outro ou o mais forte bate no mais fraco, o aproveitador tira vantagem, ninguém põe limite à brutalidade e à violência. O ódio cresce entre eles, causando grandes estragos nas relações entre irmãos.

De três irmãos, o mais velho, para garantir seu *status* de predileto dos pais, chama os mais novos de "bostoldo" e "merdildo". Há omissão e conivência dos pais com essa violência, pois os mais novos não conseguem defender-se do mais velho e mais esperto.

Pais distantes têm filhos afetivamente distantes e carentes. Nesse contexto, encontramos filhos que brigam por coisas aparentemente absurdas. Em uma família de cinco homens, os dois mais novos discutem na mesa de jantar: já comeram três bifes cada, mas brigam pelo último; não estão brigando por bifes, mas por atenção e afeto dos pais, por objetos valorizados pelos pais. Noutra família, após a morte do pai, o filho mais novo apossou-se de seus livros. Isso gerou um conflito com o mais velho, que achava que os livros deveriam ser divididos entre todos. Na verdade, o principal motivo da discórdia é que todos queriam a herança afetiva do pai, disputavam objetos que o simbolizavam. Estava faltando algo que não era bife nem livros: eram "pedaços do pai" (como no filme *Viagem a Darjeeling*, de Wes Anderson, 2007). É como se dissessem:

"Não fiquei com o afeto, mas fico com os livros". Simbolicamente, no inconsciente dos filhos, quem come mais bife ou recebe mais livros é o mais valorizado. Quando o mais velho percebeu o que o mais novo realmente queria (a valorização que não veio em vida), ele conseguiu abrir mão dos livros.

Irmãos podem estar em uma relação hierárquica. Empenhados em fazer o outro não ser o que é e não ser o adulto que ele poderá vir a ser, sempre com o mais forte destruindo as iniciativas do mais fraco, pondo apelidos pejorativos, zombando de suas tentativas e reforçando os aspectos que fracassam. Se os pais não interferem para evitar a destruição moral do mais fraco, mais tarde o ódio será a tônica dessa relação. O mais fraco cresce, desenvolve-se e vai vingar-se de todas as maneiras possíveis.

Nádia, a filha mais velha, quieta e introvertida, sempre se incomodou com o sucesso de Kátia. A mais nova era falante desde pequena e engraçada, todos riam dela e fazia o maior sucesso na família. Nádia não gostava da irmã, porque dizia que ela falava demais. Desde os 5 anos, Nádia batia na irmã e os pais deixavam-na de castigo por isso. Aos 14 anos, Nádia já odiava Kátia, pois passou a infância combatendo a irmã sem conseguir desenvolver talentos próprios. Na terapia familiar, pudemos conhecer os "tesouros escondidos" de Nádia, que era bastante parecida com o pai e desenhava muito bem. Ao final da terapia de família, os desenhos de Nádia, inicialmente em lápis preto, foram ganhando cores vibrantes e assim ela passou a expressar seus sentimentos, sua agressividade e sua força.

Abuso sexual entre irmãos

Segundo Furniss (1993), irmãos abusivos do sexo masculino e agressores sexuais menores de idade têm, em geral, um dos antecedentes a seguir:
- Muitos abusadores sexuais menores de idade sofreram, eles próprios, abuso sexual. Meninos menores de 15 anos que se tornam abusadores de qualquer tipo devem sempre ser potencialmente considerados vítimas de abuso sexual.
- Nas famílias em que os filhos foram sexualmente abusados, os meninos parecem correr grande risco de se tornar abusadores sexuais em virtude da identificação com o pai abusivo. Eles frequentemente sabiam do abuso e, às vezes, até o testemunhavam.
- Os agressores sexuais adolescentes são, muitas vezes, meninos que cresceram em um relacionamento entre pai e filhos emocionalmente pobre e, ao mesmo tempo, sexualizado; frequentemente, crescem com autoestima muito baixa e com baixa tolerância à frustração. Para conseguir satisfação emocional e alívio da tensão, recorrem ao abuso sexual dos irmãos ou de outras crianças.

- Muitos abusadores sexuais menores de idade foram abusados fisicamente de modo grave e sofreram grande privação emocional.

Essas quatro ponderações justificam que se passe a chamar aquele que perpetra esse tipo de violência de vitimizador, e não mais de agressor. Esse termo traz consigo o aspecto relacional: primeiro ele foi vítima, depois foi vitimizador.

O abuso sexual de crianças mais jovens por irmãos mais velhos apresenta duas dinâmicas distintas, segundo Furniss (1993):

1) O irmão muito mais velho do que a criança abusada está em uma posição de autoridade quase parental. Nesse caso, o abuso tem características semelhantes ao abuso parental, ou seja, a criança é biologicamente imatura e estruturalmente dependente do adulto para cuidados físicos, emocionais, cognitivos e sociais, necessitando de proteção e não tendo como escapar da situação. É imatura para conseguir defender-se do protetor que abusa dela e, embora envolvida no abuso, a responsabilidade pelo ato é do mais velho, que sabe muito bem o que está fazendo. A dependência estrutural das crianças significa que devem ser capazes de confiar que tudo que um progenitor faz é bom para elas e vai ajudar seu desenvolvimento.

Cria-se, entre irmão mais velho e mais novo, o que Furniss chama de síndrome do segredo para a criança, que é ameaçada se revelá-lo, e síndrome de adição e segredo para o adulto/irmão mais velho abusador, que necessita do abuso para alívio de tensão, mesmo sabendo que é ilegal. O aspecto de segredo e o aspecto de adição constituem mecanismos de evitação da realidade para a pessoa que abusa. Além disso, o processo é conduzido pela compulsão à repetição, e há muitas semelhanças com outras formas de adição, forçando a criança a juntar-se à síndrome do segredo. A excitação e o subsequente alívio sexual criam dependência psicológica e negação da dependência. Isso traz problemas específicos no manejo do abuso da criança e na terapia dos vitimizadores. Os efeitos da síndrome conectadora de segredo e adição são as grandes dificuldades de parar o abuso, de romper o segredo, de criar e manter a realidade (que desejam evitar) e de lidar com os apegos mútuos, frequentemente muito fortes e destrutivos, entre a pessoa que abusa e a criança.

2) Quando o irmão abusador não é muito mais velho que a criança abusada. Ocorre outra dinâmica, que não deve ser confundida com a do irmão mais velho. Frequentemente esse caso é a expressão da "síndrome de João e Maria": duas crianças abandonadas pelos pais, que se perderam na floresta e têm apenas a companhia um do outro para sobreviver. Encontramos casos assim em famílias nas quais as duas crianças sofrem privação emocional grave e só têm uma à outra para cuidado e conforto. Aqui não existe dependência estrutural do vitimizador e não são indicados os termos abusador e vítima, porque eles são parte de uma situação geral de privação emocional, em que ambos podem ter sido severamente negligenciados ou abusados física e/ou sexualmente pelas figuras parentais. São duas crianças tentando dar e receber uma forma distorcida de satisfação, conforto e cuidado. O relacionamento sexual é uma forma de cuidado emocional distorcida, pervertida e confusa. Ambas as crianças precisam ser tratadas como vítimas da privação de cuidado emocional parental.

Acrescento outra dinâmica possível, já observada na prática clínica:

3) **Abuso sexual entre irmãos como dominação.** O mais velho abusa do mais novo pelo prazer da dominação sádica, buscando a exploração e a opressão. Aqui encontramos, claramente, a omissão dos pais. Só a distância afetiva e a omissão parental explicam o fato de o irmão submisso não conseguir pedir ajuda para sair da situação, que pode durar anos.

Não podemos esquecer que muitas pessoas que sofrem violência doméstica não reconhecem o que sofrem como violência (Stith, 2009). João, 40 anos, dizia nas primeiras sessões de psicoterapia individual: "Na adolescência, eu tive uma relação incestuosa com meu irmão mais velho". Não! O que João viveu, por oito anos, não era uma relação incestuosa; era abuso do mais velho. Segundo Chaui (*apud* Couto, 2005), a violência é a ação que trata o ser humano como objeto, culminando com a interiorização da vontade e da ação alheias.

Trabalhar a família com violência entre irmãos

Sílvio e Márcia, encaminhados pela escola, procuraram-me, para terapia familiar, com queixa de que o filho mais novo, Léo (9 anos), tinha sido diagnosticado como disléxico, não conseguia desenvolver-se na alfabetização e estava cometendo pequenos furtos. Além disso, a vida em casa era um inferno, porque os dois filhos mais velhos viviam agredindo-se; quando não estavam aos berros ou aos tapas, ignoravam-se friamente. Às vezes, Rui (11 anos) gritava que Iná (13 anos) estava provocando-o na mesa, olhando para ele "com aquele olhar", que ninguém sabia explicar como era.

Na primeira sessão com o casal, fiquei sabendo que estavam casados havia 14 anos, trabalhavam muito em uma empresa que montaram juntos e a vida era corrida. Contavam com uma empregada eficiente, braço direito de Márcia, mas ela também não aguentava mais a tensão entre Iná e Rui. Os pais de Sílvio não ajudavam o casal e os pais de Márcia moravam em outra cidade. Fui sentindo que falavam demais, de maneira confusa, emendando um assunto no outro, sem que eu pudesse entender o encadeamento entre eles. No início do tratamento, faltavam e esqueciam frequentemente as sessões, o que é comum em famílias em que ocorrem atos violentos, nas quais costumam predominar a confusão, a desorganização e a falta de limites.

As sessões iniciais foram um desafio: com os cinco juntos, tive dificuldade de lidar com tantas forças em ação. O mais novo, Léo, ficava apático, olhando a sala, distraído, enquanto o mais velho o agredia, chamando-o de bobo, retardado e lerdo. Iná protegia-o e agredia Rui, tentando medir forças com ele. Contaram-me que, em casa, às vezes, Iná e Rui trocavam tapas e socos. Os pais olhavam tudo, como que dizendo: "Você está vendo? É assim que as coisas acontecem em casa". No decorrer das sessões, vou percebendo que entre o pai e Iná existia uma aliança, uma ligação especial, enquanto entre a mãe e Rui, uma fascinação mútua. O terceiro filho, Léo, ficava distraído, apático, aparentemente alheio a essas ligações.

Tentei colocar limites, observando que ali não era lugar para irmãos agredirem-se, mas as agressões eram muito frequentes. Quando investiguei as famílias de origem, buscando as raízes da dificuldade dos pais de lidar com limites, descobri dados muito significativos. Sílvio teve um pai extremamente violento que o machucava com punições físicas, e chegava a ir à escola de casaco, no verão, para esconder os hematomas provocados pelas surras que levava. Durante seu genograma, conjecturava que o pai talvez fosse portador de um distúrbio neurológico, porque, de repente, tornava-se violento com todos. Sílvio tinha horror de ser violento com os filhos, então acabava sendo passivo e omisso. Quando chegou à terapia de família, estava muito angustiado com a situação, embora sua expressão fosse serena e tranquila. A máscara da tranquilidade foi desenvolvendo-se durante a infância, como uma defesa para lidar com a angústia desintegradora de fazer parte de uma família de origem violenta e submissa aos arroubos do pai. Fomos trabalhando as possibilidades de impor limites aos filhos, com firmeza, mas sem violência. Ter visto os irmãos apanhando, ser submetido às surras e escutar o pai dizendo que era por ter feito coisas erradas deixou-o com uma sensação constante de medo e culpa, o que o tornava pouco assertivo no trabalho, irritando Márcia, provocando o desentendimento do casal, sempre com Sílvio cedendo às queixas da esposa e pedindo desculpas para não brigar. Eu brincava com Sílvio que ele desenvolvera uma "alergia" à agressividade e, por isso, não conseguia impor-se aos clientes abusivos. O tratamento a essa "alergia" foi experimentar ser um pouco mais firme no trabalho e ver o que acontecia.

Nas sessões dedicadas ao genograma da mãe, ficou claro um conflito de lealdades: os pais pressionavam-na para que decidisse quem estava com a razão, ou para dizer de quem gostava mais. Além disso, Márcia dormiu na cama deles até os 8 anos e lembrava-se de ter presenciado cenas de sexo. Ficava paralisada, fingindo que dormia. Isso resultou em uma grande confusão emocional, pois não diferenciava nem nomeava seus sentimentos. A única emoção mais clara é a raiva que sentia de Sílvio quando ele era "mole" com os clientes e, por isso, perdiam dinheiro. Além da indiscriminação emocional, Márcia tinha também uma grande indiscriminação quanto ao que achava certo ou errado, daí sua dificuldade de impor limites à briga dos filhos. Era filha única, então alegava que, por não ter irmãos, não aprendeu a lidar com eles, por isso deixava a educação dos filhos para a empregada, que estava com eles havia 12 anos.

Aos poucos, a terapia foi mostrando a Sílvio que firmeza é diferente de violência. Nas sessões de casal, dramatizamos cenas de Sílvio com o pai, e ele pôde expor sua raiva, falar de seu medo do descontrole. Ele foi tornando-se um pai mais firme e presente, especialmente para o filho mais novo, esquecido e entregue à escola e à empregada. Tratamos de sua relação com a mãe, vítima da brutalidade do marido, para procurar desfazer sua coalizão com a filha, vítima da brutalidade de Rui. As fronteiras foram ficando mais nítidas e o subsistema parental foi assumindo sua função de proteção e educação, delegada à empregada.

A parte mais difícil foi trabalhar as emoções de Márcia para que passasse a *sentir* o certo e o errado para aquela família, além de *saber* o que era certo e errado. Era como se esse "instrumento de sentir estivesse avariado", dizia. Sua fascinação e condescendência por Rui foram diminuindo, passou a perceber o exagero de agressividade e conseguiu começar a impor limites a ele. Léo ganhou visibilidade aos olhos de Márcia, que foi sentindo mais empatia para com as necessidades de atenção e afeto do filho mais novo. Com o apoio e a presença da mãe, melhorou seu nível de atenção nas lições de casa.

Trabalhamos muitos jogos com a família para que a agressividade pudesse ser expressa de forma adequada. Usei uma técnica que criei e de que gosto muito, o jogo de inventar jogos, com material simples, que tenho na sala (canetas, papéis, bolas, bonecos, cesto de lixo, almofadas, clipes), em que a regra era inventar jogos, jogarmos e darmos um nome a eles. Foram construídos na sala e jogados com todos. Em seguida, tínhamos de inventar outro e jogar, porque a brincadeira era inventar. Acredito que imaginar e produzir uma atividade divertida, com coisas simples, desenvolve a consciência do imenso potencial criativo que temos e da enorme quantidade de recursos de que dispomos para criar saídas saudáveis para os conflitos. As crianças passaram a inventar jogos em casa e trazer para a sessão, mostrando que estavam encantadas com a própria criatividade. Criavam regras que respeitavam.

Com a participação dos filhos, a família construiu as "leis da casa", abordando aspectos significativos da rotina doméstica, foco de confusão, de disputa e de agressividade – horários (levantar, ir para a escola, refeições, banho, lição de casa, não demorar no telefone); uso do espaço físico (comer só à mesa, espalhar jogos só no quarto); pequenos deveres (arrumar a cama no fim de semana, guardar brinquedos, fazer lição). Construímos uma tabela de pontos na qual as crianças ganhavam estrelas pela tarde em que conseguissem ficar sem brigar fisicamente nem gritar. Em uma tarefa paradoxal, inventamos a "hora da briga": uma lição de casa para "descarregar a vontade de brigar". Consistia em 15 minutos, com horário marcado, três vezes por semana, antes do banho, das 18h às 18h15min, quando se faziam alguns *rounds* de 1 minuto de luta (com a supervisão de Márcia) sem soco nem pontapé, só com empurra-empurra ou travesseiradas, seguidos de 30 segundos de descanso. De início, os dois mais velhos entusiasmaram-se com o jogo, criaram regras e treinaram durante a sessão de terapia de família. Logo, a tarefa de luta caseira tornou-se enjoativa e cessou com o tempo, paralelamente a uma diminuição do número e da gravidade das brigas espontâneas, diminuição essa estimulada também pelas estrelinhas ganhas no sistema de pontos. Dez estrelas davam direito a ir à lanchonete preferida e 50 estrelas valiam um jogo de videogame. As três crianças juntaram suas estrelas em uma "conta" comum e ganharam o jogo, que dividiram da seguinte maneira: cada um mandava no jogo dois dias na semana e, no domingo, era proibido jogar.

Léo foi "ganhando vida", perdeu a apatia e deixou de cometer os pequenos furtos, que significavam um grito de socorro desesperado: "Olhem para mim, me deem o que eu preciso, eu tenho pouca atenção e carinho". Retirar o que é dos outros, muitas vezes, significa, para a criança, um gesto de compensar o afeto de que necessita e não recebe. Passou a frequentar uma psicopedagoga para ajudá-lo na alfabetização e aprendeu a responder para Rui que este não podia maltratá-lo.

Rui, que era agressivo em casa e submisso na escola, passou a brigar na escola, entrou no judô e, mais tarde, aprendeu a negociar com os colegas. O judô ajudou muito seu progresso ao cultivar regras de autocontrole e respeito ao adversário.

Iná libertou-se do papel de "mãezinha" do Léo, conforme Márcia passou a cuidar mais dos filhos. Atravessou uma fase de agressividade com a mãe e, aos poucos, foi percebendo o afeto que a mãe tem por ela.

Márcia teve diversas recaídas de indiscriminação e Sílvio, recaídas de medo de ser firme e impor regras. As próprias crianças, às vezes, referiam-se ao quadro de "leis da casa" como um suporte do que fazer em determinadas situações.

Tratar a família que apresenta agressividade entre irmãos passa, necessariamente, por pesquisar as famílias de origem dos genitores a fim de rever as funções materna e paterna, fortalecendo o subsistema parental no sentido de acolher as necessidades e construir leis que tornem a família, antes palco de violência destrutiva, um lócus afetivo e seguro de desenvolvimento individual, familiar e social.

Conclusão

Maus-tratos entre irmãos não acontecem só na adolescência, embora nessa época eles adquiram contornos mais fortes. Na infância, o nascimento de um(a) irmãozinho(a) é o momento em que o filho mais velho perde a atenção exclusiva dos pais. O filho único terá de aprender a compartilhar o amor dos pais, os brinquedos, a atenção dos avós e de todos. É normal que se ressinta, que o demonstre e, provavelmente, tente agredir o bebê, faça birras e chame a atenção de forma inadequada, mas essa é também a oportunidade para crescer, perceber que pode chamar atenção por suas qualidades e aprender a lidar com as adversidades da vida. Passada a fase do ciúme mais intenso, apesar de competição e ciúme inerentes à convivência com irmãos, esse tipo de relação torna-se uma experiência única, uma importante fonte de prazer, de aprendizagem e de exercício de relação entre iguais. É nesse contexto que se desenvolvem os sentimentos de solidariedade entre pessoas que estão no mesmo nível e que têm o mesmo tipo de poder.

Consideramos a violência familiar um fenômeno em rede. Isso implica percebê-la em seus múltiplos aspectos, em seus diversos sistemas interligados, em que cada manifestação particular se articula com as outras: a violência das pessoas deve ser relacionada com a da família de origem, com a da família atual, e esta com a violência social, na comunidade e do Estado que desampara famílias na pobreza e na doença, por meio de um sistema de saúde precário, que mantém grandes populações em estado de miséria. Como estamos todos inseridos em uma cultura que convive com e aceita práticas de violência, temos de nos perguntar quais de nossas crenças, valores e mitos sobre família, gênero, casais e violência podem contribuir para sustentar os circuitos de violência (Rapizo, 2009). Aí reside a grande dificuldade de se trabalhar com violência doméstica. Se o terapeuta de família não abordar profundamente esses temas em si, continuará a ser o peixe que não percebe a água onde vive; não conseguirá ser o agente de transformação tão necessário aos sistemas violentos e permanecerá considerando violência entre irmãos um fenômeno aceitável.

É também no relacionamento com irmãos que muito cedo se desenvolve a empatia. Se os filhos têm apego seguro com os pais, irmão protege irmão, mas se o apego é inseguro, irmão inferniza irmão. Portanto, a semente da fraternidade vem da segurança de o indivíduo ter alimento afetivo necessário ao seu desenvolvimento emocional.

Cada pessoa tem uma sabedoria e talentos diferentes dos dos pais e dos outros irmãos. Sempre há um modo de ser mais valorizado em cada família. Um dos filhos pode estar mais alinhado com os valores familiares, mas cada filho tem de achar sua "joia escondida", e eis aqui a missão de cada um: aprender a valorizar o seu jeito único de ser, seus dons, e usá-los de forma criativa contra as faltas e as angústias da vida. Transformar raiva e competição entre filhos em individuação e criatividade é o desafio dos pais, a quem cabe a tarefa de valorizar o jeito único de ser de cada um de seus filhos, que devem se perguntar: "Quais são meus poderes? Não tenho todos, mas tenho alguns que são minhas ferramentas para enfrentar as dificuldades da vida".

Agressividade e criatividade são dois polos de um mesmo *continuum*. Criatividade é um impulso de transformação que não destrói um impulso de mudança que luta para não se conformar com uma situação ruim, mas sem destruição, raiva ou morte. A força de mudança transforma a situação, de forma que cria alternativa para o desconforto. Não destrói, mas acrescenta: "Do limão azedo podemos fazer uma limonada". Ensina-nos Winnicott, segundo Costa (2000, p. 25): "A cultura não é só o que diz não à pulsão agressiva, mas o que diz sim à imaginação criativa". O poder parental deve se revelar na capacidade de tolerar, sem revidar, o ímpeto agressivo e dirigi-lo para a expansão da criatividade.

Irmãos competem e brigam, mas também cooperam em outros momentos? Juntam-se contra os pais por uma causa comum, ajudam-se quando precisam? São sensíveis para perceber o sofrimento do outro e socorrem-se? Tais situações mostram que os irmãos estão se desenvolvendo de forma saudável. Uniões devem se dar dentro dos subsistemas (filho-filho ou pai-mãe). União pai-filho ou mãe-filho são nocivas ao sistema familiar quando expressam coalizão de pai e filho contra os demais membros da família, engendrando a competição em vez da colaboração.

Se a violência doméstica é multiplicadora de violência – pois a brutalidade e o desrespeito na família cunham pessoas violentas –, o terapeuta de família pode operar como um importante agente de transformação social ao interromper o ciclo de comportamentos abusivos que gerarão futuros adultos violentos.

Referências

BOWLBY, J. *Uma base segura – Aplicações clínicas da teoria do apego*. Porto Alegre: Artmed, 1989.
BRAZELTON, T. P.; SPARROW, J. D. *Compreender a relação entre irmãos – O método Brazelton*. Bacarena: Editorial Presença, 2005.
BRITO, N. *Rivalidade fraterna – O ódio e o ciúme entre irmãos*. São Paulo: Ágora, 2002.
BUSTOS, D. M. "Asas e raízes". In: HOLMES, P.; KARE M.; WATSON, M. (orgs.). *O psicodrama após Moreno*. São Paulo: Ágora, 1998.
COSTA, J. E. "Playdoier pelos irmãos". In: KEHL, M. R. (org.). *A função fraterna*. Rio de Janeiro: Relume Dumará, 2000.
COUTO, S. *Violência doméstica – Uma nova intervenção terapêutica*. Belo Horizonte: Autêntica, 2005.
FRANÇA, M. R. C.; BENEDITO, V. I. "Psicodrama com casais: a formação do par amoroso e a terapia de casal". In: BUSTOS, D. M. *O psicodrama – Aplicações da técnica psicodramática*. São Paulo: Ágora, 2005.
FURNISS, T. *Abuso sexual da criança*. Porto Alegre: Artmed, 1993.

GABARDINO, J.; ECKENRODE, J. *Understanding abusive families*. São Francisco: Jossey-Bass, 1997.

GIULIANI, E. J. "Relações entre violência doméstica e agressividade na adolescência". *Cadernos de Saúde Pública*, v. 14, n. 2, 1988, p. 327-55. Disponível em: <http://www.scielo.br/scielo.php?pid=S0102-311X1998000200009&script=sci_abstract&tlng=es>. Acesso em: 26 dez. 2018.

HETHERIGTON, E. M. "Six years after divorce". In: HINDE, R. A.; STEVENSON-HINDE, J. (orgs.). *Relationships within families – Mutual influence*. Oxford: Clarendon Press, 1988.

HOLANDA, A. B. DE. *Dicionário da língua portuguesa*. Rio de Janeiro: Nova Fronteira, 1997.

KEHL, M. R. (org.). *A função fraterna*. Rio de Janeiro: Relume Dumará, 2000.

LEVY, S. J. E A. *Cansados de guerra: um estudo clínico sobre a coautoria na violência familiar*. Dissertação de mestrado em Psicologia Clínica pela Pontifícia Universidade Católica de São Paulo (PUC-SP), São Paulo, 2005.

MONTORO, G. E. "O apego". In: CASTILHO, T. *Temas em terapia familiar*. São Paulo: Plexus, 1994.

RAPIZO, R. Palestra "Mitos e valores que sustentam a violência doméstica", proferida no X Encontro de Formadores da ABRATEF. Itapecerica da Serra, 2009.

SEIXAS, M. R. D. (org.). *Programa de ação do GEV Pró-Paz*. São Paulo: APTF, 2006.

SROUFE, L. A.; COOPER, R. G.; DEHART, G. B. (orgs.). *Child development – It's nature and course*. 2. ed. Nova York: Mc Graw-Hill, 1992.

STITH, S. Workshop "Violência doméstica", realizado durante a V Jornada Paulista de Terapia Familiar, São Paulo, 2009.

10 PERDAS E GANHOS

Suzanna Amarante Levy

> "O homem só ensina bem o que para ele tem poesia."
> (Rabindranath Tagore)

Cada vez que defronto com o ofício do terapeuta clínico, considero um desafio, ou uma aventura, fazer parte de um sistema em que chego como uma estrangeira para as famílias que atendo, principalmente nos primeiros encontros. Como estrangeira, desconheço suas leis, sua linguagem, seus códigos, sua cultura e, na maioria das vezes, suas expectativas. A minha expectativa é poder trazer algo novo, que faça diferença, que possibilite pensar sobre seus problemas, suas dores e as torne mobilizadas para voltar para uma próxima sessão.

Ocupar o lugar de estrangeira pode deixar-me, de certa forma, livre para dizer o que percebo e o que sinto naquele encontro, mas, ao mesmo tempo, posso ficar enredada na trama e nas emoções das histórias narradas. Assim, preciso contar com a minha percepção e perspicácia para não ser engolida e oferecer recursos facilitadores que possibilitem novos significados para as situações vividas.

As famílias querem algo diferente, mas nem sempre toleram esse "diferente", porque, às vezes, este se apresenta muito estranho e assustador – por exemplo, o interesse do terapeuta pela história vivida da família pode não ser bem-visto, ter outros significados que dificultem o encontro. Assim, o cuidado com cada membro familiar, a escuta, a reflexão, a continência emocional – os quais considero importantes na construção de vínculos – podem, em um primeiro momento, significar uma violência.

Nos encontros iniciais, arrisco minhas crenças pessoais, derrapo nos lamaçais e, muitas vezes, perco minhas ilusões. Quando se dá uma aceitação mútua, é possível vivermos, todos, alguns momentos de alívio e esperança.

É um privilégio conhecer tantas histórias e acontecimentos e participar de momentos da vida de tantas pessoas, casais e famílias. Surpreendo-me diariamente com as diferentes formas de pensar e de agir diante da vida, e esses encontros enriquecem minha vida pessoal e minhas relações, mesmo nas situações exigentes em que preciso fazer um esforço para suportar histórias de violência e a violência das relações vividas ali. Geralmente, esses encontros são extremamente difíceis para qualquer terapeuta, mas, no decorrer do tratamento, surgem momentos emocionantes de grande satisfação e gratificação.

Episódios de violência estão presentes nas relações das famílias que procuram ajuda psicológica tanto no consultório particular como nas instituições; a violência faz parte das relações humanas. Às vezes, surge de modo discreto e lento, e também de forma dramática em um primeiro encontro. Como é um tema difícil de trabalhar, muitos profissionais e alunos têm dificuldade de percebê-la, dar-lhe a devida atenção e, consequentemente, de atuar, tratar e proteger o paciente ou a família e oferecer possibilidades para a construção de um novo padrão de relação.

Casos mais graves de violência contra crianças ou adolescentes e, mais especificamente, de abuso sexual são muitas vezes negados ou vistos de forma espantosa por profissionais e leigos. Ainda carregamos crenças que apontam a família como um lugar seguro, mas nem sempre ela sabe proteger seus membros, e a maioria dos atos de violência é cometida justamente por familiares, contra crianças, adolescentes, mulheres e idosos; ou seja, quem está mais vulnerável ou dependente corre maiores riscos.

Quando ouvimos histórias de espancamentos e abusos, sentimos um choque: "Como isso pode existir? Como um pai ou uma mãe podem fazer isso?", como se fossem histórias de um mundo paralelo. Entramos em contato com perguntas sem respostas, nossas lacunas, nossos medos, impotência e negação, e chegamos mais perto do que é o ser humano. Somos afetados, sentimos muita indignação, revolta, horror, raiva, ódio e perplexidade nesses atendimentos. Do mesmo modo que somos afetados, também afetamos os sistemas nos quais estamos inseridos.

Inúmeros profissionais rejeitam atender casos em que a violência surge instantaneamente, alegando não ter experiência suficiente no tema, sendo melhor encaminhar a outro profissional.

É provável que esse mal-estar nos afaste totalmente do caso ou, ao contrário, nos aproxime do sofrimento da família. Muitas vezes, somos convidados a formar rapidamente uma aliança com a vítima, o que atrapalhará o atendimento se não ouvirmos as vozes do sistema familiar. Também é possível que se criem defesas contra nossos sentimentos e emoções, uma espécie de anestesia, com o intuito de diminuir o mal-estar que pode tomar conta do sistema familiar e terapêutico. Segundo Ravazzola (2005), nas relações muito doloridas cria-se uma anestesia e também uma confusão na linguagem, que colaboram para que o ciclo da violência se perpetue.

Precisamos ter em mente que quem ataca, geralmente muito temido, chamado de agressor, nem sempre é mais perigoso que a vítima. De fato, ele tem mais poder ou força do que ela, mas, no sistema, os papéis são complementares, e cada qual exerce o seu. Todo agressor também é vítima, e as vítimas também são agressoras.

Sabemos que existe mais responsabilidade pela violência daqueles que detêm o poder e um nível mais elevado na hierarquia da família. Assim, as crianças não respondem por abusos e violência; já os adolescentes adquirem mais responsabilidade sobre seus atos, entretanto também podem ficar vulneráveis a abusos e violência.

Segundo Ravazzola (2005), no terreno da violência, existem diversos truques invisíveis e eficazes, em vários níveis, uns ocultos, outros apresentados por meio de mensagens de condicionamento e de pertencimento, justificando a dominação e apoiadas por crenças culturais, religiosas etc. que defendem, por exemplo, o lugar e o poder do pai, na família, também como agressor. São sistemas de tortura com lavagem cerebral com que as famílias compactuam.

Para resgatar um novo padrão de relacionamento, é necessário também um processo de ressocialização, que busca, nas histórias das famílias, seus valores, suas crenças e mitos e as experiências das gerações; o terapeuta oferece outros padrões de relacionamento para uma reflexão conjunta.

Nesse contexto, tão logo se consiga identificar casos de abuso, de relações incestuosas e de violência, deve-se intervir rapidamente. O trabalho terapêutico com essas famílias é essencial, visto que a violência é transgeracional e a sua intensidade tende a aumentar a cada geração se não houver tratamento.

Segundo Benghozi (2010), essas vivências de violência esburacam a malha familiar. Criar um espaço afetivo com escuta, acolhimento, continência e ações protetoras para a família é a possibilidade de cerzir essa malha e, assim, transformar as vivências de dor e perdas em ganhos.

Esta história começa assim...

Maria[1] tem 34 anos. Quando era criança, tinha sete irmãos: quatro mulheres e três homens. Dois irmãos morreram: um era bandido e levou um tiro no rosto; o outro era soropositivo para HIV, decorrente do uso de drogas injetáveis. Sua mãe, atualmente, tem 80 anos e o pai é falecido. Maria é a filha caçula da família. Seus pais separaram-se logo após seu nascimento.

---

1 Todos os nomes utilizados neste capítulo são fictícios.

Maria define seu relacionamento com sua família como muito bom e, ao mesmo tempo, relata dificuldades e grande sofrimento. Tem alta consideração por seus irmãos, sobretudo os homens da família, que a protegiam das situações difíceis.

Ao mesmo tempo que diz que seus irmãos eram bandidos, enaltece-os por sua coragem e por serem protetores da família.

Para ela, sua mãe é, até hoje, muito "trabalhadeira"; ausente por trabalhar demais, mas diz que é a melhor mãe do mundo. Se não fosse por ela, os filhos não estariam vivos. Moravam em favela, eram muito pobres e não tinham o que comer. A mãe, que trabalhava em restaurante, trazia sobras de comida, repartidas entre todos.

Com relação ao pai, Maria relata grande dificuldade, pois, desde que tinha 8 anos, ele a observava enquanto se trocava no banheiro e, a partir dos 12, começou a abusar sexualmente dela, o que durou um longo período. Mais velho, já separado da mãe, pedia que a ex-mulher ou a filha mais velha levasse Maria, já adolescente, para visitá-lo. Nessas ocasiões, ocorria o abuso. Não fazia sexo com ela, mas passava a mão e se esfregava em seu corpo todo, e machucava-a com os dedos. Maria recorda-se da dor e, até hoje, não gosta de sexo, não gosta que o marido a veja nua e tem muitas dores no corpo durante o ato sexual. Envergonhada, não contava para os irmãos o que acontecia, por medo de que eles, ao saberem do abuso, matassem o pai. Sente muita raiva dele e não a sua falta. Pensou em ter seus filhos com inseminação artificial, para que não tivessem pai.

Ao mesmo tempo, observava que existiam outros tipos de pai, como o de uma amiga que protegia a família e trabalhava ajudando a mãe. Depois de certo tempo, em determinado dia em que se sentia muito mal, conseguiu revelar o abuso sofrido para uma cunhada e para as irmãs. Uma das irmãs levou Maria para morar na sua casa. Ficou livre do pai, mas achava que a irmã abusava dela de outra forma, fazendo-a trabalhar muito, como uma empregada. Contou um episódio em que a irmã dizia a uma amiga que estava com uma empregada nova em casa. Cuidava de tudo, dos filhos da irmã e da casa. Na época, acreditava que sua mãe não suspeitava das situações de abuso vividas com o pai e acredita que suas irmãs também sofreram tais abusos. Desde pequena, sofria de dores crônicas no corpo, o que a deixava impossibilitada de realizar qualquer atividade.

Maria, como muitas meninas, sonhou em construir uma família, ter filhos e um marido que cuidasse bem de todos.

Casou-se pela primeira vez aos 18 anos, e um ano depois nasceu Cláudia. Separou-se dois anos após o nascimento da filha, alegando que seu marido se drogava muito e desaparecia. Em 1999, ele morreu de aids, possivelmente adquirida por meio do uso de drogas injetáveis. A família do rapaz consumia drogas – inclusive a própria mãe, alcoolista que faleceu de cirrose na mesma época do filho, em 1999. Maria narrou essa história como se ela não estivesse envolvida. O pai de Cláudia sempre pagou a pensão para a filha e procurava vê-la, mas, segundo Maria, Cláudia não gostava de ficar com ele, gritava muito e chorava. Para Maria, a situação financeira do pai de Cláudia era melhor que a dela. A casa em que moram foi deixada por ele.

Após a separação, Maria juntou-se com José e tiveram João Pedro. Essa união durou cinco anos. Maria relatou que não sentia mais nada por ele e resolveu terminar. Cláudia considera José seu pai, diz que ele era muito legal e era com quem brincava e conversava. Para Maria, José foi presente na família; estava sempre perto de todos e era bastante afetuoso com as crianças. Cláudia e João Pedro sentiram muito a separação. De fato, trata-se de uma situação difícil: José atualmente está preso, pois, segundo Maria, após a separação, começou a beber, "desandou" e foi preso por tráfico de drogas. João Pedro visita regularmente o pai, e Cláudia, por não ser filha legítima, diz não se sentir autorizada a vê-lo, o que a deixa triste.

Maria então conheceu seu terceiro marido, André, de 28 anos, com quem está há cinco anos. Cláudia não se lembra de seu pai verdadeiro e não gosta do atual companheiro da mãe, que é um dos motivos das brigas. Segundo Maria, André foi segurança e agente ferroviário, porém está desempregado há alguns anos e faz grafite, o que, segundo Cláudia, não lhe rende nada; ao contrário, ele só gasta dinheiro para comprar tintas e ir aos bares. Maria discorda da filha, mas não consegue justificar algum ganho de André. Começa a contar outra história, negando a falta de colaboração financeira de André.

A família enfrenta sérias dificuldades econômicas. Maria está afastada do serviço há mais de três anos, por motivo de dores crônicas que a deixam paralisada e com os pés inchados; reumatismo, segundo o médico. Maria recebe pouco dinheiro por esse afastamento, e a família vive com a aposentadoria de morte deixada pelo pai de Cláudia, motivo de briga entre Cláudia e Maria. Cláudia afirma que o dinheiro é dela, deseja guardar para fazer uma faculdade, gosta de ajudar um pouco a família e, portanto, não quer que sua mãe sustente André, que é folgado, gasta muito em celular e bares, nunca traz dinheiro para casa e quebrou financeiramente até a mãe dele, de tantos gastos feitos.

Maria contou que, antes de ficar doente, trabalhava muito e houve um incidente com Cláudia: aos 10 anos, ela foi estuprada por um vizinho de 20 anos. Segundo Maria, a filha usava roupas provocativas e não parecia ter essa idade. Seu corpo e seu jeito eram de mulher, e não de menina. Maria não conseguiu fazer nada a respeito do abuso sofrido pela filha.

Cláudia relata que a mãe ficava muito ausente de casa e que, mesmo antes do abuso, ela pedia para a mãe ficar em casa, porque não gostava de ficar sozinha com André, que a olhava de modo estranho quando começou a mudar seu corpo, e passou a odiá-lo. Maria diz que Cláudia o provocava, usando roupas curtas. Um dia, Maria picou todas as roupas da filha, que a ameaçou com uma faca.

A partir desses fatos, o relacionamento entre mãe e filha tornou-se bastante agressivo. Maria batia na filha e a filha ameaçava a mãe. Para Cláudia, o motivo era ciúme.

Hoje, Cláudia tem um namorado e sente ciúme dele em relação à mãe, que, segundo ela, é simpática demais com o rapaz.

Apesar de Maria colocar-se como alguém que conversa de tudo com a filha, Cláudia não conhecia a história de vida de sua mãe e nenhuma das duas conseguia escutar o que a outra tinha para dizer.

Para Maria, existe uma diferença nas situações de abuso sexual vividas pelas duas: ela foi oferecida ao pai, enquanto a filha foi abusada por um estranho, o que considera muito melhor. Maria acredita que conseguiu proteger melhor sua filha, que, segundo diz, não viveu em pecado como ela. É como se os abusos sexuais e outros fossem inevitáveis.

Cláudia relatou um sonho e que, durante ele, fez xixi na cama, o que é comum quando se tem pesadelos. No sonho, seu porquinho-da-índia foi comido, juntamente com seus filhotes, por um rato grande. Temia que o animalzinho morresse, uma vez que não havia segurança em sua casa. Maria interveio e disse que nunca viu rato em casa. Na semana seguinte, estava muito triste, porque o sonho se realizou: seu porquinho foi comido por um rato. Maria, nesse dia, conta que estava preocupada pelo fato de estar encontrando, diariamente, fezes de rato nas panelas da cozinha. Esse sonho mostra a dificuldade de Maria de considerar os medos da filha e a sua necessidade de proteção. Fica evidente o processo de negação que transborda e impede a atividade de perceber, distinguir e relacionar fatos.

Nossos encontros

A família foi encaminhada para atendimento familiar no Centro de Estudos e Assistência à Família (Ceaf) pela psicóloga do Fórum de Pinheiros.

O motivo do encaminhamento foram agressões físicas e verbais de Cláudia, de 15 anos, dirigidas à mãe, Maria. A psicóloga que atendia Cláudia, em um grupo terapêutico na Casa do Adolescente do Ambulatório de Especialidades de Pinheiros, não percebeu, na terapia e no grupo, reações agressivas de Cláudia, mas relatou que os discursos de mãe e filha eram divergentes e intensos, sugerindo uma ligação de amor e ódio que poderia ser tratada na terapia familiar. Cláudia estava cumprindo a medida socioeducativa em liberdade assistida – devido ao incidente com a faca –, que, em caráter excepcional, estava sendo executada por uma psicóloga e uma assistente social da equipe do Fórum das Varas Especiais da Infância e Juventude.

A família aceitou participar da pesquisa sobre violência familiar, objeto de meu mestrado em Psicologia Clínica pela PUC-SP (Levy, 2005). O estudo foi realizado por meio do processo terapêutico de três famílias, com duração aproximada de um ano, com sessões semanais.

Quando iniciei os atendimentos, mãe e filha não se ouviam, mal se falavam e, quando o faziam, discordavam das histórias contadas. Não reconheciam a narrativa da outra como possível. Assim, era impossível ouvir e construir uma história que tivesse um sentido comum sobre as situações vividas pela família. Havia cisão na comunicação, em que cada uma trazia um fragmento. Possivelmente, essas cisões preservavam tanto mãe como filha das histórias doloridas que tinham vivido. Pareciam narrativas mutiladas, em que terapeuta e pesquisador precisavam colar os pedaços para compreender o todo. As dores dos fatos não eram reconhecidas, mas sentidas no corpo e dissociadas dos acontecimentos e das emoções. A fala também era vista como um perigo, já que poderia desencadear mais agressividade e sofrimento pelos fatos vividos.

No decorrer do processo terapêutico e das sessões, e a partir do ouvir das histórias de cada uma, mãe e filha puderam aprender a escutar trechos não ditos, segredos e sentimentos, e reconhecerem-se na trama familiar. Suportar ouvir cenas dolorosas repletas de emoções, que acordam outras lembranças e também os pensamentos diferentes de cada um, é um aprendizado que faz parte do processo terapêutico; é como retirar os anestésicos.

Essa dificuldade na comunicação contribuía para manter as situações obscuras, os segredos intactos e ocultava o sofrimento vivido. É como se fosse um autoengano, mas, quando puderam contar suas histórias, as dores e os sofrimentos foram surgindo em cada uma, a percepção de si e do outro se tornou possível e as dores, no corpo de mãe e filha, suavizaram-se.

Utilizamos o genograma familiar para ilustrar a história da família e ajudá-las a perceber as repetições. Costumo utilizar o genograma como uma possibilidade de mapear a história e conhecer melhor os membros da família. Pelo menos três gerações são colocadas no mapa, desenhado pela própria família. O objetivo é conversar sobre cada pessoa, sua participação na história familiar, percebendo as diferenças e semelhanças entre as relações, os fatos vividos nas diferentes gerações, propiciando a reflexão sobre a história que facilita o processo de ressocialização; enfim, refletir sobre valores, ética e leis.

Na história de Maria, havia acontecimentos dolorosos, como a morte precoce dos irmãos mais velhos e a miséria em que vivia: uma situação-limite, em que a sobrevivência imperava sobre qualquer situação. Assim, a possibilidade de ter o alimento trazido pela mãe passa a ser suficiente, e a precária proteção da mãe não fica evidenciada – ao contrário, o valor da progenitora é destacado.

Por outro lado, a família dizia-se muito comunicativa, mas alguns acontecimentos não deveriam ser revelados, inicialmente na geração de Maria – como o abuso sexual, que surge como um segredo a ser mantido para poupar as figuras materna e paterna.

Quando souberam que Maria estava sendo abusada pelo pai, as irmãs decidiram que uma coisa dessas não chegaria aos ouvidos da mãe, e o irmão mataria o pai se soubesse.

A mãe deveria ser preservada desse sofrimento. A vergonha também era um grande impedimento e, dessa forma, configura-se o abuso sexual como um mito dessa família.

Assim, o sofrimento familiar, revelado por meio das histórias de abuso sexual e de negligência, possivelmente dificultou a percepção e a reflexão sobre o vivido, desencadeando a repetição dos abusos na geração subsequente.

Outros mitos familiares pareceram ser reforçadores da violência, como a supervalorização do seu poder, na figura dos irmãos. Eles eram ladrões, traficantes e heróis: essa forma de violência, direcionada para fora da família, não é caracterizada como violência, mas como proteção. À medida que intimida, amedronta e gera poder.

Quanto aos vínculos interpessoais, podemos observar que existe uma fragilidade nas relações: um apego inseguro que colabora com a falta de confiança mútua. Dessa forma, a figura materna perde a autoridade diante da filha e necessita da polícia para colocar limites e lei.

A fragilidade dos vínculos pode ser decorrente da violência frequente e de abusos vividos na infância da mãe, ocasionando dificuldade no reconhecimento da violência, na percepção da própria história e nas necessidades emocionais dos filhos.

Minimizar as histórias de violência e as emoções (o que é frequente em pessoas que viveram muitas situações violentas) e, além disso, responsabilizar e culpabilizar a filha pela situação de abuso, como se uma menina pudesse ser culpada da violência sofrida, sugerem dificuldade de cuidar da família e de criar laços afetivos seguros, além de mensagens culturais de que mulheres ou meninas são as responsáveis pelos abusos.

A negação da dor da violência do abuso sexual e, por outras formas, de abusos frequentes dificulta a comunicação familiar e o processo reflexivo. Trata-se de uma cultura familiar em que o abuso sexual não é explicitado claramente, mas sugerido e mantido como tradição; ou seja, quando Maria relata que sua mãe a levava à casa do pai e depois ia buscá-la, está, de certa forma, dizendo que ela era oferecida para o abuso. As irmãs também haviam sido abusadas sexualmente pelo pai e, na geração seguinte, o drama repete-se com sua filha, porém, com a diferença de não se tratar de um abuso sexual de pai com filha, mas do vizinho com a adolescente, que, segundo Maria, não é tão sério.

A exploração do trabalho infantil também está presente nas narrativas da família de origem de Maria, mas não aparece na geração seguinte. Nessa geração, surge o abuso financeiro, ou seja, o uso do dinheiro da filha (pensão) para sustentar não somente a família, mas também os gastos de André (padrasto).

Alguns indicadores do risco de violência surgiram: o abandono, como risco de violência sexual, quando o corpo de menina se transforma em corpo de mulher, e a exploração financeira, como risco de violência familiar.

Os segredos também podem indicar risco para a violência, porque favorecem a transmissão para outras gerações. Ao mesmo tempo, o silêncio torna-se garantia da invisibilidade da violência, evitando a vergonha e a vingança – portanto, uma proteção à vida. Dessa forma, é necessário um cuidado extremo do terapeuta para que essas histórias sejam reveladas.

A presença da violência intergeracional é marcante e está presente de forma semelhante. O aprendizado da cultura familiar, as lealdades e as tradições da violência, sobretudo do abuso sexual, passaram por poucas modificações e mantiveram-se presentes. A família permaneceu como um lugar de perigo. A falta de percepção da violência e do sofrimento vividos dificultou o reconhecimento, a comunicação e a reflexão das situações sofridas e, ao mesmo tempo que são ensinados valores como não roubar, não se prostituir, não matar, o obedecer aparece como um valor que proporciona a continuidade da cultura familiar.

Observando da ótica de gênero, a família nomeia o sexo masculino como o que detém o poder, o que abusa, o que protege e, ao mesmo tempo, mata, rouba e morre. O sexo feminino é referido e valorizado no papel materno. Mãe trabalhadora, mãe que protege a sobrevivência dos filhos, que não os abandona, mas que fica ausente para proporcionar a sua sobrevivência. Desprotege-os pela falta de percepção dos riscos familiares, como o abuso. A figura materna fica atribuída à fragilidade e à necessidade de proteção dos filhos quanto a situações de muito sofrimento. Assim, torna-se difícil pedir socorro nos momentos de risco, já que é necessário proteger a mãe do sofrimento. O ciúme intenso, que aparece na relação entre mãe e filha como um pedido de ajuda, revelando a ausência das fronteiras familiares e hierarquias, denuncia a competição entre ambas e a percepção nebulosa do abuso sexual, podendo favorecer a indiferenciação do afeto e da sexualidade.

Outro tema importante, que propicia a violência familiar, são os fatores externos. Essa família viveu muitas perdas, mortes de familiares de forma trágica, separações, várias uniões que geraram intenso sofrimento. A mãe perdeu dois irmãos de forma trágica, o primeiro marido, pai de Cláudia, e o segundo marido, que está preso. Para Cláudia, a perda de seu pai não é vista como dolorosa, mas a prisão do segundo marido de sua mãe foi um momento difícil, pois ela o considerava seu pai.

A presença das drogas também é marcante na família de origem materna e não surgiu na família atual. Mãe e filha fazem uma relação causal entre drogas e morte, e essa relação cria sentido na história dessa família.

A dor psíquica e os traumas vividos aparecem no corpo, em forma de dores constantes e paralisias frequentes da mãe. Para a filha, manifestam-se como dores de cabeça constantes e de ouvido, e o sofrimento é tão intenso que foi vivido e sentido nos momentos em que mãe e filha traziam lembranças e histórias.

Podemos sugerir que a relação de intimidade entre homem e mulher pôde ser caracterizada como traumática e perigosa em ambas as gerações. Assim, Maria preserva seu companheiro, André, que não exige sexo na relação conjugal. Atualmente, Cláudia mora com a avó materna. Foi a maneira encontrada, nas primeiras sessões de terapia com a família, de interdição do abuso sexual de Cláudia.

Um sonho possível

Essa família aceitou o desafio de construir novas realidades e entregou-se ao processo terapêutico. Foi aprendendo a confiar, a adquirir lentes para olhar fatos da vida e rever valores. Mãe e filhos viveram situações de extrema violência e precisavam de novos parâmetros de vida.

Precisavam de pai e mãe, pois as suas necessidades mais primitivas não haviam sido atendidas. Por meio de brincadeiras, entramos no mundo simbólico, em que era possível ensaiar novos papéis, sonhar e fazer projetos futuros.

João Pedro não pôde estar presente em todos os encontros, mas esteve na maioria deles, participando e conhecendo sua história. Ao longo do tempo, foi ficando menos assustado com a trajetória dos homens da sua família e colaborou intensamente, até o fim do processo.

Maria está separada de André, conseguiu voltar ao trabalho e suas dores são esporádicas. Cláudia cursa Direito e João Pedro está estudando. Maria relata melhor relacionamento com suas irmãs, que também participaram de algumas sessões de terapia. Diz que está aprendendo a viver só. Procuram a terapia de tempos em tempos, quando ocorre alguma situação de conflito com os filhos. Vemo-nos a cada quatro meses e algumas vezes telefonam.

Maria precisou reformular o seu ideal de família. Segundo ela, acreditava em uma vida sem conflitos nem discussões: isso era paz. Percebeu seus limites, a necessidade e a importância das diferenças e das negociações como processo de desenvolvimento para, dessa forma, chegar a um ideal de família possível. Aprenderam a conversar entre si, ouvir pensamentos, sonhos, desejos e medos. Conseguem suportar as emoções e sentimentos.

Toda família pode construir novos pontos na malha familiar, como diz Benghozi (2010). Remalhar e cobrir seus furos é reconstruir a malha protetora da família.

Referências

BENGHOZI, P. *Malhagem, filiação e afiliação – Psicanálise dos vínculos: casal, família, grupo, instituição e campo social.* São Paulo: Vetor, 2010.

LEVY, S. A. *Cansados de guerra: um estudo clínico sobre a coautoria na violência familiar.* Dissertação de mestrado em Psicologia Clínica pela Pontifícia Universidade Católica de São Paulo (PUC-SP), São Paulo, 2005.

RAVAZZOLA, M. C. *Historias infames: los maltratos en las relaciones.* Buenos Aires: Paidós, 2005.

11 INCESTUALIDADE MATERNA E CONFLITO ADOLESCENTE

Sonia Thorstensen

A adolescência é uma fase de transformações físicas e psíquicas intensas e também um dos momentos de acirramento da conflitualidade inerente ao viver. Os conflitos adolescentes são inúmeros, mas, em sua base, está o dilema crescer/não crescer, acompanhado de todos os seus lutos. Não é um drama solitário. Temos, de fato, toda a família envolvida na crise de crescimento de seus adolescentes e na sua própria crise de envelhecimento.

Neste capítulo, apresentarei o conceito de incestualidade materna como proposto pelo pediatra-psicanalista francês Aldo Naouri (2000) e uma vinheta clínica que vai nos possibilitar refletir sobre alguns desses fenômenos de modo mais concreto.

A adolescente, que aqui chamaremos de Carola[1], passa por momentos especialmente difíceis. Ela é bonita, tem 14 anos, mas aparenta mais de 20. A queixa é ampla: brigas violentas com a mãe, incluindo xingamentos de baixo calão, faltas à escola, saídas noturnas sem dar notícias, namoros em série. Carola, sem dúvida, está se envolvendo em situações de risco. Ela veio à sessão obrigada pelos pais e se comporta o tempo todo com evidente hostilidade. Os pais são separados, mas não voltaram a se casar; ambos comparecem à primeira sessão, juntamente com o irmão (22 anos), que estuda, ainda não trabalha e também mora com a mãe e a irmã.

A sessão é muito agitada, os filhos falam ao mesmo tempo, agressivamente. A mãe procura manter a calma e o tom de voz baixo, monocórdico, explicando detalhadamente o que acontece. Eu me canso ao ouvi-la. Os filhos a interrompem e a gritaria e os xingamentos recomeçam. O pai se enfurece e consegue restabelecer a ordem. Todos se calam. Eu respiro aliviada, mas a calma dura pouco. Esse pai, de toda forma, não está presente em casa e falta às sessões seguintes.

---

[1] Todos os nomes utilizados neste capítulo são fictícios.

A briga dos três repete-se. Consigo entender certas características dessa família que me são contadas "aos pedaços". Carola, atualmente, dorme na cama com a mãe, mas antes dormia na cama com o irmão; saiu de lá porque a nova namorada deste tinha "ciúmes" dela. A mãe lhe diz, na sessão: "De dia você me xinga assim, mas à noite vem para minha cama, né?" Vira-se para mim e comenta: "Só de noite ela deixa eu fazer carinho nela, dormimos agarradinhas. Mas, de dia, é só eu contrariá-la que ela me agride desse jeito".

Conta-me também que se esforça muito para falar a linguagem dos jovens e nem sempre eles aceitam bem. Outro dia, iam as duas no carro ouvindo música e ela começou a cantar junto com Carola, alto, "como eles fazem". Carola se enfureceu e a xingou, dizendo que "ela não entendia nada".

O irmão demonstra grande ansiedade com o ambiente familiar e, embora proteja a mãe dos ataques da irmã, também confirma que ela não entende nada do que se passa, que não coloca limites em Carola, fazendo tudo que ela quer "para amansá-la". "Devia mais era deixá-la se dar mal sozinha" para ela "aprender". Diz que a mãe devia se cuidar mais e arrumar um companheiro e deixar Carola viver a vida dela como quisesse. Também se queixa de que a mãe não "largava do pé dele", interferia em sua relação com a nova namorada, ficava controlando se ele tinha ido à faculdade ou não.

A mãe, bastante angustiada, responde que Carola é muito nova ainda, é sua filha e ela não vai abandoná-la. Carola a xinga, acusando-a de não ter sido mulher o suficiente para conservar o marido com ela e diz para a mãe deixá-la em paz. Reclama que a mãe a acorda com cócegas para ir à escola, mas reconhece que ela própria não consegue acordar sozinha. Segundo o irmão, Carola sempre foi muito mimada por ser a caçula, sempre com a mãe atrás fazendo tudo que ela quisesse. Carola, por sua vez, reage aos comentários com palavrões e xingamentos.

Em uma sessão posterior, com os quatro membros da família presentes, falo da possibilidade de as dificuldades da família terem que ver com a necessidade de uma maior diferenciação entre eles, especialmente entre Carola e sua mãe, tanto no que se referia ao fato de dormirem juntas como na confusão entre as funções de mãe e filha. A mãe não me compreende, os filhos me entendem muito bem e tentam fazer a mãe compreender também, aos gritos. Pela primeira vez, Carola me olha com interesse.

Ao fim dessa sessão, fui surpreendida por uma cena inusitada: mãe e filhos se abraçam estreitamente e se fazem cócegas, formando um bolo só, girando em torno de seu eixo, com gritos e muita risada. O pai os olha, enternece-se até as lágrimas, e me diz: "Veja como há amor nesta família". Não voltaram mais; quando apontei o clima de incestualidade aprisionadora que reinava na família, fui excluída. Soube depois que Carola tinha ido parar no hospital em estado de intoxicação alcoólica.

Esse caso é, como se diz, um "prato cheio" para o clínico. Era evidente o intenso sofrimento de Carola e de toda a família. Ela, uma adolescente de 14 anos, aprisionada em um corpo de mulher adulta, relacionando-se com a mãe como uma menina pequena e sem o pai para auxiliá-la na conquista progressiva da autonomia. O pai enternecia-se ao constatar o "amor" que havia na família que ele deixara; portanto, era coautor dessa situação. Quem sabe se a "atuação" de Carola não tinha, também, a intenção de atraí-lo de volta ao lar?

O conceito de incestualidade materna, que tem sido usado mais recentemente na literatura psicanalítica por alguns autores (Naouri, 2000; Racamier, 2010), parece-me útil na compreensão do sofrimento dessa família. O termo incestualidade diferencia-se de incesto, ou seja, a passagem ao ato de uma relação sexual. Refere-se a um tipo de relacionamento familiar no qual as fronteiras entre os indivíduos são tênues e facilmente transpostas. Há um clima de indiferenciação psíquica entre eles. Da mesma forma, as diferenças entre os sexos e as gerações são diluídas e as funções na família não estão claramente demarcadas. Se o incesto é relativamente raro, a incestualidade, em graus e intensidades variados, é bastante frequente.

A incestualidade pode ser traçada ao longo das gerações como uma transmissão psíquica de "valores" de como se "deve" criar os filhos, sendo, portanto, um conceito que mais frequentemente refere-se à mãe e se transmite nas famílias pelas linhagens femininas. Racamier (2010) diz: "Passando-se do incesto ao incestual, passa-se do pai à mãe. É um fato que, se o incesto mais frequentemente implica o pai, o incestual, mais frequentemente, implica a mãe".

Assim, uma filha criada por uma mãe que não se discrimina psiquicamente dela tenderá a criar os próprios filhos de maneira semelhante. Da mesma forma, o filho criado por essa mãe tenderá a ver esse comportamento materno como natural e terá dificuldade para defender os próprios filhos do clima de indiferenciação com a mãe destes.

Vejamos como Naouri (2000) desenvolve o conceito de incestualidade. Pesquisando a etimologia do termo incesto, informa-nos que este deriva do latim *incestum*, que significa exatamente sacrilégio. *Incestum* deriva de *incestus*, que significa impuro, sujo. *Incestus* surge de *in* (privativo) e *cestus* (deformação de *castus*, que significa casto, puro). Assim, *incestus* também tem o sentido de não casto. Na evolução da língua, *castus* se confunde com *cassus*, que significa vazio, esvaziado de, até o suplantar, como supino do verbo *careo*, equivalente a "me falta", em português. Não haveria, então, nenhum abuso em traduzir *incestus* por "a quem não falta nada" e relacionar esse sentido ao desejo de toda mãe de que a seu bebê "não falte nada". Como vemos, Naouri remete o termo à noção de abolição da falta e propõe o que ele chama de *propensão incestuosa natural da mãe*, isto é, a tendência da mãe a estender, para além da vida uterina, a "lógica" que a governa. A gravidez não é um acontecimento anódino ou sem consequências na vida de uma mulher. É uma etapa de tamanha importância que vai, inevitável e profundamente, revirar sua psique. Ela é, antes de tudo, a realização longamente esperada da promessa feita pela anatomia e a fisiologia ao corpo feminino, mas abarca efeitos no corpo que exacerbam características de comportamento, a ponto de lhe conferir uma lógica que nada mais poderá apagar. O corpo materno se coloca por meses ao serviço estrito do corpo fetal, antecipando o conjunto de suas necessidades a ponto de satisfazê-las antes mesmo que elas se exprimam. É desse desempenho que depende, no plano concreto, o bom desenvolvimento dos acontecimentos, e é desse mesmo tipo de desempenho que procederá, então, durante toda a vida, a função materna.

A lógica da gravidez prorroga-se com a maior nitidez nas primeiras semanas e nos primeiros meses da vida. É uma etapa, em princípio, relativamente breve. A experiência recente e propriamente fundadora do corpo vai se aprofundar e a função materna animal da mãe vai ocupar todo o primeiro plano, a ponto de não deixar lugar para nenhuma outra função. Isso porque, assim como o corpo da gravidez evitou a eclosão da menor necessidade, o corpo materno vai trabalhar para satisfazer tudo que ele pode descobrir como carência. Se é verdade que essa solicitude permite à criança, parte recebedora do sistema, elaborar suas referências de segurança, ela tem por inconveniente fixar-lhe a ideia de que sua mãe é todo-poderosa, que ela não lhe recusa nada e que seu desejo é que não lhe falte nada. Assim, aquele a quem tudo falta é repertoriado para ser imediatamente satisfeito de modo que não lhe possa surgir nenhuma forma de desejo.

Se não houver uma interposição barrando o alongamento dessa solicitude que cresce sem descanso, a relação vai, de fato, prosseguir sob o mesmo modelo da gravidez e vai se agravando: o bebê rei, a mãe rainha, os desejos de um soçobrando os do outro e vice-versa, em uma confusão altamente prejudicial para os dois lados. O bebê ocupará a vida da mãe, que não terá outro horizonte além dele e o colonizará com sua identidade e somente com ela, querendo-o com todas as suas forças à sua imagem ou à que ela forjou para ele, o que dá no mesmo. A solicitude será nem mais nem menos que paredes extensíveis ao extremo de um útero tranquilizador, pois o sistema de aliança mútua permitirá o viver como permanentemente pleno e definitivamente destinado a aí permanecer.

Como se explica tal comportamento? Para o autor, ele se deve à prorrogação da lógica da gravidez sobre o bebê, independentemente de seu sexo. De fato, essas mães recusam metaforicamente à sua criança a possibilidade de sair delas, condenando-as assim a habitar para sempre em seu nicho uterino extensível ao infinito. Com a impossibilidade de recolocar dentro de si um corpo que não para de crescer, elas o sufocam com sua superproteção.

A *propensão incestuosa natural* da mãe é estritamente indispensável ao bebê e carrega o mais alto poder vitalizador que se possa conceber. No entanto, liberada a si própria, sem freios e sem contrapesos, ela acaba sempre por se tornar, ao longo do tempo, propriamente mortífera. Se não é rapidamente atenuada ou se não encontra seu ponto de parada, produz situações devastadoras.

Segundo o autor, a explicação psicanalítica para essas situações, o complexo de Édipo, não é suficiente, pois dá a entender que o Édipo pode ser resolvido ou ultrapassado. Na realidade, segundo ele, isso nunca acontece. "Ele pode ter sido corretamente agenciado e no momento adequado para alguns indivíduos. Ele pode ter sido trabalhado, remanejado, conscientizado em outros. Ele pode ser acomodado e integrado ao cotidiano, sem produzir muito prejuízo. Mas ele não se resolve jamais e não é ultrapassado nunca."

Para Naouri, o Édipo é, antes de tudo, a consequência dessa propensão incestuosa que recobre o desenrolar-se de uma história de amor infinitamente trágica e da qual ninguém nunca se recupera. O objeto de amor, para o menino, como para a menina, é essa mãe todo-poderosa, toda devotada e somente ela. Ainda que um e outra possam reencontrar um dia a metáfora paterna, e se adaptar à sua incontornável realidade, nem por isso deixarão de passar o resto da vida esperando sua desaparição e desejando o retorno à plenitude original.

Falando sobre o pai, o autor considera que, mesmo que este seja admiravelmente dotado para a tarefa que dele se espera, não poderá fazer nada, ele próprio, para tirar suas crianças desse debate doloroso. Como em uma história de amor, cabe ao objeto de amor, e somente a ele, cortar no vivo. Dito de outra maneira, cabe à mãe significar claramente a seu(sua) filho(a) que ela tem outros horizontes além dele(a) e que, em particular, em termos de objeto de amor, ela tem o pai deles, o que traz consigo o mérito de colocar esse pai em um lugar salvador para todo mundo. Concebe-se que essa condição primeira requer da mãe, antes de tudo, a renúncia total e deliberada à sua propensão incestuosa, e não apenas deixá-la em suspenso. Segundo Naouri, isso tem acontecido cada vez mais raramente em nossos dias.

Existem, portanto, nuanças em função da repressão que se exerceu sobre a *propensão incestuosa natural da mãe*. Como o exercício dessa repressão pode não vir espontaneamente da própria mãe, ela deverá ser relançada a uma estância estrangeira ao casal mãe-bebê. Essa instância pode ser o pai, o qual a psicanálise ensina que é quem dita a lei do interdito do incesto à qual ele mesmo está submetido. Contudo, um pai pode ficar muito tempo envolvido na relação incestuosa com a própria mãe e não ser capaz de preencher seu papel corretamente. O corpo social, lembrando a universalidade e a importância da lei, virá então sustentá-lo, colocando a criança ao abrigo dos danos da tentação.

Naouri vai mais longe, acrescentando que o ponto de partida de uma história que termina em um incesto é sempre maternal. Dito de outra forma, um pai que comete o incesto sobre sua filha não faz mais do que deslocar sobre ela o convite ao incesto que lhe terá sido feito, mais ou menos abertamente, por sua mãe. O que deixa a entender que a interdição à mãe, que o pai deveria ter imposto, não foi realizada de modo suficiente. Isso porque esse mesmo pai provavelmente foi desconfirmado em sua função de pai por sua companheira e sofreu sem reclamar essa desconfirmação, por ter tido, ele mesmo, uma mãe de tintura incestuosa e um pai não muito claro nesse aspecto etc., em uma transmissão familiar de estilos incestuosos. É por isso que se diz que os deslizamentos sucessivos ao longo das gerações terminam sempre por entranhar, cedo ou tarde, passagens ao ato. E é por isso que se sublinha a importância vicariante do corpo social.

Vimos como Naouri (2000) propõe o conceito de *propensão incestuosa natural da mãe* como uma tendência materna inerente ao cumprimento de sua própria função e de cujos excessos a criança deve ser protegida. Nesse sentido, o autor concebe o fenômeno da incestualidade materna como um contínuo, presente em maior ou menor grau em todos os casos, dependendo do grau de repressão que essa tendência natural sofreu. Essa colocação, por si só, evidencia um paradoxo e uma ambivalência fundamentais no exercício da função materna: ser mãe amorosa *versus* ser mãe incestual; o que as define e diferencia? Além disso, Naouri propõe a incestualidade materna como a origem da incestualidade nas famílias, inclusive as que envolvem uma passagem ao ato.

Voltando à nossa vinheta clínica, constata-se na família de Carola um "clima" de incestualidade, entendida como uma indiferenciação entre os membros da família, seja na negação da diferença entre as gerações, seja na negação da diferença sexual. Carola, já com corpo de mulher adulta, dorme na cama com o irmão, porque tem medo de dormir sozinha. Expulsa de lá pela namorada deste, passa para a cama da mãe, ocupando o lugar do pai que se foi. À noite, dorme "agarradinha" à mãe; de dia, repele-a com violência, em um terrível conflito entre crescer e não crescer. Terrível porque Carola, no embate pela autonomia, coloca-se permanentemente em situações de risco, o que só faz acirrar o protecionismo da mãe, formando um círculo vicioso de consequências imprevisíveis. Em sua hostilidade à mãe, Carola luta tanto para diferenciar-se "existencialmente" dela como para diferenciar-se de seu fracasso como mulher que não soube sustentar o desejo do marido por ela. Ao contrário da mãe, muito contida na forma de apresentar-se, Carola exibe, sensual e exuberantemente, seu potencial de mulher adulta. Sabe que atrai a atenção masculina, mas não sabe o que fazer com isso depois. Em uma atitude defensiva, refere-se aos rapazes com a mesma hostilidade com que se refere à mãe.

O pai assiste à cena do "carrossel familiar" com enternecimento, mas fica de fora, vivendo sua vida paralela. Não lhe causa surpresa ou preocupação o tipo de relação que a ex-mulher tem com Carola, nem a que Carola tinha com o irmão. Teria sido dessa forma em sua família de origem? Ou faltou "amor" lá e agora ele se enternece com o "amor" que há aqui? Não temos dados sobre as famílias de origem dos pais de Carola, não sendo possível, portanto, compreender melhor a forma como ela foi criada. No entanto, nas sessões, é flagrante a diferença no modo de Carola ouvir a fala da mãe e a do pai. À mãe, ela reage com violência; ao pai, com assentimento e cooperação. Carola precisa muito da ajuda desse pai para auxiliá-la a dar passos na direção da autonomia em relação à mãe; esta, por sua vez, não sabe o que fazer da "mulher" de 14 anos que a agride continuamente, sem que ela possa compreender o motivo.

O autor vê a incestualidade na família como proveniente de uma postura incestual materna que atravessa as gerações, e a incapacidade do pai de interromper essa postura é resultado de sua relação, também incestual, com a própria mãe. Como um contágio que se alastra para todo o grupo, a relação de Carola com o irmão entraria nesse mesmo raciocínio. Nessa família, a incestualidade seria a regra. É a namorada, vinda de fora, quem interdita a intimidade física de Carola com o irmão.

A mãe de Carola, ainda mais após a perda do marido, adere a esta em um esforço para não perder o que lhe resta: a identidade de mãe de uma filha que lhe escapa.

Esse caso apresenta dois pontos de urgência: alguma forma de presença diferenciadora do pai (ou o luto de sua ausência) e a elaboração do estado confusional de Carola e de toda a família diante da disjunção entre seu desenvolvimento físico precoce e a imaturidade psíquica de uma garota de 14 anos.

O tema da incestualidade materna, em suas diversas formas e intensidades, frequenta com assiduidade nossa clínica.

Referências

NAOURI, A. "Un inceste sans passage à lacte: la relation mère-enfant". In: HÉRITIER, E. (org.). *De l'inceste*. Paris: Odile Jacob, 2000.

RACAMIER, P.-C. *L'inceste et l'incestuel*. Paris: Dunod, 2010.

12 TRANSMISSÃO, HERANÇA E SUCESSÃO: IDENTIDADE DO ADOLESCENTE E ESCOLHA PROFISSIONAL

Maria Luiza Dias

> "Para um adolescente, definir o futuro não é somente definir o que fazer, mas, fundamentalmente, definir quem ser e, ao mesmo tempo, definir quem não ser."
> (Bohoslavsky, 2003, p. 28)

Preparado ou não para realizar escolhas, o adolescente precisará fazê-las em muitas situações, até mesmo pelas pressões sociais. Ao ingressar no ensino médio, por exemplo, é frequentemente instado a mencionar que atividade pretende escolher como profissão. Nessa fase, então, evidenciam-se questões de natureza vocacional. Em meio a isso, o adolescente não está só nesta escolha. Em geral, o jovem tem um lugar no imaginário de seus familiares e, em situações mais extremadas, pode até ser recrutado a cumprir o projeto dos pais, sem que tenha a oportunidade de se questionar mais amplamente sobre o que seguir como profissão e, portanto, quem ser. Processos de transmissão psíquica ganham lugar nas interações entabuladas no seio da experiência em família. Ao construir com o jovem um plano de carreira, o orientador profissional (ou o terapeuta do jovem, ao acolher seus temas em terapia) está se relacionando com toda a unidade familiar a que este jovem pertence e com as expectativas dirigidas ao sujeito da escolha.

Cabe ressaltar que a herança ancestral recebida por via da transmissão psíquica entre gerações pode ser considerada um dos fatores de influência no momento da escolha profissional, tema a ser abordado neste capítulo. Com isso, considero que a qualidade das identificações estabelecidas nos vínculos importantes (vividos na primeira formação na família ou com figuras significativas substitutas) pode promover a repetição de padrões disponíveis no grupo de origem, já que os modelos observados e vivenciados na infância são extremamente poderosos.

Os processos identificatórios marcam a existência das novas gerações. Penso que, na vida adulta, podem até ser neutralizados, transformados, substituídos por novos aprendizados, mas estarão lá na memória individual e grupal, como uma referência. Como aponta Paiva (2009, p. 39):

> Não se trata de abandonar o entendimento do sujeito em sua singularidade, mas resta entender o que sucede com o sujeito inserido em um encadeamento geracional, no qual é constituído e constituinte, herdeiro e transmissor, estabelecendo vínculo tanto em uma perspectiva vertical quanto horizontal, isto é, dentro da cadeia da geração que o sucedeu, bem como entre os pares de uma mesma geração.

Considerando que as modalidades de ação no mundo são aprendidas, reproduzidas, recriadas e até ressignificadas e que se deseja mudá-las quando se acredita ser conveniente fazê-lo, penso que é imprescindível conhecer os legados familiares que, na maioria das vezes, permanecem inconscientes ao sujeito da escolha. Apresentarei algumas situações para demonstrar tais processos. Ressalto que se manter aprisionado no legado familiar ou recriá-lo torna-se uma questão ainda mais forte quando se está na posição de herdeiro e/ou sucessor em uma empresa familiar.

O relato que vem a seguir é parte da minha experiência de atuação como orientadora profissional de jovens e adultos e me conduz a pensar que a importância de se evidenciar processos de transmissão transgeracional ao sujeito da escolha ganha sentido ao contribuir para que ele possa ter independência em relação aos legados familiares e administrar seu mundo interno com maior autonomia. Desse modo, garante-se que a frase de Goethe – citada por Freud em sua obra *Totem e tabu*, ao mencionar a herança de disposições psíquicas e, posteriormente, tão largamente lembrada na literatura sobre transgeracionalidade – faça sentido: "Aquilo que herdaste de teus pais conquista-o para fazê-lo teu".

Ao pensar mitos/mandatos familiares, lembrei-me de uma primeira entrevista que realizei com uma mãe e sua filha de 17 anos, que vieram para o início de um processo de orientação profissional da jovem. Nossa experiência foi impactante, e a mãe permitiu que eu relatasse a história em meus trabalhos futuros. No início da entrevista, a mãe ponderou que a filha podia escolher o que quisesse, mas admitiu que ficaria contente se ela optasse por Medicina e que achava útil ter um médico na família.

A menina relata que desde pequena desejava ser pediatra e que isso perdurou até o nono ano do ensino fundamental. Ao perguntar-lhes sobre as profissões dos familiares, descubro que o pai fez curso de Administração e a mãe, de Enfermagem. A mãe me conta que seu pai era advogado, dono de cartório, e sua mãe era dona de casa, sendo que esse casal teve três filhos: a mais velha era pediatra; o filho do meio, engenheiro naval; ela, a caçula, optou pelo curso de Enfermagem. Relata que seu pai fez de tudo para demovê-la dessa escolha, argumentando que tal curso não lhe daria autonomia. Conta que a irmã pediatra, aos 40 anos, teve morte súbita em um final de semana em que seus pais haviam reservado uma pousada para reunir toda a família, em uma cidade do interior. Essa experiência foi muito impactante para todos, e a menina tinha, na ocasião, 2 anos. Os filhos da irmã falecida, primos da adolescente, tinham 9 e 11 anos. A mãe da adolescente estava grávida do segundo filho. Na época em que optou por Enfermagem, afirmou ao pai que queria cuidar do paciente e não tratá-lo, ao que seu pai foi contra. Conta que sua irmã ganhou do pai uma pulseira de brilhantes quando se formou em Medicina na USP; que seu irmão ganhou um carro; e ela ganhou um anel modesto de formatura. Há 25 anos, trabalha em enfermagem na indústria, acreditando ter um pouco mais de autonomia do que se estivesse em um hospital.

A mãe da adolescente afirmou que sabia que o pai queria ter sido médico, mas seu avô lhe dissera que Direito era o único curso que ele pagaria. Então, segundo ele conta, não fez Medicina para poder trabalhar enquanto cursava Direito e continuar sustentando a família.

Falamos da identificação com a tia e do legado que lhe foi deixado, ou seja, reparar as faltas de todos – do avô, que não fez o curso que queria; da mãe, que não pôde atender aos desejos de seu próprio pai; da família, salvando os que correm risco de morte ou adoecem. Disse-lhe que sua situação era tal que talvez tivesse a fantasia de que os pais pudessem se interrogar por que a mais velha morreu e não ela. A mãe respondeu, bastante emocionada, que já havia pensado nisso e que sua própria mãe lhe contara que pensara em abortar quando se viu grávida pela terceira vez. Cabe lembrar que a adolescente, embora preservasse a Medicina como uma possibilidade, apresentava outros interesses: Moda, Arquitetura, Desenho, Administração, além de gostar de crianças e de mexer com o corpo – jogava vôlei.

Poderíamos nos perguntar se isso é conversa para primeira entrevista em orientação profissional e eu responderia que sim, já que as imagens e os afetos aderidos ao processo da escolha determinam as aceitações e resistências a áreas do mundo ocupacional e condicionam a modalidade operatória diante da escolha e da pesquisa no mundo das profissões. Nesse sentido, entendo que tudo que se interpõe no caminho da escolha da profissão é assunto do orientador ou terapeuta que tenha, na sessão, a emergência de tais conteúdos.

É possível constatar por meio desse relato quanto os processos identificatórios desempenham um papel estruturante nos processos psíquicos intra, inter e transpsíquicos na família. Por identificação entendo, nesse momento, um processo psicológico "pelo qual um sujeito assimila um aspecto, uma propriedade, um atributo do outro e se transforma, total ou parcialmente, segundo o modelo dessa pessoa" (Laplanche e Pontalis, s/d, p. 295). Desse modo, é possível afirmar que a personalidade de um indivíduo se diferencia por uma série de identificações.

Rodolfo Bohoslavsky (2003) dedicou-se a compreender processos existentes no momento da escolha profissional na adolescência. Discutiu o papel de conteúdos manifestos e não manifestos, entre eles as motivações inconscientes que podem desempenhar papel importante no processo de escolha profissional do jovem. Esse psicanalista argentino já apontava, em sua época, a importância de se considerar, na análise do processo de escolha de uma profissão, os vínculos que o adolescente vive e estabelece. Nas palavras dele:

> Será preciso analisar os vínculos com o "outro". Referimo-nos não só ao psicólogo, mas ao fato de que a escolha sempre se relaciona com os outros (reais e imaginados). O futuro nunca é pensado abstratamente. Nunca se pensa em uma carreira ou em uma faculdade despersonificada. Será sempre essa carreira ou essa faculdade ou esse trabalho, que cristaliza relações interpessoais passadas, presentes e futuras. [...] Não há nenhum adolescente que queira ser engenheiro "em geral" ou psicólogo "em geral". Quer ser como tal pessoa, real ou imaginada, que tem tais e quais possibilidades ou atributos e que supostamente os tem em virtude da posição ocupacional que exerce. Isso quer dizer que o "queria ser engenheiro" nunca é somente "queria ser", mas "quero ser como suponho que seja Fulano de tal, que é engenheiro e tem tais 'poderes', que quisera fossem meus". (Bohoslavsky, 2003, p. 27-28)

Bohoslavsky (2003, p. 30) nos lembra ainda que a identidade ocupacional "é um aspecto da identidade do sujeito, parte de um sistema mais amplo que a compreende", sendo "determinada e determinante na relação com toda a personalidade". Nessa linha, o autor define a identidade ocupacional do seguinte modo:

> A identidade ocupacional é a autopercepção, ao longo do tempo, em termos de papéis ocupacionais. Chamaremos de ocupação o conjunto de expectativas do papel. Com isto, destacamos o caráter estrutural, relacional, do nosso problema, porque a ocupação não é algo definido a partir "de dentro", nem "de fora", mas da sua interação. As ocupações são os nomes com os quais se designam expectativas, que têm os demais indivíduos, em relação ao papel de um indivíduo.
> Por exemplo, é necessário que se deixe de pensar no médico, abstratamente. A ocupação de médico é definida num contexto de interação social. Não existe um médico "em geral", nem uma ocupação médica abstrata. O caráter concreto é dado pelo fato de que a ocupação é o nome que recebe a síntese de expectativas do papel, num contexto histórico-social determinado.

Fica evidente, portanto, que inúmeros fatores influenciam a assunção de uma identidade ocupacional. Nesse contexto, os processos identificatórios e de pressões psíquicas por parte do grupo familiar ou de outras pessoas significativas podem ser percebidos, e o indivíduo pode tomar consciência deles, por vezes muito à frente na vida. Isso é perceptível no depoimento a seguir, de uma psicóloga que concordou em me ceder seu relato, aos 26 anos:

Meu nome é Gabriela[1], atualmente sou psicóloga social, porém até me decidir pela profissão foi um pouco difícil. Venho de uma família muito conservadora, católica e de carreira militar. Por influência de meu pai, desde o início mostrando-me as delícias e as dificuldades de seguir a carreira de militar, e minha mãe querendo muito que eu seguisse sua carreira, enfermeira, a discussão em casa sobre a minha carreira era constante, mas sempre esqueceram o que eu realmente gostaria de fazer durante toda a minha vida. Então, "decidi", aos 14 anos de idade, que seria esta minha vocação: unir o útil ao agradável para todos, menos para mim; assim, antes de ingressar no ensino médio, procurei a Escola Naval do Rio de Janeiro para ser um Oficial da Marinha e especializar-me em alguma área médica dentro da corporação. Porém, na época em que ocorria a seleção, existiam alguns "quesitos"; por exemplo, a altura mínima, na qual eu não passei. Tinha apenas 1,59 m, sendo exigido 1,65 m para mulheres. Parece que foi um alívio (risos). A partir desse momento, as influências de profissões ficaram mais focalizadas; queria uma profissão independente que impusesse respeito e me fizesse refletir sobre todas as questões do ser humano. No dia do vestibular, disse aos meus pais que prestaria Direito, uma profissão hierarquizada e aceita por eles, mas me inscrevi em Psicologia. Quando o resultado da prova da Unesp chegou em casa, declarando que eu havia passado, meus pais foram somente alegria... temporária (risos); ao perceberem que havia passado na faculdade de Psicologia, a felicidade foi trocada por questionamentos. Foi o meu grito de independência, o momento em que consegui dizer: "Sim, eu quero ter a chance de poder acertar ou errar, mas eu tenho de passar por isso". Meus pais tornaram-se incrédulos quanto à minha decisão.

No momento da minha formatura, após cinco anos de faculdade e do ocorrido, eles eram apenas orgulho estampado no rosto e nas lágrimas que percorriam suas faces alegres. Hoje, percebo que fiz a escolha certa, mas não deixei de levar comigo o que os meus pais queriam: trabalho com psicologia social em prefeitura (não deixei de ser funcionária pública como meu pai) e atuo principalmente com políticas públicas e de saúde (área de atuação da minha mãe). De certo modo, os dois me influenciam até hoje, porém tomei a minha decisão.

Ah, minha irmã está com 14 anos de idade e eles já iniciaram a pressão da escolha profissional com ela. Será que desta vez eles conseguem? (risos). Minha irmã já demonstra apreço por Medicina e Administração.

---

[1] Todos os nomes utilizados neste capítulo são fictícios.

Nesse relato, vimos o impasse que acomete uma jovem: de um lado, desejava realizar uma escolha própria; de outro, não conseguia se desgarrar de projetos parentais dirigidos a ela. Nesse momento, estamos no plano simbólico, das imagens que são depositadas sobre a jovem. Pensemos, ainda, a questão de que a herança pode ter que ver com algo da realidade concreta, objetiva, como quando se trata da transmissão de bens materiais, como é herdar uma empresa.

Herdar um patrimônio, uma empresa ou a possibilidade de circular em ambientes luxuosos e estudar em boas escolas podem ser atrativos, mas em certos momentos o inverso também pode ser sentido se a experiência é vivida como um aprisionamento. Quando há afinidade dos temas preferenciais do herdeiro com as atividades exercidas na empresa da família, planejar a sucessão não é um problema, mas se o sonho do(a) jovem é outro, todas as regalias podem se transformar em armadilhas. Cabe lembrar que o herdeiro não é automaticamente o sucessor do fundador, uma vez que o sucessor precisa ter qualificação e o herdeiro não necessariamente está preparado para a função a ser exercida.

O herdeiro comumente é estimulado a optar pelo caminho da sucessão, não somente pela família como por seu grupo social mais amplo. Em nossa cultura, é muito mais fácil imaginar que o(a) jovem herdeiro(a) está "feito(a) na vida" do que pensar que ele(a) pode se sentir oprimido. Para agravar o quadro, é comum imaginar que a empresa sobreviverá aos tempos, mas não se cogita que isso não é garantido e que, por vezes, uma mudança na sociedade, por vezes, inviabiliza a sobrevivência do negócio da família.

Muitos pais não tratam da sua sucessão ainda em vida, talvez porque a nossa cultura não estimule o pensar sobre a morte. Projetar-se no futuro e planejar-se diante dele, nesses casos, representa um desafio coletivo que envolve todo o grupo, a rede de alianças, de ciúmes e de oposições. O desafio pode estar em se deslocar da expectativa e sonhos dos pais para escrever uma biografia própria.

Segue o relato de uma experiência em que claramente se vê a sobreposição dos papéis familiares e empresariais em meio à expectativa de um processo sucessório.

Um jovem de 17 anos, cursando o terceiro ano do ensino médio, procurou-me para um trabalho com orientação profissional. Nesse momento, vamos chamá-lo de Paulo. Ele trabalhava na empresa dos pais, que cederam uma parte desta para o tio paterno, constituindo uma sociedade. Trabalhava no mesmo setor que um primo que, segundo Paulo, era muito valorizado por sua família, recebendo uma série de apoios e regalias financeiras. O trabalho de orientação profissional se compôs de oito entrevistas, nas quais foram utilizados alguns recursos facilitadores do autoconhecimento e organizadores da pesquisa sobre as profissões disponíveis no Brasil. Recursos projetivos foram priorizados, tais como a escolha de imagens ocupacionais, o desenho de uma pessoa trabalhando ou a construção de uma história sobre ele.

Realizamos, durante o processo de orientação profissional, um teste de interesse, no qual Paulo apresentou um perfil voltado para as Ciências Biológicas, confirmando ter enorme interesse pelo curso de Oceanografia. Apesar disso, optou por Administração, alegando que esse curso está mais próximo do seu trabalho na empresa da família. Conversamos muito sobre seu desejo de um dia substituir o pai, quando ambos estivessem mais velhos, sentindo-se responsável por dar continuidade à vida da empresa, já que seu pai tanto havia se esforçado para conquistá-la e fazê-la crescer. Além disso, tinha três irmãs menores de 18 anos. Assim, entendia que toda a responsabilidade sobre o negócio da família recairia sobre ele. Em outras atividades realizadas, também emergiu esse seu gosto pelo ambiente litorâneo e por criação de animais marinhos. Apesar disso, sente que não quer abandonar o projeto dos pais para ele, que se transforma, também, em seu próprio projeto, já que fica seduzido pelas facilidades que imagina que terá no futuro.

Paulo retornou quatro anos depois. Estava no último ano do curso de Administração, mas sofria de um dilema aparentemente novo, embora com uma estrutura análoga à questão ocupacional anterior. Estava namorando havia quase um ano e sua família não aceitava sua escolha. Retiraram-lhe o carro e bloquearam o recebimento da comissão de suas vendas, deixando-o, com isso, com um rendimento bastante diminuído. Sua mãe fazia comentários do tipo: "Ela não vai levar seu dinheiro!", "Ela separou nossa família". A namorada não frequentava sua casa, enquanto Paulo era muito bem acolhido na família dela. Paulo sentia como se tivesse de escolher entre a namorada e a própria família. Ele continuava com o mesmo problema: sua família queria escolher tudo para ele. Instalava-se a questão: quem tinha direito a escolhas?

Paulo avaliou a chance de trabalhar em outra empresa, chegando a enviar um ou dois currículos, pensando que, assim, poderia administrar o próprio dinheiro. Sair do grupo familiar profissional, porém, era vivido como uma ruptura grave, como se estivesse também saindo do grupo familiar, e isso era insustentável.

Por meio da reflexão sobre a condição de Paulo e de sua família, constata-se a importância que podem ter, para a boa evolução do atendimento do jovem, a observação e a investigação da estrutura do grupo-família que faz a gestão da empresa familiar. É necessário conhecer o nível de diferenciação que os integrantes da família alcançaram e o tipo de pressão exercida pelo grupo, em um esforço de manter seus membros aderidos a um projeto comum. Em famílias aglutinadas, simbióticas, todos os membros são parte de uma trama interconectada. Vive-se uma ambiguidade, pois se busca o crescimento, mas incentiva-se a dependência. Quem desgarra não é apoiado, ou pior, é punido. Vive-se um impasse entre autonomia e dependência, no qual a independência é experimentada como um caminho de solidão, de distanciamento do núcleo familiar. Sentimentos de culpa, traição ou rejeição são frequentes nesse processo.

Puga e Wagner (2011, p. 193) descreveram a "síndrome do príncipe herdeiro", da qual nosso protagonista Paulo foi porta-voz neste nosso diálogo. Trata-se da situação em que o príncipe herdeiro é direcionado/educado a acreditar que "o fato de simplesmente pertencer a determinada família o torna apto a realizar os mesmos feitos da geração anterior e levar em frente a empresa". Nessa direção, assim como nos contos de fadas, o príncipe é apresentado como "forte, destemido, nobre, vencedor, quase perfeito; o que não combina nada com as organizações empresariais, que necessitam de alguém para o enfrentamento das demandas cotidianas".

Paulo frustrava a necessidade de seus pais de proteger sua imagem idealizada, de quem garantiria a continuidade pela junção dos sistemas familiar e empresarial. Ao mesmo tempo que se percebia seduzido por essa imagem de si mesmo – o príncipe coroado que representava o potencial familiar –, paradoxalmente também lutava para não se tornar o prisioneiro dessa herança e permanecer enclausurado no plano de metas de sua família e, por vezes, buscava flexibilizar seus caminhos, mas ficava bastante conflitado.

A família de Paulo, consequentemente, desrespeitava diversas condições necessárias ao processo educativo na formação de um sucessor, que demanda tempo, planejamento e preparo. Segundo Puga e Wagner (2011), o processo educativo emergente do sucessor necessita de algumas condições contextuais para seu desenvolvimento, tais como existir a real intenção de realizar a sucessão (no caso de Paulo, havia uma ambivalência de sua parte para "pegar o bastão"); a família na condição de espaço potencial de aprendizagem (a família de Paulo revelou-se autoritária e rígida, obstaculizando seu processo de individuação); aceitação das diferenças (Paulo foi fortemente punido por seus pais ao desejar ou atuar de maneira diferente do estilo e da direção que eles esperavam); papel apropriado às condições de sucessor (Paulo dava conta das tarefas ligadas ao seu cargo na empresa, porém apresentava e avaliava outros interesses que conduziriam a novos direcionamentos, revelando, apesar disso, grande dificuldade de se desemaranhar do engessamento familiar).

Nos casos como o de Paulo, em que o herdeiro está conflitado com o fato de vir a ser sucessor, outras opções são possíveis que não a alta expectativa sobre o descendente direto. É provável que a família de Paulo, mesmo que não o tivesse como sucessor "não conflitado", encontrasse dificuldade ainda assim para libertá-lo desse rumo, abrindo caminho para ações criativas, possibilitando-lhe formular novas estratégias.

Muitas empresas prósperas, cujos donos apresentam histórias de luta, com coragem e garra, emaranham-se em temas e disputas familiares, ameaçando os projetos futuros. A profissionalização da empresa familiar, que inclui a contratação de pessoas qualificadas para os cargos de direção ocupados anteriormente por membros da família – que são deslocados para um conselho consultivo –, é um dos encaminhamentos em busca de solução. O grupo de sócio-fundadores passa a exercer o papel de conselheiros, sendo incluído em uma governança corporativa. Nesta, as sociedades são dirigidas e monitoradas pelos acionistas/cotistas, pelo conselho de administração, pela diretoria, pela auditoria independente e pelo conselho fiscal, tendo por objetivos aumentar o valor da sociedade e facilitar seu acesso ao capital.

Terapia individual ou familiar focal, como coadjuvante de um processo de orientação profissional, pode ser outra boa saída. Fica evidente a importância da escolha de uma estratégia clínica na abordagem dos temas-conflito nas organizações dirigidas por grupos familiares e no acompanhamento de processos de sucessão. É inegável que ser herdeiro tem vantagens, mas essa condição não pode ter o preço da perda da liberdade de ser e de realizar a própria escolha.

Um recurso complementar pode ser apresentar atividades a ser vivenciadas no processo terapêutico ou de orientação profissional (individual ou em grupo) como sugestões facilitadoras ao acesso, por parte do orientador e orientando, às representações da família sobre o momento de escolha profissional do jovem. Tais tarefas auxiliam também na obtenção de informações sobre as expectativas e visões da família sobre o jovem, com ou sem a participação da família nas sessões de orientação.

A seguir, apresento exemplos de atividades possíveis na orientação profissional, na terapia focal ou em psicoterapias que incluam atividades como possibilidade.

Entrevistar os pais sobre o porquê de seu nome, como ele foi escolhido e por quem. Possibilita o acesso a algumas impressões sobre a atitude dos pais em relação ao filho e à escolha profissional, uma vez que a justificativa revela as expectativas diante dele, até mesmo antes de seu nascimento. Uma mãe pode responder, por exemplo, que escolheu o nome Carolina porque quando tinha 15 anos identificou-se muito com o nome e gostaria de tê-lo recebido ela mesma; o pai pode argumentar que era o nome de uma personagem importante de uma minissérie de TV, a quem apreciou muito pela beleza, carisma e força, atributos que deseja encontrar em sua filha (Dias, 1995).

Solicitar que o estudante peça uma carta a seus pais dizendo como veem seu momento de escolha profissional. Os pais tendem a revelar o modo como percebem o momento de desenvolvimento do(a) filho(a) denunciando expectativas sobre ele(a) e como veem seu lugar na família. Em Dias (1995), você encontrará seis cartas analisadas.

Uma única sentença pode ser plena de significados. Por exemplo, uma mãe disse, na carta à filha: "Penso que você ainda é muito nova para tomar essa decisão, sinto que se as dúvidas continuarem você deve dar um tempo para deixar essa ansiedade se acalmar e talvez aflorar ideias novas". Ao sugerir que a filha se acalme e aguarde "ideias novas", pode estar informando a ela que não acha as atuais ideias muito boas, que as considera apenas fruto da ansiedade e do autodesconhecimento. O diálogo estabelecido com os pais do orientando pode ser rico, mesmo que por redação.

Frases para completar sugeridas por Rodolfo Bohoslavsky (2003). O autor oferece uma sugestão de frases incompletas, sendo algumas dirigidas ao tema da família. O orientador profissional pode tomá-las para si e adicionar outras que considere interessantes. Como o estudante precisa "inventar" a segunda parte da frase, sendo a primeira parte somente o estímulo, acaba por expor conteúdos pessoais. Por exemplo, com o início de sentença "Minha família...", podemos encontrar: "gostaria que eu estudasse mais", "espera que eu cuide da empresa de meu pai", entre outras.

Genoprofissiograma. Solicita-se ao orientando que construa o genograma de sua família, anotando a profissão relativa a cada parente (Lucchiari, 1997). Imaginemos, a título de exemplo, uma família na qual todos os membros do sexo masculino são dentistas, sendo que a profissão é muito valorizada no seio da família e a segurança de herdar uma clientela no consultório do pai seduza o estudante. Podemos ainda encontrar uma situação inversa: uma diferenciação tal que todos os membros da família têm opções profissionais diferentes e atuam sobre o estudante com a expectativa de que ele venha a inovar na sua escolha, ficando quase proibido interessar-se por alguma profissão já existente no universo da família. Muitas vezes, a confecção do genoprofissiograma viabilizará a exposição dos temas contidos no mundo simbólico da família e dos afetos aderidos a eles.

Histórias e uso do humor. Após a leitura de "tirinhas" de piadas, reflete-se sobre o que aqueles conteúdos dizem ou não a respeito do orientando. O material pode apontar diversos temas: atitude da família, vínculo com o estudo, escolha, ansiedade diante do vestibular etc. O orientando poderá também desenhar seu próprio *cartoon*, falando de algo sobre sua experiência em família. Você encontra tirinhas que poderá utilizar em Dias (2002).

***Role-playing* do papel dos pais.** Solicita-se ao orientando que construa uma cena em família, na qual poderá experimentar as diversas posições no sistema familiar: será ele mesmo, a mãe, o pai etc. Segundo Lucchiari (1993), essa técnica tem por objetivo oportunizar a tomada de consciência da expectativa do pai e da mãe a respeito da escolha profissional do filho e trabalhar a percepção do jovem sobre a escolha profissional de seus pais e sua influência sobre a própria escolha.

Brasão de família – construção de um a três símbolos. Solicita-se ao orientando que construa uma imagem em estilo de brasão sobre a família e explique a mensagem contida nela. Pode-se também trabalhar com o *continuum* passado-presente-futuro, solicitando uma imagem para cada um dos três momentos no ciclo de vida da família. Trata-se de uma antiga tradição do uso e porte de brasão, representando a dinastia da família ao longo dos séculos. A heráldica – arte de formar e descrever brasões de armas – iniciou-se por volta do século 12, apesar de sua origem ser remota. Os símbolos pessoais e familiares são muito antigos. A heráldica surge quando esses símbolos foram utilizados dentro de escudos de combate. O orientando poderá criar sua imagem, do modo como quiser. O foco deve estar na análise dos significados expressos no brasão. Imaginemos, a título de exemplo, a situação de um jovem que, no brasão da família, representou o grupo com um símbolo de coragem. Esse tema passou a ser pensado a partir dessa atividade e foi possível verificar que esse era o valor que alicerçava suas escolhas: desejava fazer carreira como investigador de polícia e, como esporte, iniciar o alpinismo. Foi possível pensar, no processo de orientação profissional, se o estudante preservaria esse valor da valentia e, com isso, se repetiria o estilo familiar ou se adquiriria liberdade para ousar pensar em novas alternativas (baseado em pôster que apresentei no X Simpósio Brasileiro de Orientação Vocacional & Ocupacional, promovido pela Associação Brasileira de Orientação Profissional, de 19 a 22 de julho de 2011). As atividades operam como facilitadoras da tomada de consciência dos fatores envolvidos na psicodinâmica da família e suas relações com a escolha profissional do jovem.

Considerações finais

Vimos que, quando um casal planeja ter um filho, o lugar deste preenche-se de fantasias e expectativas. Além do sobrenome, talvez até já se tenha para ele um projeto profissional na empresa da família, sobretudo se for um menino. Apesar de toda a revolução de valores em relação aos gêneros, penso que, ainda hoje, as pessoas parecem ser mais tolerantes com a opção profissional feminina. Na família em que o nível de diferenciação de seus membros é prejudicado, o novo elemento já chega com seu futuro formatado. É mais raro imaginar que o futuro herdeiro construirá um caminho próprio, não aspirando ser o dono da empresa existente ou que ele até queira ser o dono, mas que desenvolverá um negócio diferente e contratará outra pessoa competente para ficar na gestão da empresa da família, sendo ele próprio apenas supervisor desse trabalho. É possível imaginar que, em alguns contextos, ser continuador pode significar ser ninguém, já que se fica privado de desenvolver a própria identidade. Isso é verdadeiro se a imortalidade da empresa se sobrepõe a interesses particulares do herdeiro. Não se imagina que a empresa teve sua produção em certo período, durante um ciclo, mas que em outro momento pode ser substituída por outra empreitada diferente por parte de herdeiro(s).

Nesse sentido, por meio do processo de socialização, o indivíduo ocupa um lugar social no grupo primário e, mais tarde, em outros grupos dos quais participará (escola, igreja, clube, entre outros). Por meio da identificação com as figuras significativas, aprendemos modalidades de ação no mundo e também um modo particular de conceber a realidade e as profissões existentes nela. Nossos interesses desenvolvem-se durante todo o ciclo vital pessoal e do nosso grupo familiar, sendo que apreendemos e significamos as experiências por meio de lentes em nosso mundo subjetivo.

Referências

BOHOSLAVSKY, R. *Orientação vocacional – Estratégia clínica*. 11. ed. São Paulo: Martins Fontes, 2003.

DIAS, M. L. *O que é psicoterapia de família?* Coleção Primeiros Passos. São Paulo: Brasiliense, 1991, n. 240.

_____ "Família e escolha profissional". In: Vários autores/sem organizador. *A escolha profissional em questão*. São Paulo: Casa do Psicólogo, 1995.

_____ *Profissão: no rumo da vida*. São Paulo: Ática, 2002.

FREUD, S. *Totem e tabu – Obras completas*. v. 13. Rio de Janeiro: Imago, s/d, p. 188.

LAPLANCHE, J.; PONTALIS, J.-B. *Vocabulário de psicanálise*. 6. ed. São Paulo: Martins Fontes, s/d, p. 295.

LUCCHIARI, D. H. P. S. *Pensando e vivendo a orientação profissional*. São Paulo: Summus, 1993.

_____ "Uma abordagem genealógica a partir do genoprofissiograma e do teste dos três personagens". In: LEVENFUS, R. S. et al. *Psicodinâmica da escolha profissional*. Porto Alegre: Artmed, 1997, p. 135-60.

PAIVA, M. L. S. C. *A transmissão psíquica e a constituição do vínculo conjugal*. Tese de doutorado em Psicologia. Departamento de Psicologia Clínica do Instituto de Psicologia da Universidade de São Paulo (USP), São Paulo, 2009, p. 39.

PUGA, J. L. G. L. S.; WAGNER, A. "O processo educativo e a empresa familiar". In: WAGNER, A. et al. *Desafios psicossociais da família contemporânea – Pesquisas e reflexões*. Porto Alegre: Artmed, 2011.

13 FAMÍLIAS MONOPARENTAIS: PONTO DE VISTA PSICANALÍTICO

Lisette Weissmann

> "Eu hoje só tremo menos que na infância porque o sentimento de culpa exclusivo da criança foi em parte substituído pela compreensão do nosso comum desamparo."
>
> (Kafka, 1997, p. 21)

As famílias monoparentais estudadas neste capítulo[1] são formadas por mães e filhos de diferentes pais biológicos, doadores da genética dos filhos. Nos casos pesquisados, o pai biológico não está presente na vida dos filhos. O fato de eles terem nascido parece ter sido uma decisão apenas materna. O pai somente traz a genética: não partilha o nascimento nem acompanha a criação do filho. Entretanto, a nomeação de doador de espermatozoides como pai biológico mereceria ser questionada. Por que, então, temos de seguir na busca do pai? Isso não responderia mais a uma procura do pesquisador e não a um fato observável, nos casos apresentados?

Pesquisando teoricamente para dar conta das famílias monoparentais, pensamos na teoria da falta, ou seja, se o pai biológico não está, é porque falta. Valeria a pena levantar uma questão sobre o pai biológico. A biologia consiste em um aporte genético, é sabido, porém seria ele pai? Vale lembrar a separação que se fazia na Idade Média entre *genitor* e *pater*, sendo *pater* aquele que reconhecia o filho como próprio e o proclamava de sua propriedade, e *genitor* aquele que aportava o sêmen para engravidar a mãe. Isso foi se transformando, já que a ação do *genitor* hoje pode ser feita por um laboratório, em um tubo de ensaio. Nesse caso, de que figura tratamos quando falamos de pai biológico? Talvez de um traço que não pode ser deixado de fora, já que, para fazer um filho, precisa-se de dois, e o um que aparece na fantasia materna, nesses casos, sempre

---

[1] Este capítulo é parte da dissertação de mestrado realizada na PUC-SP, com famílias da Universidade Federal de São Paulo (Unesp) no Núcleo de Atenção aos Funcionários do Hospital (Nasf), com apoio do CNPQ. Todos os nomes utilizados aqui são fictícios.

vai ser desmentido por força da colocação da biologia ou do lugar do genitor necessário para a procriação.

Caberia perguntarmos o que teria causado esse ordenamento familiar; se é causa de uma decisão materna, para ter uma produção independente; se é causa de adoção; se é causa de viuvez; se o pai decide não participar da criação do filho, desligando-se também da mulher com a qual o concebeu; ou se é deixado de fora pela mãe ou pelo meio social que não lhe outorga as possibilidades de se colocar na cadeia produtiva para ser o provedor na família. O que permanece como constante é uma conformação familiar na qual o lugar do casal parental está ocupado pela presença de uma pessoa só; o lugar da mãe está preenchido, ficando vago o lugar do pai.

Enfim, diante de todas essas possibilidades de família monoparental, a pergunta que persiste é: em que lugares se colocam todos e cada um dos integrantes que formam essa estrutura familiar? Em função do lugar que cada um ocupa, como se exercem as funções familiares entre eles, já que a função não implica a ocupação de determinados lugares?

Como se desenvolvem e se organizam os vínculos nas famílias monoparentais?

Características das famílias monoparentais na consulta clínica familiar

Na prática clínica com famílias, usamos um indicador que ajuda a perceber a situação familiar em que cada família está imersa: clima emocional familiar. Na sessão, o analista partilha o clima emocional, sentindo-se incluído na situação familiar. Pode, a partir de seu lugar de analista, perceber que sentimentos e afetos perpassam aquela determinada configuração familiar. Usamos o clima emocional familiar como indicador de um dos índices da transferência-contratransferência-interferência[2] familiar psicanalítica.

Como analista inserida na situação vincular familiar de famílias monoparentais, passo agora a enumerar características comuns que tais famílias apresentam na consulta clínica.

A queixa principal está ligada à desaprovação das mães diante das condutas dos filhos adolescentes homens, que acabam em grandes brigas. Há fortes acusações das mães contra os filhos, com a consequente impossibilidade de comunicação entre eles. No evoluir das sessões, as falas maternas vão se tornando mais e mais agressivas.

---

2   Interferência: termo criado e descrito por Isidoro Berenstein (2001) para dar conta do lugar ativo e de participação na dinâmica familiar que exerce o psicanalista de famílias. Refere-se à situação atual da consulta, com as presenças que a ocupam e seu sempre existente obstáculo diante das presenças dos outros. Situação de interferência que trabalha ao lado do conceito de transferência e contratransferência, descrito pela psicanálise.

Parece que os filhos estão sendo expulsos por não concordarem com elas. A seguir, alguns exemplos:
- Celina pede à assistente social do serviço de Nasf para colocar seus filhos homens na Febem (atualmente, Fundação Casa); além disso, ameaça deixar a porta de casa trancada depois de certo horário, para que eles durmam na rua.
- Do mesmo modo, Angélica acusa seu filho de ser um ladrão, autorizando os policiais a fazer o que acharem necessário com ele.
- Rosa pune seu filho mandando-o viver com o tio e, quando adolescente, deixa que esse tio o expulse, mandando-o de volta para sua casa, onde ela mora com a família de origem. Uma vez lá, exige que o filho cuide dos irmãos mais novos, para que possa sair sem ter de se responsabilizar por eles.
- Ana não consegue falar com o filho mais velho, que a acusa agressivamente das perdas vividas, situação com a qual ela não sabe lidar.

O clima de cada sessão familiar vai se tornando sumamente agressivo, a ponto de eu sentir que deveria me colocar como um escudo de proteção para os filhos homens diante da violência materna. Por outro lado, teria de conter essas mães descontroladas diante das situações em que não podem exercer sua função materna, bem como acompanhar os irmãos mais novos, que presenciavam esses momentos sem suporte nenhum. Os filhos adolescentes ficam desamparados com a agressividade materna sem limites, e essas mães desamparam pelo próprio desamparo na função parental. Os filhos adolescentes também se tornam agressivos, tomando atitudes que dão conta de seu desborde pulsional. A família apresenta-se sem bordas, desbordada e desbordante, como um espaço onde a pulsão não tem contenção. Nem as presenças delineiam bordas asseguradoras que demarcam sujeitos diferentes, alheios um dos outros, outros entre si. Também o borde que separa a família do social está representado pela rua, que, nesses casos, tem uma forte representação desses conjuntos familiares.

Em se tratando de famílias monoparentais, isso marca uma diferença fundamental no momento em que esses filhos aprendem a se defender e a se cuidar. Não têm como referencial nenhuma outra figura de peso que os auxilie e apoie na vida; ficam com uma figura só, ao mesmo tempo de autoridade e resguardo.

Não podemos nos esquecer de que as famílias pesquisadas fazem parte de determinada cultura do século 21 e da realidade brasileira, de paulistas, residentes em suas próprias comunidades.

Vinheta clínica

Celina (mãe, 39 anos) acusa Gustavo (filho, 16 anos). Celina diz: "Ele não me chamou de senhora, ele me chamou de Celina! Ele tem de me chamar de senhora, ele tem de mostrar respeito, eu sou a sua mãe e sempre serei a sua mãe até eu morrer. Eu o coloquei de castigo por não me chamar de senhora, fiz que ele se ajoelhasse e pedisse perdão para mim". O psicanalista pergunta: "Gustavo, o que você acha sobre o que sua mãe está falando?" Gustavo responde: "Ela é minha mãe, se ela fala que tenho de chamá-la de senhora, deve ser correto, eu terei de aceitar, eu não tenho nenhuma outra pessoa para consultar. Ela é minha mãe, e se ela fala que é assim, deve de ser assim".

Diante do incidente em que sua mãe decide arbitrariamente se fazer chamar de senhora, Gustavo se sente constrangido a aceitar essa afirmação, sem condições de rebater a imposição dela. Ele parte do princípio de não ter a quem mais consultar e isso o deixa em uma posição de extremo desamparo, tanto familiar quanto social. Consequentemente, em seu registro interno de figuras introjetadas que o sustentam e apoiam, só aparece a figura materna. Gustavo sabe que, se for à procura da figura paterna no mundo externo, não vai encontrá-la, pois seu pai já o rejeitou e jamais quis fazer contato com ele, mas também dentro da estruturação familiar esse pai é rejeitado e colocado fora. Por um lado, Gustavo se vê exposto a uma figura materna que arbitrariamente, e conforme seus desejos pessoais, impõe condutas estabelecidas e decididas apenas por ela; por outro lado, se o filho se retira a fantasiar e tenta se refugiar em outra figura parental, ele sabe que defronta com uma figura que o rejeita e não o reconhece nem como filho, nem como pessoa. Gustavo se vê como que transparente perante o olhar do pai: ele não o enxerga e, deliberadamente, o rejeita e desconsidera. O rapaz leva os dois sobrenomes maternos, como se fosse filho dos pais da mãe. Vemos, nesse caso, como as gerações ficam misturadas, sem que uma geração dê sustento para a próxima.

Celina, em seu lugar materno, tem poderes plenipotenciais para impor seus desejos e não consegue enxergar nenhuma alteridade além da própria que a permita se distanciar de seus próprios desejos, pensar além. Ela não consegue tomar conta do outro como outro. Esse ato de tentar ser o outro, do sujeito-mãe, não é uma situação que seus filhos homens consigam. Na realidade, o fato de eles pretenderem se afastar do caminho materno e ter um pensamento alheio é o que faz a mãe trazer a família toda à consulta.

Parece que, nessa família, discordar da figura materna não é permitido; para Celina, fica muito difícil escutar seus filhos homens a partir de um espaço de diferença. Já no caso da filha, que é criança, ela consegue acompanhar o discurso.

Caberia nos perguntar: o que esses filhos adolescentes que se transformam em homens trazem à família que não é tolerado e que a mãe tenta deixar de fora? Como os traços de diferença rompem esquemas anteriores e a família não consegue se reposicionar e se restruturar agora como família com filhos adolescentes?

Poderíamos analisar essa vinheta clínica a partir de outro eixo. Pensa-se em um sistema de denominações que fazem parte da estrutura familiar inconsciente. É desse ponto de vista que uma mãe precisa de um pai a seu lado para fazer parte de determinada estrutura familiar. Contudo, quando Celina e Gustavo discutem sobre como o filho deve chamar a mãe, o que está em questão é se ela tem uma nomeação de mãe possível, na medida em que não tem um pai na estrutura que a faça mãe. Nomear Celina de senhora remonta à feminilidade da mãe, que é o que mais se encontra em jogo nessas famílias. O fato de Celina ter recebido o sêmen de um homem não é suficiente para fazê-la mãe ao lado de um pai, apesar de o fato ter força do ponto de vista biológico.

Assim, percebemos como as mães das famílias monoparentais carregam uma fantasia de roubo que as constitui em mães. Elas aparecem roubando o sêmen do pai para procriar e ter filhos. O pai não tem um lugar nem um estatuto de outro na estrutura familiar, aparecendo só como aquele que tem aquilo de que essas mulheres precisam para se constituir em mães biológicas.

O anteriormente explicitado funciona em nível inconsciente na dinâmica familiar, mas teríamos de pensar esse diálogo mãe e filho sem adicionar-lhe a falta do pai, pois o que temos à nossa frente é um vínculo mãe-filho, e o que se enxerga é o "entre" nessa relação. Ao adicionar a falta de pai, estaríamos modificando o vínculo mãe-filho que é percebido, fechando-nos desse modo na denominação de parentesco.

Em vista dos fatos mencionados, percebemos que essas famílias denunciam um tipo de funcionamento familiar peculiar. Cristina Rojas (1991, p. 160) assinala:

> Existe um fenômeno de violência, definida esta como imposição dos significados homogêneos, que se dá em todas as famílias, mas em especial nas famílias fortemente endogâmicas. Elas prescrevem significados fixos e invariáveis para todos, e o que transmitem é o discurso sagrado tanto quanto certo e inquestionável. A família, nesse caso, se visualiza a si mesma, como sujeito único, sujeito família que enuncia seus significados indiferenciados. Deste modo sustenta uma ficção: o desejo de cada um seria idêntico ao dos outros [...] o sujeito se constitui como "singular", mas nunca como "independente" dos outros.

Conforme observamos, talvez essa seja a fantasia de constituição dessas famílias. Como vimos, no momento familiar em que os filhos homens viram adolescentes, questionam as verdades ditas como inquestionáveis para o discurso familiar. Isso acarreta um rompimento com o funcionamento familiar anterior. Os filhos questionam desde o lugar filial, como adolescentes, mas o que provoca a ruptura é, sobretudo, sua colocação como homens. A adolescência dos filhos sempre traz um rompimento no discurso familiar, que precisa se modificar conforme eles vão conseguindo fazê-lo, pois os filhos crianças passam a ser filhos adolescentes e os pais de crianças passam a ser pais de adolescentes. No entanto, nas famílias monoparentais, o que traz outro questionamento é o fato de esses filhos se apresentarem como homens adolescentes, homens que marcam uma alteridade, uma diferença, outro lugar, já desde o gênero que portam. Assim, o corpo masculino sexuado dos filhos, que até a adolescência parecia não ser percebido como tal, começa a se fazer sentir na configuração familiar, espaço que, até esse momento, só continha um corpo adulto feminino, da mãe, e os corpos infantis dos filhos.

Outro apelo a um terceiro, que faça barreira ao desborde pulsional, é feito pela mãe no momento em que consulta o serviço hospitalar, na consulta psicanalítica. Essa consulta acarreta perguntas, questões e denúncias do funcionamento familiar, que já não comportam as necessidades da vida em família. No momento em que a mãe pede ajuda, dá conta da queda de sua onipotência e de seus limites, deixando entrar outro diferente na rede familiar.

Quando o corpo deixa traços inquietantes

Celina, a mãe, diz na sessão: "Gustavo cheira mal, ele fede, os dois, Heitor e Gustavo. Eu faço Gustavo deixar os tênis fora de casa, ele teria de colocá-los em água sanitária, eles fedem, têm cheiro de chulé e eu não aceito isso. Assim que ele entrar em casa, já foi! Já fede. Se ele me deixasse colaborar no banho dele, ele não cheiraria igual. Quando eles eram pequenos, eu escovava os pés deles bem forte e eles não tinham cheiro de chulé".

Quando Celina pede a Gustavo para deixar os tênis fora da casa, ela está se opondo ao que ele introduz na casa por meio dos sapatos – a rua. A rua aparece como ameaçadora, já que é outro espaço que porta códigos diferentes dos familiares. Pode ser o alheio para essa estrutura familiar, aparece como terceiro, pois traz outra organização, diversa daquela da estrutura familiar. A mãe deseja bloquear a possibilidade de que se estabeleça vínculo com qualquer espaço diferente-outro-*ajeno*.[3]

Por outro lado, ouvimos, nesse momento, uma mãe que não tolera o cheiro masculino que seus filhos começam a apresentar na casa familiar. Ela carrega a fantasia de

---

3 A palavra *ajeno* não tem tradução exata em português que o descreva totalmente; há alguns termos que ajudam – como: alteridade, alheio, outro –, mas não dão conta do conceito de outro propriamente dito, com uma alteridade radical que o assinala como diferente do eu e de mim.

poder entrar no corpo dos filhos e lavá-los, como quando eram crianças; assim, conseguiria anular a passagem do tempo e o fato de reconhecer que eles agora têm corpo masculino sexuado. Este irrompe na família e, com a presença deles, quebra a regra inconsciente que constitui essa estrutura familiar: a de barrar o corpo masculino como lugar de diferença e alteridade.

Como poderia haver permissão para que esse espaço familiar contivesse corpos de homens? Espaço familiar que não deixou lugar para nenhum outro homem dentro da família, que pudesse ter percorrido um caminho anterior ao deles como figuras que os precederam? Essa estrutura familiar nunca conteve nela nenhuma figura adulta masculina. Como conseguiriam esses filhos dispor desse lugar agora?

Berenstein (2001, p. 90-91) salienta:

> Ao nascer, o bebê não só tem de corresponder à imagem interna que a mãe traz, mas ele deve se constituir em alguém radicalmente alheio que resgata a mãe da captura de suas imagens internas como pode ser a própria mãe primitiva, tarefa que deve ser iniciada na constituição do casal. Quando esse alheio é rejeitado, a criança será amada se responde ao mundo interno da mãe, e será odiada se não o faz.

Na configuração familiar aqui apresentada, a constituição do casal não se fundou, pois a família se construiu a partir de uma mãe que não constitui um vínculo com outro, pai alheio a ela no casal. O filho, na realidade, foi fruto de um relacionamento sexual ocasional entre esse homem – pai biológico – e essa mulher – mãe biológica; mas também o filho se formou ocupando um lugar de fragilidade e submissão no discurso familiar.

Esse tipo de vínculo, em que a mãe não enxerga o outro como outro, se repete no vínculo com os filhos. Além de tudo, os filhos parecem resistir e continuam dando a ela respostas diferentes das que ela pretende escutar; isso a faz perceber que eles não concordam com ela. A partir dessa discrepância familiar, eles consultam uma psicanalista e se permitem denunciar um funcionamento que não mais os satisfaz.

No momento de formação do casal parental, constitui-se um espaço de quase não estabelecimento de um vínculo, pois se trata de um relacionamento passageiro e transitório, que não continua no tempo se enriquecendo e complexificando; pelo contrário, vai se esvaziando de sentidos e de simbolismo. Talvez eu esteja descrevendo um espaço que não chegou a se compor, a se definir, já que a decisão de conceber e assumir o filho foi exclusivamente da mãe, anulando e rompendo com o pai como também transmissor de cultura ao filho, além da herança genética.

Os filhos

Diante da afronta materna, os filhos se colocam em posições radicais, situação que afasta cada vez mais as posições materna e filial e impede o diálogo e a comunicação entre eles. No distanciamento, cabe refletir sobre o lugar a partir do qual os filhos vão procurar modelos identificatórios, espaço de aconchego para suas dificuldades e mudanças, rede de sustentação para seus processos adolescentes. Esse lugar parece ser a rua, espaço do qual a mãe não toma conta e que não consegue dominar nem manejar. A rua também surge como espaço periférico, como borda, fora dos limites outorgados pela família, no qual esses filhos vão à procura do que eles sentem que foi roubado ou tirado deles: a possibilidade de se constituir como homens a partir de uma figura masculina respeitada e aceita pelos outros.

Os filhos, nas famílias pesquisadas, aparecem como aqueles que denunciam situações familiares não aceitas por eles. Por meio de suas palavras e seus atos, pareceriam revoltar-se diante da tentativa materna de anular o lugar paterno, tanto como terceiro quanto como homem. Em suas falas, discordam do discurso materno ou se isolam e não se comunicam com a mãe, enquanto, no espaço social, realizam *acting outs*. Essas situações de desentendimento familiar produzem a crise familiar, que, muitas vezes, é a razão pela qual essas mães buscam a consulta.

O que pareceria quebrar o relacionamento familiar anterior seria a aparição dos corpos masculinos dos filhos adolescentes, que irrompem como algo novo no espaço familiar. Por sua vez, as mães reclamam dos fortes e maus cheiros que eles trazem, e das roupas e calçados que eles destroem e rasgam. Isso as leva a enxergar, no crescimento dos filhos, fundamentalmente a aparição dos caracteres masculinos, que os posicionam no lugar de homens. O aparecimento dos corpos masculinos dos filhos é aquilo que não poderia ser aceito na família, entretanto fazem aparecer justamente o que tenta ser anulado no discurso familiar: o lugar do homem. Esses fatos nos levariam a concluir que, na estrutura familiar inconsciente das famílias monoparentais, o espaço para o masculino figuraria barrado, já que é diferente do corpo adulto materno e dos corpos infantis dos outros filhos. Os filhos jovens denunciam um não lugar para eles, em uma tentativa de criar, no espaço familiar, esse lugar masculino que lhes pertence. As mães tentam anular o lugar do masculino, mas os corpos jovens masculinos dos filhos surgem, desmentindo tal anulação.

São os filhos jovens que introduzem nessas famílias aspectos novos, que incluem o externo; eles trazem para o espaço familiar a rua, o trabalho, a escola, deixando, assim, um acesso à terceiridade, ao alheio do outro, ao *ajeno*. Na tentativa materna de desqualificar o lugar masculino que os filhos introduzem, eles insistem.

Portando os corpos masculinos, os filhos aparecem como terceiros na estrutura familiar inconsciente, constituindo espaços novos, de novidade e alteridade.

A alteridade é dada a partir do espaço social, como um terceiro que opera entre a mãe e os filhos e possibilita, dessa maneira, desenvolver a subjetividade vincular, complexificando os vínculos e as subjetividades individuais. Vemos como o meio social, na medida em que seja considerado pela figura materna, poderia operar como terceiro interdito, habilitante para todos os membros da família. Esse seria um ponto importante para pensar como os filhos podem achar uma saída da família de origem para se inserir na cultura. Esse seria o sentido que daria circulação à estrutura familiar, já que o social entraria, outorgando uma significação que viria de fora, atravessaria a figura da mãe e seria transmitido aos filhos, habilitando-os para a saída.

Espaço de possibilidade

Toda essa descrição da dinâmica familiar desenha um diálogo, às vezes categorizado como dual, em que pareceria não entrar nenhum terceiro que interceda e bote ordem entre eles. Aqui fica explícito o pedido feito à psicanalista para que interceda com o enquadre em análise para habilitar esse lugar alheio que não existe para eles. Só no reconhecimento do lugar analítico como diferente da estrutura familiar já estaria se fazendo um trabalho para que interrogações possam ser abertas e novos sentidos e significados possam ser dados pela família em mudança e enriquecimento vincular.

Nas famílias monoparentais sem queixa e com um bom desenvolvimento nos vínculos, no relacionamento de mãe e filhos, a alteridade está colocada por meio de algum elemento que não necessariamente é o pai, como no modelo tradicional, em algum espaço que opere como obstáculo para os desejos sem limites maternos e filiais. Esse lugar de terceiro, de alteridade, ocupado pela rua, pelo trabalho, pelo social, pela análise etc., traz a possibilidade de um crescimento e constituição de subjetividade dentro dos vínculos e dos sujeitos que fazem parte dessas redes de convívio, que hoje chamamos de famílias monoparentais. Assim se constroem outros modelos alternativos identificatórios criativos no lar, diferentes do modelo da família tradicional, que consegue dar conta das novas redes de convívio familiar conformadas no século 21.

Referências

BERENSTEIN, I. *El sujeto y el outro – De la ausencia a la presencia*. Buenos Aires: Paidós, 2001.
KAFKA, F. *Carta ao pai*. São Paulo: Companhia das Letras, 1997.
ROJAS, M. C. "Fundamentos de la clínica familiar psicoanalítica". In: WEISSMANN, L. (org.). *Famílias monoparentais*. São Paulo: Casa do Psicólogo, 1991.

14 ADOLESCÊNCIA: RECONTRATO DA ADOÇÃO

Rosana Galina

> "Uma águia traz dentro de si o chamado do infinito. Seu coração sente os picos mais altos das montanhas. Por mais que seja submetida a condições de escravidão, ela nunca deixará de ouvir sua própria natureza de águia que a convoca para as alturas e para a liberdade."
>
> (Boff, 1999, p. 63)

Segundo o *Grande dicionário Larousse cultural* (1999, p. 21), adolescer é crescer, desenvolver-se, entrar na adolescência; e adolescência é o período intermediário entre a infância e a idade adulta, no curso do qual a ocorrência da maturidade genital altera o equilíbrio adquirido anteriormente. Já no *Dicionário etimológico da língua portuguesa* (1982, p. 16), adolescência é o período da vida humana entre a puberdade e a virilidade.

Com base na simplicidade dessas definições, fica difícil entender a complexidade do período em que a despedida da infância e o acenar para a maturidade deixam marcas diárias. Percebe-se apenas que é um período em *stand-by*, um momento "entre", em que as roupas de criança são inimagináveis e as de adulto são imensas para conter em seu interior tantas dúvidas e inseguranças. Esse é um período de grandes transformações, encontros, desencontros e autoafirmação. É um momento de busca de independência, que "anda de braços dados" (Schettini, 1999) com o delineamento da identidade pessoal. Um período em que, paradoxalmente, a identificação do adolescente com os pais propõe a demarcação da diferença, do confronto e da negação da autoridade, e no qual o processo de construção da identidade, nascido das identificações e distinções do gênero, apoia-se na percepção de que se é parecido "com o papai ou com a mamãe" e traz a promessa da continuidade da consanguinidade e dos traços herdados. "Quando o adolescente busca acentuar suas diferenças, ele está tentando ajustar o foco da visão de si mesmo como uma pessoa diferente das outras, alcançando, assim, sua identidade" (*ibidem*, p. 121).

Nessa complexidade, o(a) adotado(a) tem de encontrar força para um novo nascimento: o nascimento para a vida adulta. Comparo esse processo ao esforço que a borboleta realiza para sair de seu casulo; penso na solidão da maturação, no esforço para "sair da casca" direto para o mundo. Essa pode ser uma metáfora interessante para olhar o nascimento de quem será adotado. Durante a gestação, a presença da certeza ou da incerteza da mãe de entregar seu bebê para adoção é uma constante para ele. Dos conhecidos batimentos cardíacos do corpo daquela mulher que, durante nove meses, foi o seu casulo e o lócus do seu desenvolvimento restará apenas a memória. As sensações tão conhecidas pelo bebê durante essa unidade em gestação se interrompem na hora do nascimento. Gestam-se, a partir desse momento, novas questões importantes para ele, que nunca serão suficientemente respondidas, pois nenhuma "explicação" será suporte para a compreensão do processo de sua entrega para adoção e da separação de sua mãe.

A adolescência é um novo nascimento, um nascimento para a vida, em que "o útero" que acolhe o jovem é constituído pelas normas, pelos limites e pela ética aprendidos e apreendidos na infância. É a hora de nascer para a sociedade, sendo acolhido pela cultura, pelos padrões sociais e pela expectativa grupal; um nascimento para a maturação dos traços fisionômicos, da ética e das normas sociais vivenciadas durante a primeira fase da vida; momento de liberdade para o jovem e de intensa tentativa de controle por parte dos pais. A esses, cabem o monitoramento da vivência do jovem em sociedade e a expectativa da colheita realizada, a expectativa de que o resultado seja a organização de todos os delicados e significativos rastros de um cotidiano. Nessa fase, o encontro com o passado do jovem adolescente apoia-se em vivências intensas e compartilhadas no mundo. No jovem adotado, esse encontro é intensificado com o registro da fragilidade de seu nascimento.

> Para o filho adolescente adotivo, as dores e as angústias da sua primeira experiência de abandono, quando foi deixado pelos pais biológicos – independentemente dos motivos –, tendem a ressurgir agora, quando é impulsionado à busca da autonomia, pois ela pode ser *interpretada como sua iniciativa de abandonar os pais que o acolheram e amaram*. (Schettini, 1999, p. 119)

"Recontrato da minha adoção"

Com base nessa reflexão, podemos ampliar nosso olhar para a dificuldade que alguns adolescentes têm de crescer, focando na ampliação dessa dificuldade no jovem adotivo. Entra como primeira variável para refletir sobre essa questão o "recontrato da adoção". Uso essa expressão considerando que as bases da continuidade familiar se efetivam e se consolidam na vontade dos pais e do filho adotivo de estar juntos, nunca na obrigação dos pais de "tomar conta de você".

> O adotado não precisa mais da sobrevivência primária e o adotante não tem mais a obrigação legal de cumpri-la [...] É um movimento espontâneo regido por leis de afeto e pela ligação desenvolvida ao longo dos anos em que viveram juntos. Estão unidos por laços e leis invisíveis e singulares. (Galina, 2005, p. 96)

O jovem já não é mais a criança desprotegida e carente que foi conduzida para a adoção. Hoje é alguém que "perdeu a graça" e adicionou problemas! Como ficar tranquilo diante do recontrato da adoção, uma vez que a maioridade se aproxima e a obrigação judicial de guarda não mais se configurará? Esse é um recontrato cuja cláusula única é o laço afetivo. Será que esses laços serão suficientes? É como se o adolescente se perguntasse: "Será que o tempo não desmotivou os meus adotantes?"; "Será que o meu crescimento trará um nascimento para a maturidade, contextualizada no abandono, vivência conhecida que foi a minha primeira experiência relacional?" É comum, nesse questionamento íntimo e solitário, a paralisação para crescer ou seu oposto, crescer precisando romper a partir do afastamento agressivo e distante para que o abandono seja do adolescente e não dos pais. "Desta vez, quem abandonou fui eu!", ele protesta. A paralisação se configura no universo social e cultural do adolescente em comportamentos de confronto, que se chocam com o costumeiro e habitual e que seriam, no fundo, um pedido de atenção maior ao sofrimento vivido; que se apresentam, por exemplo, como uma dificuldade de concluir uma fase escolar, de assumir responsabilidades ou de assumir a organização de seu espaço íntimo – o "quarto, seu material escolar, suas roupas!"

Reforço que esse é um comportamento comum a todos os adolescentes. O que o adolescente adotivo vive de modo mais acentuado é o sofrimento de alma e a busca de referência para ultrapassá-lo.

Analisando minha clínica, procuro parcerias para refletir sobre essa questão em uma família com dois filhos adotados, Paulo e Sara[1], de famílias biológicas diferentes. A família é composta por pai e mãe idosos que não contaram aos filhos sobre a adoção; foi-me encaminhada por problemas de agressão e indisciplina escolar de Paulo, enquanto sua irmã Sara sempre foi tida como perfeita. Nessa ocasião, Paulo tinha 16 anos e Sara, 18. Sara é "excelente" filha, é estudiosa, organizada e educada. Por outro lado, fala como uma criança, vem às sessões vestida com acessórios da Minnie, não manifesta sua opinião e não se

---

1 Todos os nomes utilizados neste capítulo são fictícios.

compromete com nada que possa desagradar aos pais, apesar de cursar o terceiro ano do ensino médio e ter idade para defender suas posições sem a necessidade de permanecer no lugar de "boazinha". Paulo, no polo oposto, é "tudo de ruim". Agressivo, debochado, muito inteligente, mas mau aluno, mentiroso, usuário de drogas, preenchendo o espaço do "mau elemento" com toda a qualidade da demarcação de ambos.

A presença da dualidade de comportamentos os leva a, recursivamente, ampliar a diferença entre eles e demarcar suas identidades. Para Paulo, o recontrato da adoção não se efetivará: em sessão, ele afirmou acreditar que os pais não viam a hora de se livrar dele. Disse que tudo que fazia caía sempre no mesmo lugar: o de vagabundo, sem-vergonha e delinquente. "É só um tempo de espera", garantiu ele.

A expectativa pode não se efetivar, mas a menção da separação acontece sempre em ambos os lados. O adolescente adotivo, assim como o não adotado, segue seu caminho em busca de acolhimento e identificação.

"Com quem me pareço?"

A adolescência se esforça para configurar, na busca de uma referência física, o reconhecimento da presença do que é igual, para poder estabelecer uma diferença, trazendo o amanhã na presença do hoje, com o alicerce do que conhece de seu ontem.

> Winnicott afirma que a entrada na adolescência é um período conturbado para o jovem adotado, pois começam as interrogações sobre sua genética e a possibilidade de que, hereditariamente, possa ser surpreendido por reações desconhecidas ou manifestações não esperadas. (Galina, 2005, p. 87)

Ocorre ainda que, independentemente da afirmação constante do dito popular de que a "convivência faz que haja semelhanças",

> a questão das diferenças e similitudes, em relação à família adotiva, traz mais fortemente a possibilidade da presença de traços da família biológica. Nesse momento de transição, da puberdade e da adolescência, o que permitirá ao adotado, coerentemente, despedir-se da infância e florescer na adolescência? Ter traços fisionômicos do pai ou da mãe? (*Ibidem*, p. 88)

Winnicott sustenta ainda que, por mais que uma adoção tenha sido bem-sucedida, os pais nunca poderão se regozijar das semelhanças genéticas. "Para o desenvolvimento do *self*, acredito, essa é uma questão que frequentemente deve ser contida, manuseada e apoiada pela família e pelo adolescente" (Galina, 2005, p. 88).

Prosseguindo com o foco nessa questão e buscando apoiar-me na minha clínica para refletir, olho para uma família composta por um casal e dois filhos adotados de diferentes origens familiares, Pedro e José, que tinham conhecimento de sua situação de adotados. A família procurou-me com queixas de agressividade do filho mais velho e de distração e dificuldades escolares do mais novo. O mais velho, Pedro, sempre afirmou que a família era uma confusão. "Ninguém se parece com ninguém!", ele reclama – frase que compreende diversas críticas aos pais adotivos e também as dúvidas e angústias que sente, sem entender o motivo.

Ampliando o olhar para minha clínica, encontro-me novamente com Paulo e Sara, já citados, que não sabiam da adoção. Ele toma conhecimento de sua adoção em um momento de grande agressividade familiar, após uma tentativa de agressão ao pai adotivo, seguida de contenção policial. Nesse momento de intensa dor física e emocional, quatro questões foram trazidas pelo jovem: "Não sou frouxo como você [dirigindo-se ao pai]!"; "Agora sei o porquê!"; "Nunca achei que eu me parecesse com alguém dessa família!"; e "Vocês são velhos demais para serem meus pais. Bem que eu desconfiava!" Esse jovem vivencia, ao mesmo tempo, o luto pela dor do conhecimento explícito da adoção e a carência ambiental para poder viver esse luto. Segundo Winnicott (1999, p. 150), "o ambiente deve permanecer sustentador durante certo tempo, enquanto a elaboração ocorre, e o indivíduo deve estar livre da espécie de tristeza impossível". A angústia do nada é o acolhimento de Paulo. No caso de Sara, até hoje os pais não lhe contaram sua história de origem.

Olhando novamente para a clínica, encontro-me com uma família com duas meninas gêmeas adotadas, Maria Clara e Maria Neve, que trazem essa questão mais entendida e refletida. Elas dizem que não se parecem fisicamente com ninguém da família, mas que as reações de uma e outra são facilmente identificadas com um jeito do pai ou um jeito da mãe. "Nós nos parecemos uma com a outra", e isso é tudo!

"Conhecimento da minha origem"

Outra variável que merece atenção no adolescer do adotado é o direito ao conhecimento de quem são seus pais biológicos e do processo da sua adoção. O direito a que esse saber esteja pautado na verdade, e não em uma "história" protetora para o jovem e/ou para a família adotiva. Primeiro, porque a mentira traz sempre uma inconsistência que dificulta a coerência do conhecimento. Segundo, porque é difícil estabelecer confiança na desconfiança. Apoio-me em Marina, adolescente de 17 anos que me foi encaminhada por uma psicopedagoga por apresentar comportamentos agressivos e antissociais. Para contextualizar esse encaminhamento, penso ser importante uma compreensão maior do que é a conduta antissocial. Reportando-me a Winnicott, primeiramente, exponho que, segundo esse autor, a tendência antissocial não é o diagnóstico de um transtorno, não se podendo comparar com outros termos diagnósticos, como neurose e psicose. Qualquer pessoa, em qualquer idade, pode apresentar conduta antissocial. Ainda relendo Winnicott (1999, p. 139), ele afirma que existe uma relação direta entre a tendência antissocial e a privação infantil:

> Quando existe uma tendência antissocial, houve um verdadeiro desapossamento (não uma simples carência); quer dizer, houve perda de algo bom, que foi positivo na experiência da criança até certa data, e que foi retirado; a retirada estendeu-se por um período maior do que aquele em que a criança pôde manter viva a lembrança da experiência. A descrição abrangente da privação inclui o antes e o depois, o ponto exato do trauma e a persistência da condição traumática.

As raízes dessa tendência são a busca do objeto e a vivência da destruição de uma experiência de acolhimento. Para Marina, o não conhecimento de sua história primitiva e do contexto de sua adoção, incluindo saber se seus pais biológicos estavam vivos ou não, permitia a vivência de fantasias. Dizia Marina: "Não tenho nada que ver com essa escola, eu queria ir para uma escola pública. Lá é meu lugar...!" A jovem sempre se aproximou com afetividade dos serventes da escola, em uma atitude de proteção e liberdade "com os iguais" (sic), e, por mais de uma vez, os protegeu. Buscava seus iguais, o que era coerente com seu jeito reivindicador de ser. Fugia de casa e, em uma das saídas, foi para a rua e lá permaneceu por dias. Disse, em uma sessão após seu retorno, que olhava para as "pessoas de rua" e buscava semelhanças. Pensava: "Será que esse ou essa são meus irmãos? Devo ter outros irmãos, pois essa é a realidade de quem foi abandonado: não foi o primeiro e nem será o último! E mãe, qual será?!" (Galina, 2005, p. 89)

Cabe aqui uma análise da questão, na sua horizontalidade. Em minha experiência clínica, o desejo de entrar em contato com os pais biológicos acontece até os 12 anos de idade. Quando o jovem não se sente integrado à mãe adotiva e passa a notar uma distância entre ela e sua mãe biológica, tem a noção de que há uma realidade interna (desejada) e uma realidade externa que o frustra. Percebe que seus desejos não se concretizam apenas por serem desejados.

> A realidade interna lhe promove o desejo de ver sua mãe biológica, e a realidade externa mostra-lhe a impossibilidade de isso ocorrer. É uma quebra da vivência de sua onipotência. A percepção da não integração à mãe é um movimento de maturidade da criança que distingue que ela e a mãe são seres separados. Este é um conceito desenvolvido por Winnicott, em que mostra o desenvolvimento da criança da fase de total dependência e indiferenciação para a de percepção de que ele e a mãe são figuras distintas. O jovem se percebe personalizado. (Galina, 2005, p. 81)

Após essa fase, o desejo de conhecer os pais biológicos fica em latência ou é negociado de si para si, ou ainda cai no esquecimento como uma forma protetora. Valendo-me de meus parceiros da clínica, relato a afirmativa de Pedro: "Pra que eu quero encontrar a mãe de sangue? O que ela pode me oferecer? Ela nem me conhece! E vai me dar alguma coisa que eu não tenho? É mesmo besteira da grossa!" Pedro nunca quis saber de sua mãe biológica, mas, em dias comemorativos, tinha disenteria e sempre ficava mais introspectivo do que seu irmão. José, ao contrário, sempre manifestou esse desejo, mas quando completou 11 anos não falou mais nada e diz ter "se desinteressado" [sic]. Marina queria entrar em contato com a mãe até os 12 anos. Como os pais adotivos disseram que a mãe havia morrido – afirmativa na qual Marina nunca acreditou –, ela dizia que queria construir uma escada até o céu. Sua mãe adotiva conta que, de uma hora para outra, ela parou de falar e nunca mais perguntou nem pediu nenhuma informação a respeito. Marina dizia que "eles mentiam e ela mentia dizendo que acreditava. Era um acordo de bem-viver".

"Do que você fala? Posso confiar?"

Essa afirmação de Marina me remete a outra variável muito delicada na formação parental do adolescente e, particularmente, do adotado. É a confiança. Ter a verdade como parceira sempre dá maior segurança ao jovem. Há famílias que têm como pautas o segredo e a dissimulação. Para exemplificar, recorro aos pais de Paulo, que iam à escola, sem ele saber, para falar com a coordenadora e remexiam em suas coisas em busca de drogas, na ausência dele. Posteriormente, quando ele já tinha se formado na faculdade, falavam com o chefe do local onde ele trabalhava para saber de seu desempenho e tinham parceria com o segurança do estacionamento para saber o horário de chegada do rapaz, que tinha nessa fase 23 anos.

Olhando novamente para Marina, foi profundamente desgastante para ela não receber o prêmio que o pai lhe prometera, quando, após ter passado por um processo bem-sucedido de trabalho terapêutico realizado em conjunto com a escola, ela foi aprovada no primeiro ano do ensino médio. Explico: o pai e ela haviam negociado uma viagem para o exterior, em que iriam apenas os dois, caso ela passasse de ano. Contudo, ele acabou voltando atrás, quebrando o acordo e a promessa, e lhe ofereceu uma viagem para o litoral, enquanto ele ia para o exterior com a nova família que havia constituído. Marina ficou enfurecida.

Valendo-me ainda da clínica, peço colaboração às gêmeas, Maria Clara e Maria Neve, que, por terem a tranquilidade e a coerência do conhecido, são cobradas pelos pais adotivos das promessas que elas fazem e não cumprem e nunca se lastimaram pelo não cumprimento do prometido por parte de seus pais. É um processo que permite um desenvolvimento individual maior. Focando os irmãos Paulo e Sara, que têm sua origem "trancada" como que em um documento selado, fica claro quanto é difícil o crescimento emocional de ambos. Para o rapaz, a quem foi explicitada essa situação, resta o gosto amargo da "vingança do pai". Para a jovem, resta o aprofundamento em genética, especialidade que ela buscou em sua formação acadêmica.

"Minha presença agressiva"

A agressividade, como vimos, é uma manifestação comum a todos os adolescentes, filhos biológicos ou não, que buscam, nessa fase, um novo espaço para o "vir a ser", apoiados nas similitudes e diferenças que percebem nos pais em um processo de construção da identidade. Essa percepção é também vivida pelos pais, pois eles também se regozijam das características que tornam o jovem uma promessa de continuidade deles mesmos. Entretanto, essa expectativa nunca poderá ser atendida pelo filho adotivo. As diferenças auxiliam na demarcação do espaço de convivência e no limite de cada um: quando essas diferenças são assumidas, mais facilmente se pode falar das similitudes que a convivência social é capaz de desenvolver.

Outra questão que traz por vezes uma distância entre filhos e pais adotivos é a interdição sexual que a base genética impõe juntamente com um rol de regras e ética familiares. Nesse caso, muitas vezes, um encantamento pelo pai ou pela mãe traz em paralelo a presença da distância para salvaguardar os laços originais, pai e mãe.

Como vemos, a agressividade é uma característica do adolescente que auxilia na demarcação dos limites que devem ser criados e desenvolvidos na relação com o adulto. No entanto, é uma presença que obriga a colocação de limites por parte dos pais, possibilitados e fortalecidos pelos laços de afeto, pela constância e pela coerência que se apresentam com a promessa de uma continuidade que acolhe. Assim, fica mais fácil o desenvolvimento de um "útero" mais alicerçante e fortalecedor que permite ao adotivo a rematrização do abandono.

Olhar para o amanhã

Penso que os filhos adotivos precisam fazer um esforço maior para passar pela adolescência, por ignorarem sua origem pessoal, que inclui a hereditariedade e a transmissão de fatores genéticos para os filhos. A atenção aos questionamentos e o respeito às solicitações do jovem devem encontrar, no adulto que está ao seu lado, a disposição para a privilegiada escuta que acolhe, busca entender, cria possibilidades conjuntas e define limites claros. Assim nasce o útero acolhedor que permite um nascimento assertivo e delicado, pois uma coisa é certa: em algum momento, a mãe biológica teve uma ligação com esse filho que a levou a colocá-lo em adoção. Caso contrário, não estaríamos falando dele, pois sua vida teria sido interrompida.

Viver o "espaço entre" pode ser interessante para se criar o novo e o escolhido.

Referências

BOFF, L. *A águia e a galinha: uma metáfora da condição humana*. 29. ed. Petrópolis: Vozes, 1999.
DICIONÁRIO ETIMOLÓGICO DA LÍNGUA PORTUGUESA. 3. ed. Rio de Janeiro: Lexikon, 1982.
GALINA, R. L. *Contornos individuais no sistema familiar*. São Paulo: Vetor, 2005.
GRANDE DICIONÁRIO LAROUSSE CULTURAL. São Paulo: Nova Cultural, 1999.
SCHETTINI, L. *Compreendendo o filho adotivo*. 3. ed. Recife: Bagaço, 1999.
WINNICOTT, D. W. *O ambiente e os processos de maturação: estudos sobre a teoria do desenvolvimento emocional*. Porto Alegre: Artmed, 1983.
_____. *Privação e delinquência*. 3. ed. São Paulo: Martins Fontes, 1999.

15 DESENVOLVIMENTO E CONFLITO NA FAMÍLIA COM FILHOS ADOLESCENTES: ABORDAGEM SIMBÓLICO-ARQUETÍPICA

Vanda Lucia Di Yorio Benedito

Introdução

O desenvolvimento e a prática da psicologia analítica de Jung foram fortemente centrados no trabalho da análise individual. No entanto, desde 1909, Jung (1983) foi pioneiro ao escrever sobre a importância do trabalho transgeracional. Naquela época, ele postulou que frequentemente uma família leva gerações para trabalhar certo destino arquetípico e que seria quase impossível estabelecer a tese de que os verdadeiros gestores da criança não são seus pais, mas muito mais seus avós e bisavós; enfim, toda a sua árvore genealógica. Como se constata, Jung foi precursor da ideia de que devemos compreender uma dinâmica familiar a partir de três gerações, pelo menos.

Seus conceitos e pressupostos centrais alicerçados na estrutura arquetípica da psique são quase exclusivamente usados no entendimento da dinâmica intrapsíquica. No entanto, essa estrutura arquetípica guarda, em sua essência, um potencial muito mais abrangente para se compreender os relacionamentos humanos nos seus mais diversos contextos e formas de expressão.

A experiência arquetípica é inconsciente e se expressa de muitas formas, levando-nos a compartilhar vivências organizadoras no plano pessoal e no reino da psique coletiva. Os arquétipos não são entidades isoladas, mas formam estruturas inter-relacionadas cujas imagens correspondem a processos de natureza tanto subjetivas como inter-relacionais. Essas imagens arquetípicas do eu e do outro, vivenciadas não só no relacionamento com o mundo interno, mas também no mundo de relações externas, formam uma rede sistêmica que nos mantém conectados ao todo psíquico e aos diferentes sistemas aos quais pertencemos.

A família é um desses possíveis sistemas nos quais diferentes imagens arquetípicas influenciam percepções e comportamentos, mediando encontros de diferentes pessoas, construídos por meio do jogo de diferentes papéis, nos quais se busca tornar-se um indivíduo conectado e, ao mesmo tempo, separado dentro de laços de grande complexidade afetiva.

Conceitos junguianos aplicados à dinâmica familiar

Carlfred Broderick e Sandra Schrader (1981) referem-se a Carl Jung como um dos precursores da terapia familiar. Consideraram os conceitos de sombra e *persona* e a ideia de que conflitos inconscientes dos pais interferem negativamente no desenvolvimento emocional dos filhos como pressupostos teóricos da psicologia analítica válidos para reflexão e prática na abordagem da terapia familiar.

Em uma definição resumida, o conceito de sombra refere-se a conteúdos psicológicos da personalidade que não estão disponíveis ao indivíduo em virtude de sua natureza inconsciente. São aspectos da personalidade considerados negativos, uma soma de qualidades desagradáveis que o indivíduo busca inconscientemente esconder. Sendo inconscientes, tais conteúdos são projetados e percebidos em outros, com os disfarces criados nas dinâmicas vinculares. Na sombra, podem estar contidos elementos ainda não desenvolvidos e que se expressam pela projeção como tentativas da psique de integrá-los à consciência. Negativos ou positivos, os conteúdos da sombra frequentemente perturbam os relacionamentos, uma vez que a personalidade como um todo não os reconhece e geralmente escolhe vias tortuosas como caminhos para vivenciá-los.

O segmento da psique que Jung (1981) chamou de *persona* refere-se a diferentes modos de o indivíduo se organizar para viver em sociedade, intermediando suas relações entre o eu e o mundo externo. Assim, diferentes situações levam os indivíduos a usar características diferentes da *persona*, sempre buscando alcançar alguma forma de adaptação tanto no mundo social como no familiar. Quanto mais rígidos são os modelos organizadores da *persona*, mais distante o indivíduo se torna de seu padrão pessoal e, portanto, de suas necessidades mais profundas.

Jung desenvolveu sua teoria no campo da psicologia clínica e se preocupou em contextualizar os problemas de desenvolvimento da personalidade como expressão de conflitos inerentes à alma humana, que se manifesta a cada novo indivíduo que nasce. Identificamos tais ocorrências no contexto familiar em uma manifestação da força dos arquétipos na psique e nas relações humanas. Sombra e *persona* são arquétipos e como tal se expressam em todas as experiências humanas.

Os arquétipos são estruturas inatas, uma matriz psíquica que forma imagens e ideias mitológicas, que refletem uma raiz comum compartilhada por toda a humanidade, fazendo parte, portanto, do inconsciente coletivo, e não do inconsciente pessoal.

Este se constitui de elementos que, de algum modo, já fizeram parte da consciência, enquanto o primeiro contém predisposições humanas para produzir imagens e ideias cuja intersecção com a experiência de vida produz consciência, a qual favorece um domínio crescente do indivíduo sobre a realidade vivida e sobre os afetos que a cercam.

Podemos entender o que são os arquétipos usando a própria definição de Jung (1981, p. 300):

> Sabemos que toda e qualquer experiência humana só é possível dada a presença de uma predisposição subjetiva. [...] Assim é que pais, mulher, filhos, nascimento e morte são, para ele, imagens virtuais, predisposições psíquicas. Tais categorias apriorísticas são de natureza coletiva: imagens de pai, mulher, filhos em geral, e não constituem predestinações individuais. Devemos pensar nestas imagens como isentas de um conteúdo, sendo, portanto, inconscientes. Elas adquirem conteúdo, influência e por fim tornam-se conscientes, ao encontrarem fatos empíricos que tocam a predisposição inconsciente infundindo-lhes vida. Num certo sentido, são sedimentos de todas as experiências em si mesmas.

Para fundamentar os conceitos de inconsciente coletivo e arquétipo, Jung buscou, em diferentes religiões, obras de arte, obras literárias e mitologias, expressões de conteúdos arcaicos da psique humana que pertenceriam ao substrato mais primitivo da nossa natureza, do qual todos nós compartilhamos. Escolhemos como ponto de partida a mitologia grega para explorar nosso tema da dinâmica familiar com adolescentes, do ponto de vista simbólico arquetípico.

O mito: leitura simbólica e dinâmica da família com adolescentes

Uma vivência clássica nas relações familiares é o conflito de gerações. Para abordá-lo, neste momento, a referência mitológica utilizada será o mito da grande família arquetípica do Olimpo em suas três gerações: Urano e Geia; Cronos e Reia; Zeus e Hera, com o suporte teórico de vários autores cujas interpretações simbólicas serão usadas neste trabalho como referências para o entendimento das diferentes dinâmicas familiares e o trabalho clínico com elas.

Resumidamente, Urano (o Céu) simboliza o grande pai, e Geia (a Terra), a grande mãe; deles se origina a primeira geração divina. Urano devolvia os filhos ao seio materno quando nasciam. Exaurida com tanto peso, Geia pede que seus filhos a libertem dessa situação. Seu filho mais novo, Cronos, é o único que aceita essa incumbência e, com uma foice, corta os testículos de Urano enquanto ele se deitava sobre Geia, para logo depois expulsá-lo do Céu e tomar seu lugar. Cronos casa-se com Reia e se torna um déspota. Por ter sido avisado de que seria destronado por um de seus filhos, Cronos passa a engolir cada filho que nasce, exceto o caçula, Zeus, pois, em seu lugar, foi-lhe dada, por sua esposa, Reia, uma pedra embrulhada. Cronos devorou a pedra sem perceber, e assim Zeus escapou de ser engolido pelo pai. Quando adulto, Zeus conseguiu que Cronos ingerisse uma poção mágica que o fez vomitar os filhos anteriormente engolidos, e, ajudado pelos irmãos, iniciou uma guerra com Cronos que durou dez anos e da qual saiu vitorioso.

No bojo desse mito está contida uma ideia relativamente moderna da terapia familiar, que são os problemas transgeracionais, e também o conceito de que um problema mal resolvido em uma geração aparecerá novamente na geração seguinte, muitas vezes em um novo formato, mas, em essência, é o mesmo problema.

Cada ser humano recria conflitos semelhantes, nos mesmos tipos de relação, a seu modo, a partir do seu padrão individual de ser, dependendo a resolução desses conflitos, em grande parte, do processo dinâmico familiar como fator facilitador ou perturbador do desenvolvimento dos seus componentes.

No mito, vemos a violência sendo usada nas duas gerações para a manutenção do poder patriarcal em detrimento do desenvolvimento dos filhos, e da relação afetiva destes com seus pais. Nesse contexto mitológico, a violência é uma expressão simbólica de diferentes dinâmicas: abandono e indiferença do pai/superproteção da mãe, castração dos filhos pelo pai/omissão materna.

O não desenvolvimento das individualidades e a falta de um lugar legítimo para os filhos dentro da família geram confrontos de natureza violenta, nos quais a castração, o rompimento e a expulsão acabam sendo o meio possível, ainda que torto, na busca de um caminho para a diferenciação dentro do contexto familiar. O sintoma pode ser entendido como uma expressão da busca da individuação.

O conceito de individuação é central na psicologia analítica de Jung. Não se trata de uma meta, mas de um processo que ocorre desde o nascimento, no qual a psique trabalha na direção de sua totalidade, ou seja, na realização contínua de seu potencial original. Ao contrário do que muitos pensam, a individuação não tem nada que ver com individualismo. Implica dialética dos opostos consciente/inconsciente; individual/coletivo: experiências que estruturam a personalidade do começo ao fim de nossa vida, buscando sempre o significado e a finalidade, e não a grande e definitiva solução dos problemas que enfrentamos. Nesse caminho, nos diferenciamos na condição de indivíduos, não de forma isolada, mas nas relações que construímos.

Ainda nesse mito, estão também presentes as seguintes ideias: o valor do conflito como fenômeno gerador de transformação, portanto necessário para o crescimento e a liberdade de existir; e que na resolução de um conflito é inevitável algum sacrifício das partes envolvidas. Isso porque o conflito é gerado pelo exagero – chamado na mitologia de *hybris* – que sempre é punido para que a justa medida, o *métron*, seja encontrada. Portanto, a *hybris* é um pecado que transforma.

Na dinâmica familiar Urano-Geia-filhos, o pai condena os filhos a participar do mundo da mãe muito além do necessário. Não se coloca como o terceiro diferenciador, aquele que faz a interdição contra o incesto para libertar o filho (ou filha) do abraço materno, este que chama para estados regressivos. Não areja a psique dos filhos com o espírito masculino, com sua ordem e sua lei. A separação entre esses dois mundos, masculino e feminino, é reforçada pelos filhos. Aumenta a distância entre o mundo da mãe e o mundo do pai. Mundos, valores, atitudes que não se conciliam na psique dos filhos e na dinâmica familiar.

A consequência dessa distância é manter os filhos em uma condição de paralisia, presos em um processo de idealização das figuras dos pais: o pai como uma figura poderosa e endeusada, inacessível, e a mãe como a deusa salvadora, porém devoradora. Essas idealizações são consideradas de caráter arquetípico, pois refletem projeções de dimensões não humanas, não realistas, mas que, ao mesmo tempo, dão um superpoder a essas figuras. Na dinâmica familiar, os filhos vão reagir a esse poder, lutando contra ou submetendo-se, virando grandes rebeldes, atualizando a imagem arquetípica do *puer aeternus* (eterna criança), ou aliados aos valores familiares, conservadores, resistentes a inovações, atualizando a imagem arquetípica do *senex* (o velho).

Stein (1978, p. 95) adverte para o perigo dessa condição familiar:

> Se as projeções arquetípicas não forem por fim retiradas dos pais, o indivíduo tenderá a cair seja no papel de filho ou no de progenitor arquetípico, em todos os relacionamentos que vier a estabelecer – razão pela qual ser-lhe-á extremamente difícil conhecer a experiência de uma relação individualizada e igualitária com quem quer que seja. Esta é uma das mais graves consequências do que os psicólogos denominam fixação materna e paterna.

Percebe-se como é séria e fundamental a luta pelo poder entre as gerações pais/filhos. O perigo está no fato de ela ser necessária e, ao mesmo tempo, poder trazer tantas consequências negativas, ou seja, o pecado da *hybris*, sem conseguir alcançar o *métron*, a justa medida. Isso leva gerações de famílias a perpetuar os mesmos conflitos e a repetir os padrões de relações que não facilitam o equilíbrio do sistema familiar, como o mito citado nos apontou.

A luta de Zeus com Cronos durou dez anos. Esse é um tempo simbólico. Indica que a luta é longa e penosa para a elaboração desse conflito. Simbolicamente, o filho deve vencer, ou seja, em algum momento vai superar o progenitor para que o desenvolvimento das personalidades envolvidas ocorra. Quando Zeus consolidou seu poder, reconciliou-se com o pai, tirando-o da prisão subterrânea, e o enviou para a Ilha dos Bem-Aventurados. Muitas vezes, esse processo é tão longo e difícil que sua resolução só vem com a maturidade, como mostra o mito.

Urano não representa o pai pessoal, concreto e real, mas um princípio que rege e é regido por forças de natureza arquetípica. Geia também não representa a mãe pessoal e real. Inclusive, hoje cada vez mais encontramos dinâmicas parentais de pais Geia e mães Urano, mães Cronos e pais Reia, como ilustraremos no caso clínico mais adiante.

A tensão entre essas polaridades *puer* e *senex*, cada vez maior, vivida em uma família, pede uma saída. E, como já foi dito, a resolução de um conflito só se dá com alguma dose de sacrifício das partes envolvidas, o que significa tarefa hercúlea: aos pais, cabe aceitar as projeções do filho quanto ao poder à onipotência, para que a luta do filho seja autêntica e se caracterize como um verdadeiro caminho em direção à sua individualização, um caminho legítimo para o nascimento do herói; estrutura psíquica de força egoica que leva o indivíduo para a vida. Ao mesmo tempo, os pais não podem se identificar e se apoderar desse poder e dessa onipotência como um atributo pessoal, o que levaria o filho a se sentir impotente e desencorajado para fazer a luta necessária, mas quase impossível. Ou então, ao fazê-lo, corre o risco de romper laços emocionais cuja perda pode causar prejuízos psicológicos graves, como mostra Stein (1978, p. 96):

> Certamente ela passará a se perguntar se o preço que paga por sua individualidade vale a pena, senão seria melhor permanecer no papel arquetípico de filho, mais seguro e agradável. E é claro que se os pais se recusam a evoluir para um nível mais humano e pessoal frente aos filhos será muito mais difícil para estes retirarem suas projeções. Em tais condições, só conseguirão removê-las cortando todos os laços emocionais com os pais – o que não é só doloroso, como implica a perda destrutiva de uma ligação essencial. Esta solução já tão comum do relacionamento arquetípico entre pais e filhos torna o indivíduo extremamente temeroso e relutante para estabelecer relações emocionais profundas no futuro.

Aos filhos, cabe fazer esta luta: castrar o pai, lutar para não ser engolido e ganhar gradualmente o seu lugar como condição psicológica. Isso equivale a ser capaz de pagar o preço para adquirir sua individualidade.

O que viria a ser isso? Que processo é esse? Exemplificamos com uma família em que o pai, homem de negócios, sempre ausente viajando, espera que sua esposa eduque os filhos nos seus moldes, mas sem sua presença, sem sua participação emocional. A mãe acaba por se sentir dona e soberana dos filhos, com seus cuidados sedutores e controladores. Esse é o seu poder.

Dentro dessa dinâmica arquetípica Urano/Geia, os meninos podem ter dificuldade de desabrochar sua masculinidade e de desenvolver independência e autonomia, adaptando-se exageradamente a valores sociais à custa de sua individualidade. A partir da adolescência, começam a temer a força sexual das mulheres e sua emocionalidade. Esse funcionamento psíquico foi discutido por Benedito (1993, p. 86) por meio dos resultados de avaliações psicológicas com crianças.

> Meninos que cedo já se mostram temerosos à autoridade, rigidamente apegados às normas instituídas, exagerado respeito ao dever, não podendo experimentar e dar vazão a suas fantasias, que viriam a construir um caminho mais individualizado.

Cavalcanti (1995, p. 62) descreve essa dinâmica familiar do ponto de vista simbólico arquetípico, traduzindo-a por meio das disfunções das estruturas do papel de pai e mãe.

> Urano, portanto, é a representação do pai no sentido arcaico, como fertilizador e agente da paternidade, mas que desconhece a sua função simbólica como operador da instituição do incesto, como depositário da lei. Desta forma, ele não pode se colocar como o terceiro entre Geia e seus filhos. Pelo contrário, Urano permitia o incesto, prendendo os filhos dentro do ventre de Geia. Incapaz de realizar a função paterna, o Deus celeste facilita a permanência da relação incestuosa de seus filhos com a mãe. A ação de Urano leva os filhos a permanecer cativos da relação incestuosa, presos no mundo da matéria e alienados do mundo simbólico, do mundo do espírito. A ausência da função paterna simbólica e de um pai que a encarne permite que o filho fique preso nos braços da mãe, na relação incestuosa.

Entretanto, essa mesma dinâmica familiar descrita pode engendrar um quadro contrário.

> Essa situação familiar pode favorecer um filho com uma personalidade avessa a regras, um opositor sistemático a limites, que no futuro pode impedi-lo de assumir responsabilidades necessárias à sua evolução. Será um *puer aeternus*. (Benedito, 1993, p. 86)

Com relação às filhas, nesse tipo de dinâmica familiar, simbolicamente representada no casal mitológico Urano e Geia, Benedito (idem) afirma:

> Romper o vínculo de total identidade com a mãe é necessário, não só para o desenvolvimento de sua individualidade, mas para que seus futuros relacionamentos não sejam marcados sempre por essa busca de total identidade com o outro. Essa busca pode se manifestar no desejo sexua-

lizado de intimidade com outras mulheres, pois a energia masculina não pode fecundar o encontro da filha com o pai, transmitindo-lhe afeto e valores pertinentes ao mundo dos homens, preparando-a para o relacionamento futuro com pares do outro sexo.

Este será o grande desafio das filhas nesta dinâmica Urano/Geia:

> Romper essa ligação profunda com a mãe, que tenta aprisioná-la na condição de filha, para poder se desenvolver como mulher. Porém, sem quebrar a raiz arquetípica que deve uni-las eternamente na dimensão do feminino. (Idem)

Essas dinâmicas familiares, marcadas pelo conflito de poder, tornam-se muito intensas na adolescência. Os conflitos exacerbam a dor psicológica de todos os membros que estão buscando saídas nem sempre bem-sucedidas. Ao contrário, por vezes a família adota comportamentos que reforçam ainda mais os conflitos. Envolvidos pela dor sem esperança, cheios de frustrações, não conseguem achar o ponto do "sacrifício". Esse ponto é o lugar daquilo que deve morrer para que haja transformação.

Vitale (1981, p. 38) discute essa questão mostrando que o conflito entre o velho e o novo reside no medo da morte. O *senex* teme que aquilo que ele vive de forma petrificada se dissolva, seja desmembrada em algo novo, mutável e sem forma. Ele diz:

> No perpétuo processo de transformação, toda forma completada deve decair, todo poder conquistado deve ser perdido, tudo que nasceu deve morrer. Assim, o domínio da dinâmica *senex* em uma família estanca e impede que esse processo de transformação aconteça.
>
> Já o *puer* almeja realizar grandes possibilidades que dentro dele ainda não têm forma e ter forma, ao mesmo tempo, assusta-o, pois significaria a petrificação, a morte. No entanto, quando a inevitável necessidade da vida obriga o *puer* a tomar uma forma, a luta com o *senex*, o pai negativo, começa.

Essa luta precisa ser autêntica e ter força suficiente para trazer a vivência da morte para que, dessa experiência, seja possível a transformação. No entanto, essa luta tem de trazer no seu bojo algo de esperança para que não seja abortada pela desistência ou pelo abuso do poder, quer seja dos pais ou dos filhos. "Então a própria morte pode ser transformada em uma morte de tudo que sou agora para me tornar tudo que quero ser" (Vitale, 1981, p. 39). Essa experiência será válida tanto para os filhos quanto para os pais, pois a vida é um eterno vir a ser.

Só que essa luta não se faz sem a participação complementar da figura materna. A forma como a figura materna for constelada nessa dinâmica familiar será determinante nesse sistema. O tipo de conluio estabelecido com ela determinará que luta será feita. A força masculina será apresentada ao filho como rejeitadora ou devoradora? Os filhos ficarão encolhidos ou engolidos? A força materna, o princípio feminino arquetípico, entrará na vida dos filhos como uma aliada do cônjuge ou como usurpadora sombria de poder do pai, usando o filho para seus intentos?

Esse é um mito de transformação. "O mitologema do pai devorador repousa sobre o princípio de revolução eterna, o filho substituindo o pai, o *puer* derrotando o *senex*, o novo destruindo o velho" (Stein, 1981, p. 91).

Os filhos mais velhos de Urano e Geia aceitaram a condição paralisante de ser rejeitados pelo pai e permanecer abraçados à mãe. Cronos, o filho mais novo, aceitou o desafio de romper com essa dinâmica e, em conluio com a mãe, destronou o pai.

Cronos pagou o preço dessa luta com o pai. Seus irmãos, não. Cronos é o emergente necessário dessa dinâmica familiar. Castrou o pai porque não viu outra saída para sua ação violenta. A situação pedia uma luta, que é necessária muitas vezes e deve ser genuína. As forças que se opõem nessa luta transgeracional devem encontrar uma saída que não seja a submissão ou o rompimento, pois ambas abrem profundas feridas no relacionamento familiar e na alma dessas pessoas. Uma terceira posição, fruto desse embate e da elaboração simbólica do conflito, deverá ser alcançada e futuramente estendida para outras relações importantes da vida.

Um problema não resolvido em uma geração é reeditado na geração seguinte. Cronos, à sua maneira, em outra dinâmica, repete o mesmo conflito: engole seus filhos, ou seja, impede que eles se desenvolvam, assim como seu pai havia feito com ele e seus irmãos. Novamente, é o filho caçula, Zeus, quem se incumbe da tarefa de mudar o padrão familiar repetitivo: a violência no conflito *senex-puer*. Simbolicamente, o filho mais novo é a representação do *puer*, aquele que contém a essência da renovação, e Cronos, como seu pai, torna-se o representante do arquétipo do *senex*, cuja essência é devorar indiscriminadamente. Como dinâmica arquetípica, esses padrões mitológicos se atualizam em cada família como um desafio fundamental para o crescimento e a individualidade de pais e filhos.

Podemos identificar essa dinâmica Cronos/Reia/filhos em muitas situações familiares: quando a criança se apresenta aos pais com seu mundo mágico, com suas fantasias, e estas são sistematicamente ignoradas ou desvalorizadas por eles; quando traços de autonomia são interpretados como rebeldia, argumentação como insolência e independência como traição. É Cronos, na figura dos pais, devorando seus filhos, pelo medo inconsciente de ser abandonado, perder as rédeas e ter de se submeter a outro poder: ao espírito inovador dos filhos.

Esse conflito deve ser entendido não só de maneira concreta, mas também na sua dimensão simbólica. Vitale (1981, p. 36) explica:

> *Puer* e *senex* são personificações dos dois extremos em que a libido, sob certas condições, se fragmenta. No velho, o processo estancou em um excesso de diferenciação egocêntrica que exauriu o potencial de transformação. Tornou-se petrificado, e, detendo o poder, tende a bloquear e petrificar o processo em torno de si. Nessa altura, Cronos é endurecido por sua sede de poder e por seu medo do que é novo. O jovem representa a necessidade de se tornar o novo homem, mas só pode consegui-lo na medida em que colide com a parede petrificada do *senex*. Os dois arquétipos são os polos de um único aspecto dinâmico.

Entendemos que pais e filhos estão fazendo a mesma luta, apenas de lugares diferentes, e que esta aponta para o ponto do sacrifício necessário ao processo de individuação de cada membro da família. "O sacrifício tem o poder de transformar tanto aquele que realiza o sacrifício quanto aquele que o recebe" (Cavalcanti, 1995, p. 72).

Observamos que esses pais sufocam todos os impulsos criativos dos filhos adolescentes, compartimentam e sufocam seus filhos pouco convencionais. Tiranizam–nos com ordem, pontualidade e hábitos rígidos, não aceitando antagonismos e diferenças para assim manter suas posições e seu poder, impedindo o futuro desenvolvimento em novas direções. E isso é tudo que um filho precisa e deve buscar.

> Contudo, nessa dinâmica, essa busca traz raiva e culpa. Ser quem se é, começar a ser, existir, ocupar espaço a partir de seu padrão pessoal podem ser percebidos como traição em uma família com essas características. Fazer a traição será o preço necessário para o desenvolvimento de todo o sistema. Como um deus promotor da forma, Cronos atua sobre o informe, o indiscriminado, buscando a forma plena e criativa. Esse arquétipo é um dos muitos constelados na construção do ego, da consciência e dos contornos individuais da personalidade. Para que possa adquirir a noção de identidade, que tem seu protótipo na identidade sexual, o indivíduo necessita definir aquilo que ele é e aquilo que ele não é e, assim, é quebrada a onipotência e criada a forma da identidade, o ego. O ego se torna o meio pelo qual o potencial do *self*, da totalidade, pode ser expresso no âmbito da realidade humana. A construção do ego é o caminho para o desenvolvimento da individualidade e da individuação, pois é por meio do ego que se torna possível a realização do *self* dentro da dimensão do humano. (Cavalcanti, 1995, p. 72)

Quando a tensão fica exacerbada, o conflito pede uma saída, sempre acompanhada de algum sacrifício. As premissas "eu sempre fui assim" e "você é sempre assim" devem dar lugar a uma compreensão relativa desses relacionamentos, situando-os em um plano que vai além do pessoal, que transcende essa dimensão. "Toda mudança psíquica é em si mesma geradora de conflitos" (Cavalcanti, 1995, p. 77).

Continuando na atualização desse mito, também encontramos pais e mães "Geia" que superprotegem seus filhos, querendo mantê-los eternamente em sua barriga, infantilizando-os e despotencializando-os na ânsia de propiciar-lhes prazer e de não frustrá-los diante de exigências que são estruturantes para o desenvolvimento de uma personalidade madura.

Também encontramos pais e mães "Urano", que abandonam filhos, terceirizando cuidados essenciais para a formação desse vínculo pai/mãe/filho, para que possam se dedicar a seus projetos profissionais, sociais etc.

Nos dias atuais, observamos a expressão simbólica desses conflitos de formas diferentes, uma vez que o modelo familiar convencional está cada vez mais raro em nossa sociedade. A família reconstituída por meio de vários casamentos, com filhos de diferentes parceiros, tem vindo para os consultórios com maior frequência. Quando os filhos chegam à adolescência, muitos pais já se separaram e a maioria já está em um segundo ou terceiro casamento, com filhos de outro relacionamento.

Independentemente da constituição familiar, adolescente é adolescente, com vivências próprias, arquetipicamente determinadas por essa fase de transição. Na adolescência, os jovens vivem uma confusão de papéis, uma espécie de "moratória" entre a infância e a idade adulta e um misto de atração e rejeição em relação às heranças materna e paterna, em um movimento de separação dos pais em direção à construção de um lugar próprio no mundo social. Trata-se de um período necessário de crise (normal), cuja tarefa central é, para teóricos do desenvolvimento, a construção de uma identidade própria.

Com relação aos pais, o adolescente caminha paradoxalmente em direção tanto à autonomia quanto à dependência, o que pode trazer conflitos no relacionamento com os genitores. Nesse período, é importante que os pais permaneçam sendo a fonte de apego seguro dos filhos, de modo que estes possam ir e vir de acordo com suas necessidades. Mesmo vivendo intensamente os conflitos geracionais, os jovens encaram o relacionamento com os pais como lugar de apego seguro e presente, como fonte consistente de carinho e atenção, apesar de estabelecerem outros relacionamentos, o que sugere a importância da presença dos pais nesse momento, fazendo o contraponto necessário para a vivência do conflito.

Justamente por essas características, a adolescência é uma fase de intenso sofrimento, de modo que, quanto mais os pais ou responsáveis puderem aceitar o crescimento dos filhos, estabelecendo uma nova relação com eles que não apenas de continuidade e semelhança, mas também de separação, maior a segurança deles para crescer. Para isso, é preciso que os pais tanto protejam quanto responsabilizem os filhos, estimulando-os nas suas potencialidades e no seu movimento de separação. Essas ideias nos confirmam a importância da vivência do conflito geracional pela polaridade pais/filhos para que a crise seja geradora de transformação e amadurecimento das duas gerações.

O conflito traz o embate, o interesse, a participação, chama para o exercício de uma relação que pode evoluir para uma relação democrática e de alteridade em um futuro próximo. Pai Urano não vive o conflito, e sim o abandono ou a negligência de aspectos importantes para a relação familiar.

Urano não é mais só aquele pai que sai cedo, fica o dia todo fora e volta à noite, não querendo ser incomodado pelos problemas domésticos que envolvem a esposa e os filhos. Urano continua indiferente aos sentimentos e às necessidades mais básicas do filho. Quando divorciado, quer vê-lo somente nos finais de semana alternados, cumprir burocraticamente o regime de visitas. Quer seja por egoísmo, quer seja por fragilidade e insuficiência, abandona os filhos nas suas incertezas, em um mundo cada vez mais carente de relações sólidas e permanentes, incapaz de proporcionar-lhes referências com as quais possa se identificar na constituição de sua identidade.

Um pai que, ao longo da educação dos filhos, não consegue receber a projeção como aquele que representa a autoridade e a segurança receberá desses filhos, quando adolescentes, agressão, frustração, ressentimento e desespero na forma de rebeldia ou apatia, sentimentos expressos em vários tipos de sintoma. Em um processo de separação conjugal, pode ser impedido de estar com os filhos por conta do controle e da manipulação da mãe/Geia. Alienado dos filhos, sofre difamação da sua imagem, vivendo o que hoje se conhece como alienação parental.

Cronos pode não ser mais aquele pai terrível que, com um olhar, paralisava os filhos, não aceitava nenhum tipo de desobediência e antagonismo, castigando-os de forma cruel para que eles nunca mais ousassem se contrapor. O pai Cronos da atualidade desenvolve altas expectativas em relação aos filhos, em uma relação em que espera ser gratificado narcisicamente com o sucesso deles. Pensa um filho como um investimento futuro, sem dar-lhe o alimento afetivo primário e referências mais individualizadas de sua pessoa sobre a qual ele deve se constituir. É uma relação baseada em alta expectativa sustentada por grandes exigências. O filho é o grande projeto familiar a ser consumado. A isso os pais têm dado o nome de amor e preocupação, mas o que geralmente esperam é ganhar poder e alimento narcísico para seu ego. Muitas vezes, esses filhos ficam sem saída. Têm de ser muito bem-sucedidos, mas com a mensagem ambivalente de que nunca sejam tão bons quanto seus pais. Vivem grande ansiedade pelo temor de não serem capazes de corresponder a tão altas demandas.

Outra forma de identificarmos o pai Cronos na atualidade são aqueles pais que, por achar que são mais competentes que as mães, que têm mais a oferecer aos filhos, tentam obter a guarda deles, buscando na justiça esse direito, à custa de muita briga e agressividade. Nessa briga, usam de todas as estratégias para fazer uma aliança com os filhos contra a figura materna. Nesse caso, o genitor alienado é a mãe.

Continuando nossa correlação do mito com diferentes dinâmicas familiares, podemos entender que, se nas duas primeiras gerações os conflitos eram tratados de forma violenta, na terceira aparece, na figura de Zeus, um tom mais flexível e conciliador, em que se vê mais integrada sua relação com o feminino. "Em contraste com Urano e Cronos, Zeus tem vários filhos que não devora. Geralmente gosta de seus filhos e empenha-se em cuidar deles. [...] Sob o signo de Zeus, a consciência é capaz de conter, de tolerar e deixar viver as coisas em um grau bem maior do que sob Cronos [...]" (Stein, 1981, p. 95). "Zeus representa a renovação dos valores da consciência de Cronos, que se tornou obsoleta pela repressão e supressão dos conteúdos criativos que foram engolidos" (Cavalcanti, 1995, p. 77).

Com sua esposa, Hera, instituíram na relação a participação igualitária do feminino. As grandes polaridades entre masculino e feminino buscam se integrar nessa dinâmica conjugal, na qual o poder se equilibra, tornando possível e simétrico o relacionamento homem e mulher, mas não de forma pacífica e harmoniosa.

> Toda conjunção entre polaridades opostas não se dá sem certa dificuldade e conflito na sua integração, justamente por serem princípios opostos, cada um com uma identidade bem definida. E, dentro de certa medida, o próprio conflito é gerador de um movimento criativo. Zeus e Hera tiveram filhos juntos, assim como geraram outros filhos separadamente. Esse fato mostra também outro significado: tanto Zeus quanto Hera preservaram a identidade, a autossuficiência e a autonomia criativa. Zeus e Hera representam o verdadeiro princípio do casamento: a união de individualidades em uma conjunção criativa, em que cada um preserva sua verdadeira identidade e essência. Nesse sentido, Zeus e Hera constituem a imagem arquetípica do esposo e da esposa, do verdadeiro casamento, no sentido simbólico. (Cavalcanti, 1995, p. 89)

Os filhos usufruem, de forma muito positiva, dessa experiência do casal de conjugar as diferenças; mesmo porque, geralmente, essa atitude se estende a eles e influencia a construção do subsistema fraterno. Na adolescência, quando o conflito dependência/autonomia recrudesce com maior força, pais e filhos podem encontrar saídas para esse embate com menos danos para o relacionamento pessoal e familiar.

O terapeuta deve ajudar a família a entender o conflito vivido como um drama coletivo, mas, ao mesmo tempo, precisa encontrar saídas próprias. A família como sistema deve manter-se em um processo de constante evolução, e a tensão existente entre as diversas polaridades, vivenciadas pelos seus diferentes membros, fornece a energia dinâmica para o desenvolvimento de cada um, dentro e fora desse grupo.

A terapia de família é um recurso facilitador na busca dessas saídas ao ajudar cada membro do grupo familiar a se conscientizar, vivenciar e suportar a angústia e toda a insegurança geradas pelos conflitos, para que deles nasça uma autêntica resolução. Uma resolução que não parta de um indivíduo, mas seja uma nova resposta de todo o sistema envolvido nesse processo. "A sabedoria, que é uma possibilidade criativa porque revela a riqueza interior, é também justiça, enquanto capacidade de unidade e harmonia entre forças e necessidades contrárias" (Vitale, 1981, p. 34).

Caso clínico

Julia[1], uma adolescente de 16 anos, veio com o pai, a mãe e a irmã para a terapia de família. Os pais têm por volta de 40 anos e a irmã tem 19 anos, já na faculdade.

Os pais não tinham queixa da irmã, mas se preocupavam muito com Julia, que estava um pouco deprimida, com histórico de dificuldades escolares, principalmente em matemática.

Observamos uma adolescente insegura, muito necessitada da aprovação dos demais, frágil e imatura. A mãe, uma mulher autoconfiante e bem-sucedida profissionalmente, assumia postura de maior exigência sobre as filhas. Exercia forte controle sobre todos na família. O pai, também uma pessoa com sucesso na carreira, não ostentava tanta autoconfiança. Era mais sensível às dificuldades da filha e mais tolerante com todos. Ressentia-se do controle da esposa e se defendia dela se afastando, assistindo de longe o embate das filhas com a mãe.

O pai, apesar de sensível às aflições da filha, também se via engolido pelas exigências da esposa e, para se proteger, se afastava, não ocupava o lugar que lhe era devido. Não trazia para a família, e principalmente para essa filha, o lado masculino de força e proteção tão necessário no vínculo pai/filha. Deixada à mercê dos valores e expectativas da mãe, sem o contraponto do pai, Julia foi ficando cada vez mais ansiosa por não identificar exatamente o que queriam dela. A ansiedade se transformou em certa apatia e falta de autonomia para se autoafirmar, não só na família como também entre os amigos.

Essa dinâmica da filha fazia emergir mais preocupação na mãe, o que a tornava mais controladora – ela temia que a filha se envolvesse com drogas para se sentir aceita pelo grupo, pois era "maria vai com as outras".

A dinâmica predominante nessa família foi identificada com Cronos/Reia/filhos. A mãe reproduzia Cronos, que, com sua exigência e controle, engolia a autonomia e

---

[1] Todos os nomes utilizados neste capítulo são fictícios.

criatividade da filha. O pai, reproduzindo Reia na relação de casal, não sabia como proteger a filha e se omitia diante de uma força que julgava maior que a sua.

Julia não conseguia ver uma saída que não fosse por meio de comportamentos regredidos: ficava apática, comia demais ou tinha momentos de explosão. Isso lhe causava muita culpa, porque procurava ter para si e para os outros uma imagem de ser mais evoluída, equilibrada e adequada.

Durante nossos atendimentos, com o uso de diálogos e técnicas psicodramáticas, Julia foi percebendo que não tinha um lugar dentro da família que lhe desse uma referência segura de seu valor. Para a mãe, no seu modo Cronos de funcionar, tudo que Julia fazia estava abaixo de suas expectativas. Como ela mesma, em sua trajetória de vida, superou obstáculos quase intransponíveis para realizar seus projetos; qualquer esforço da filha não era suficiente, sobretudo porque os resultados eram geralmente medianos ou insatisfatórios.

Identificamos algumas situações na família que paralisavam Julia e foram reencenadas no contexto terapêutico. Utilizamos como fio condutor as ideias contidas no mito exposto e nos pressupostos de Jung.

Julia percebeu que vivia a sombra familiar, identificando-se e desempenhando o papel do lixo da família. Em uma sessão, ela fez a seguinte imagem do funcionamento da família: a mãe, em uma posição superior, comandava com gestos toda a família; sua irmã andava em direção ao mundo; o pai, meio aéreo, olhava vagamente para todos; e ela, ao lado da lata de lixo.

Solicitei a todos que se posicionassem de acordo com a imagem de Julia e dessem voz e movimento para expressar suas relações com o lixo da família. A orientação foi a seguinte: "Joguem no lixo aquilo que vocês mais temem".

A mãe jogou seu medo de fracassos, a irmã jogou seu medo de ser dependente e o pai jogou seu medo de se entregar à sua carência afetiva, por isso distanciava-se. Julia jogou seu medo de novos desafios, de ter e usar sua liberdade.

Julia estava paralisada pela sombra familiar. Algumas dificuldades ao longo do seu desenvolvimento fizeram-na suscetível para receber a projeção dos medos da mãe, do pai e da irmã. Todos presos a uma *persona* em que o ideal e as aspirações de sucesso e autonomia enrijeciam cada um nas suas posições unilaterais e defensivas.

A transformação dessa família exigia que cada um desafiasse suas defesas, reconhecendo seus medos. Durante o processo, Julia aceitou esse desafio. Assumiu uma escolha profissional que não agradava à mãe, pois seria muito difícil ter autonomia financeira.

Ao desafiar o controle materno e seus valores de sucesso social e profissional, encontrou respostas dentro dela que adquiriram diversos significados positivos no processo da terapia familiar e passaram a gratificá-la.

Sua entrada na vida universitária com mais segurança e autoestima mais sólida ajudou-a a ir construindo vínculos sociais que refletiam sua importância no grupo. Nessa época, Julia passou a sentir necessidade de fazer terapia individual. A mãe estava mais segura com as decisões dessa filha. Os pais perceberam que se beneficiariam de uma terapia de casal para lidar com a complementaridade controle/distanciamento que havia empobrecido a relação amorosa. A irmã continuou seu caminho profissional e foi morar com o namorado, sentindo-se mais livre para viver suas escolhas.

Considerações finais

O caso exposto apresentou um conflito muito comum nas famílias com filhos adolescentes. O conflito entre gerações, o embate entre o velho e o novo traduz um movimento que é arquetípico em sua essência, determinado pela condição própria dos papéis de pais e filhos.

A sombra familiar é vivida nessa fase do ciclo vital de uma família na forma de luta pelo poder e medo que as expressões das diferenças individuais não possam ser expressas e reconhecidas. A *persona* familiar defensiva é mantida pelas altas expectativas e exigências em muitos contextos.

Os pais reatualizam seus conflitos inconscientes de autonomia e dependência vividos em suas famílias de origem na relação com seus filhos. A terapia familiar traz uma oportunidade para que seus componentes experimentem a força e a dor do conflito e suportem a tensão e a ameaça de "morte" que esse embate faz emergir, tanto no plano intrapsíquico como no relacional.

Dessa tensão, percebida e discriminada no processo terapêutico, cada membro é levado a se confrontar com aquilo que é sombriamente projetado nos familiares, sendo desafiado a sacrificar expectativas desenvolvidas muitas vezes como compensações afetivas: saídas tortas para dores emocionais.

Gibson (1996) constatou como é difícil e profundo o trabalho de terapia familiar. Na sua prática clínica, observou todo o poder dos ancestrais, os padrões arquetípicos com os quais toda família tem de lidar, como foi aqui exposto, além dos traumas inconscientes adquiridos na história do relacionamento familiar. Aponta os medos e a culpa do julgamento que poderão surgir durante a terapia, e também do desastre que pode decorrer de tal encontro.

Gibson adverte ainda que o terapeuta precisa proceder com grande precaução, mas sem perder a direção do trabalho. Com humor, sensibilidade e cuidado, deve dispersar o medo frequente que os membros familiares têm de que a revelação pessoal e verdadeira de sua dor possa aniquilar mais do que informar e "curar" o sistema familiar.

Concluímos que, apesar de reconhecer que esse momento é muito difícil para uma família, o conflito é necessário para o crescimento e a liberdade de existir de pais e filhos.

A terapia familiar pode ser considerada um rito de passagem para seus membros, qualquer que seja o papel ocupado dentro desse sistema. Os filhos adolescentes podem começar a relativizar o papel dos pais, o que lhes dará abertura para um mundo mais amplo, valendo-se cada vez mais dos próprios recursos. Assistimos nesse processo, por parte dos adolescentes, a um confronto intenso entre fantasia, imaginação e senso crescente de realidade que possibilitará, no futuro, uma autobiografia própria, formada por meio de uma narrativa construída em um contexto de coparticipação, dentro de vínculos afetivamente significativos.

Referências

BENEDITO, V D. Y. "Vínculos familiares – Estudo de dinâmicas familiares com base nas relações conjugais". *Junguiana*, n. 11, 1993, p. 82-93.

BRODERICK, C.; SCHRADER, S. "The history of professional marriage and family therapy". In: GURMAN, A.; KINISKERN, D. *Handbook of family therapy*, v. l. Nova York: Brunner-Mazel, 1981.

CAVALCANTI, R. *O mundo do pai – Mitos, simbologia e arquétipos.* São Paulo: Cultrix, 1995.

GIBSON, T. "Incest and imagination". In: *Psyche and family – Junguian applications to family therapy*. Illinois: Chiron, 1996.

JUNG, C. G. *Estudos sobre psicologia analítica. Obras completas*, v. 7. Petrópolis: Vozes, 1981.

_____. *O desenvolvimento da personalidade. Obras completas*, v. 17. Petrópolis: Vozes, 1983.

_____. *A prática da psicoterapia. Obras completas*, v. 16. Petrópolis: Vozes, 1988.

STEIN, M. "O pai devorador". In: VITALE, A. *et al.* (orgs.). *Pais e mães – Seis estudos sobre o funcionamento arquetípico da psicologia da família.* São Paulo: Símbolo, 1981.

STEIN, R. *Amor e incesto humano.* São Paulo: Símbolos, 1978.

VITALE, A. "O arquétipo de saturno ou a transformação do pai". In: VITALE, A. *et al.* (orgs.). *Pais e mães – Seis estudos sobre o funcionamento arquetípico da psicologia da família.* São Paulo: Símbolo, 1981.

16 FILHOS ADOLESCENTES E CONFLITOS CONJUGAIS

Maria Regina Castanho França

A adolescência é uma etapa do desenvolvimento humano muito bem estudada, delineada e descrita pela psicologia. Entre a infância perdida e a maturidade não atingida, o adolescente atravessa esse período da vida com grande turbulência e confusão, sendo também a etapa de maior desafio não apenas para o jovem, mas também para seus pais.

Os primeiros anos de vida são considerados fundamentais para o desenvolvimento psíquico de uma criança, e a qualidade desse vínculo inicial é determinante na formação da identidade do indivíduo. A adolescência, entretanto, retoma questões fundamentais ao desenvolvimento, pois o jovem, em busca de si mesmo, já não aceita mais passivamente o vínculo previamente estabelecido com a família e sai à procura de confirmações próprias sobre a vida e sobre quem ele é. Na busca da diferenciação, o adolescente muitas vezes se afasta da família, questionando regras, valores e atitudes dos pais; paradoxalmente, enquanto busca autonomia, ainda é um ser dependente tanto financeira quanto emocionalmente.

Para o jovem que transita do espaço interno, da família, para o espaço externo, do mundo social, esse é um tempo de novos interesses, novas necessidades e do desabrochar da sexualidade; um tempo vivido com ansiedade, medo e expectativas em relação ao desconhecido. A tarefa de adaptar-se a tantas mudanças pode ser bem difícil não só para o adolescente, mas também para os pais. Esse processo é ainda mais intenso quando os pais vivem paralelamente uma etapa de questionamentos sobre a própria vida e sobre a relação conjugal, o que acentuará determinados conflitos existentes no casal.

A passagem pelas diversas etapas do desenvolvimento no ciclo de vida familiar traz necessariamente diferentes desafios ao casal. Cada fase provoca o aparecimento de questões e conflitos peculiares àquele período do ciclo vital; o casal tem tarefas específicas a cumprir que podem facilitar a ultrapassagem das dificuldades do momento e a volta à vida cotidiana.

Nessa fase, o relacionamento entre pais e filhos necessita de menos hierarquia e mais flexibilidade, pois o jovem está em busca da própria identidade, procurando reconhecimento e valorização; isso pode se tornar muito complicado em uma família autoritária ou quando um dos pais reluta em perder seu papel central na vida do filho, percebendo a maior autonomia do jovem como uma ameaça à sua posição. Ao mesmo tempo, é comum pais abrirem mão de qualquer função educativa ou da colocação de limites claros e firmes, por medo de perder o amor do filho ou de serem tachados de "careta", o que claramente é um desserviço ao processo de amadurecimento do jovem. Enfim, como aponta Preto (1995, p. 223),

> esta metamorfose familiar envolve profundas mudanças nos padrões de relacionamento entre as gerações e, embora possa ser assinalada inicialmente pela maturidade física do adolescente, ela muitas vezes se complica, pois é paralela e coincide com as mudanças nos pais conforme eles entram na meia-idade, e com as transformações maiores enfrentadas pelos avós na velhice.

Favorecer um desenvolvimento mais tranquilo do filho adolescente em direção à autonomia necessária à vida adulta exige de pais e mães uma estrutura estável, porém flexível, tanto individualmente quanto do par conjugal. Atravessar essa etapa vivenciando a turbulência e administrando situações por vezes imprevisíveis tem sido um desafio para muitas famílias.

Acredito ser este o objetivo principal deste livro: descrever, detalhar, esmiuçar a dinâmica vivenciada pela família com filhos adolescentes e discutir modelos e possibilidades de tratamento. Neste capítulo, meu foco será o casal e a relação conjugal durante essa etapa de desenvolvimento.

Intensidade emocional

> Quando minha primeira filha tinha 14 anos, descobri um maço de cigarros em sua bolsa. Eu, que havia fumado durante 20 anos, tendo dado minhas primeiras baforadas no início da adolescência, deveria ter compreendido... Ao questioná-la sobre o fato, ela levantou o queixo com firmeza e afirmou peremptoriamente: "Eu sei muito bem o que estou fazendo!" Sua postura foi tão incisiva que me pegou de surpresa e eu me calei; não soube mais o que dizer naquele momento! Tive a sensação ali de que estava perdendo minha filhinha! Fiquei arrasada por certo tempo. Só pensava que nunca mais iria poder conversar com ela sobre este ou qualquer outro assunto; e que quando eu soubesse de algum problema ou dificuldade já seria tarde demais para tentar ajudá-la. O desastre me parecia inevitável... Passados uns três dias de paralisia, dei-me conta de que a atitude prepotente da minha adolescente não poderia condi-

cionar meu comportamento nem meus sentimentos e que eu teria de encontrar métodos novos e mais criativos para reabrir o diálogo.

Parece dramático, mas frequentemente é essa a intensidade das emoções que o filho adolescente provoca em nós. Ao iniciar este texto, lembrei-me de diversas situações que enfrentei com meus filhos adolescentes e me perguntei: o que teria acontecido com a família se meu marido não tivesse me entendido naqueles momentos, me apoiado, ou se tivesse se aliado ao jovem contra mim?[1]

A intensidade emocional eliciada pelo adolescente em sua busca de uma nova identidade pode abalar todo o equilíbrio da vida em família; durante essa transição gradual da infância para a vida adulta, o jovem atravessa períodos de grande incerteza e confusão a respeito de si mesmo e do que quer ser. Nesse processo, tudo pode ameaçar essa busca incipiente e, muitas vezes, o adolescente sente desejos de romper seus laços com a família, precisando negar ou rejeitar tudo que foi recebido. Não é nada fácil para os pais lidarem com todas as críticas e disputas, e estes podem se sentir feridos, magoados e com raiva dos próprios filhos. Essa intensa emocionalidade prejudica a possibilidade de evocar a própria adolescência com o propósito de compreender melhor os momentos que o filho atravessa.

A cumplicidade entre o casal, o apoio que um pode dar ao outro em momentos de crises favorecem muito a superação das dificuldades, uma vez que o jovem depara com uma unidade parental e com definições mais claras sobre o que é esperado e permitido na família.

Questões de gênero

A adolescência dos filhos recrudesce conflitos adormecidos sobre as diferenças de gênero. Os papéis de gênero refletem a identidade que cada um tem na condição de homem ou mulher, como se sente pertencendo ao gênero feminino ou masculino, e como se comporta no mundo como tal. As expectativas colocadas por pai e mãe sobre o filho que inicia sua transformação rumo à vida adulta refletem suas crenças sobre os papéis de gênero. O que é esperado de um filho e de uma filha? O que é desejado para sua vida? Por vezes, o casal discute aparentemente por aspectos da educação ou do comportamento dos filhos, quando, na verdade, estão encenando uma "batalha dos sexos".

---

[1] Os casos relatados neste capítulo são todos da vivência pessoal ou profissional da autora; quando necessário, foram alterados alguns aspectos a fim de preservar a privacidade dos protagonistas.

Alexandre queixa-se amargamente da mulher, que briga diariamente com o filho de 14 anos, por "quase nada", segundo ele. Maria Luiza diz que não suporta ver Xandinho provocando as irmãs, e que briga mesmo quando ele tenta "dar uma de machão"; relata que ele está sempre tentando diminuir as meninas e que se nega a ajudar em qualquer trabalho doméstico. Quando Alexandre chega do trabalho e ouve do filho as broncas e castigos que recebeu da mãe, o que ocorre quase que diariamente, o circo pega fogo; começa uma briga infernal, interminável, entre o casal. Alexandre reclama que a mulher mudou muito, e que não suporta que ela sempre proteja as meninas e que castigue o filho. Maria Luiza confirma que de fato mudou, pois não se incomodava anteriormente em fazer tudo que o marido pedisse, mas que agora sentia que tinha de defender "os direitos das filhas" (de 16 e 11 anos), de uma forma que nunca tinha ousado anteriormente, quando se tratava de seus próprios direitos.

É importante estimular o casal a discutir os papéis que esperam que seus filhos homens e mulheres desempenhem na família e as tarefas e responsabilidades esperadas dos meninos e das meninas. É também necessário ampliar essa discussão para o papel que terão na sociedade futuramente. Os conflitos da família ultrapassam o momento presente e a adolescência dos filhos, e o terapeuta de casal deve ajudá-los a refletir e a se apropriar dos conceitos sobre gênero aprendidos e vivenciados em suas famílias de origem; o que é ser homem e mulher para cada um, e o que isso significará para seus filhos, na sociedade atual.

Sexualidade

O desenvolvimento físico e sexual de meninos e meninas pode provocar reações diferentes no pai e na mãe.

Alguns homens sentem-se desconfortáveis com o desabrochar da sexualidade das filhas e se retraem no relacionamento com elas, receosos das sensações nele despertadas por esse desenvolvimento físico.

Em relação aos meninos, podem começar a sentir o desafio de ter outro homem na casa, levantando questões sobre a própria masculinidade. As dores da entrada na meia-idade e o possível início da decadência física contribuem para exacerbar uma competição, antes apenas esboçada. Alguns pais transformam as brincadeiras infantis masculinas em verdadeiras disputas sobre "quem é mais rápido" ou "quem é mais forte".

Marta desabafa com veemência: "Não aguento mais! Alberto começa a brincar de 'lutinhas', como sempre fez com o Guilherme, mas elas agora se transformam em uma guerra, na qual o pai tem sempre de provar que ainda ganha do filho. A brincadeira toda vez vai se tornando mais séria, até que um dos dois machuca o outro; em geral o Guilherme acaba se descontrolando, e sem querer dá uma cotovelada no nariz do pai, ou algo assim! Aí Alberto grita, xinga e briga com o filho! Será que homem não cresce nunca?" Alberto, por sua vez, acusa Marta de continuar tratando Guilherme como um menininho, que ela não vê que o filho cresceu e que essas brincadeiras são normais entre dois homens.

O que essa disputa pelo papel de "macho-alfa" pode provocar entre o casal? A mulher muitas vezes se vê impelida a defender os próprios filhos, exaltando suas qualidades e virtudes; essa atitude protetora pode agravar a ferida na autoestima, gerada pela entrada na meia-idade, que porventura o marido possa estar vivendo, o que muitas vezes é coincidente com a adolescência dos filhos.

O desenvolvimento da sexualidade dos filhos pode assustar os pais, especialmente aqueles que não se sentem preparados para lidar com a dimensão desse interesse. A expressão dessa sexualidade, especialmente nas meninas, parece, à maioria dos pais, ocorrer muito precocemente e a tendência é que os sistemas de controle sobre a jovem sejam exagerados. Quando marido e mulher sentem-se igualmente ameaçados, podem unir-se nas ações educativas que desejam tomar, apoiando-se um no outro ao impor regras para o filho adolescente; essa atitude gera cumplicidade e fortalecimento da união conjugal. No entanto, o mesmo sentimento de perplexidade e confusão vivenciado por pai e mãe pode ocasionar respostas opostas e disputas ferozes.

Luiz e Maura estavam profundamente incomodados com a metamorfose de sua (ex) doce filha Laura, de 13 anos, mas nunca conseguiam concordar quanto ao que fazer. Luiz não suportava a nova aparência da filha, que atualmente só queria vestir botas e roupas pretas; sentia-se "aviltado" com uma filha "punk" em casa, e não a deixava sair enquanto não se vestisse como "uma adolescente normal"; já a mãe, Maura, não se importava o mínimo com o visual da filha (de fato, dizia que até achava graça), mas achava intolerável quando Laura a "isolava, trancando a porta do quarto, ou falando baixinho com as amigas". Não aguentava sentir-se excluída, o que aumentava suas tentativas de controle, por medo de a filha entrar por caminhos perigosos e ela não poder ajudar: tentava escutar por trás das portas, "fuçava" os armários de Laura e lia sua agenda. Luiz tinha medo do que via – a aparência "punk" da filha –, mas não fazia conjecturas quanto ao que não sabia; Maura, ao contrário, não se incomodava em nada com o que via – ela também tinha se vestido de um jeito "rebelde" na sua adolescência –, mas "morria de ansiedade" sobre "o que não sabia". Por essa época, o casal passou a discutir quase diariamente, com cada um criticando acidamente as ações do outro. Luiz ressentia-se muito por Maura não dar atenção a seus temores e por contribuir com o problema, pois era ela quem comprava as roupas e alimentava o estilo de vestir de Laura; ao mesmo tempo, achava inaceitável que a esposa invadisse a privacidade da filha. Maura, por sua vez, era irônica quanto aos receios do marido e sentia-se abandonada por ele em relação às suas preocupações. Esse casal buscou terapia em um momento em que ambos se sentiam profundamente magoados um com o outro, sem conseguir entender nem achar saídas para o desentendimento presente, mas muito desejosos de retomar o relacionamento gostoso que haviam tido até então. Em um trabalho psicodramático, Maura montou uma imagem da filha e a colocou com as mãos fechadas, escondidas atrás das costas; ao explorarmos isso, ela fez uma associação com sua irmã mais velha, sempre aparentemente muito boazinha e cordata com os pais, mas que acabou se envolvendo com uma "turma da pesada", fumando maconha e engravidando precocemente. Essa associação da filha com a irmã colocou um contexto na ansiedade de Maura, e seu receio do "não visto" passou a fazer sentido para ela e para Luiz. Essa sessão propiciou o início da compreensão das diferenças entre o casal, e os dois começaram um processo de reaproximação. Em outras sessões, exploramos o significado dos medos de Luiz e das críticas mútuas que se faziam. Aos poucos, eles passaram a se ouvir mais, a tentar se entender e conseguiram retomar o diálogo respeitoso que tinham anteriormente.

O terapeuta de casal deve fundamentalmente buscar reforçar o vínculo e as alianças entre o casal. Tirá-los momentaneamente do papel de pai e mãe para examinar as questões conjugais e as dificuldades individuais pode ser essencial nesse processo, para que possam voltar a desempenhar adequadamente o papel de pais, respaldados pelo vínculo conjugal.

Beleza e juventude

Nossa cultura atual valoriza excessivamente a juventude, o corpo perfeito, a aparência física. Vivemos um período em que os valores estéticos são totalmente exaltados, auxiliados pela ciência e suas novas descobertas sobre cosmiatria, nutrição, cirurgias plásticas, exercícios físicos. A fonte da juventude parece estar logo ali, na farmácia ao lado ou no consultório do cirurgião plástico da esquina. Embora a vaidade não seja um privilégio do sexo feminino, essa pressão pela beleza eterna afeta mais as mulheres do que os homens.

O desenvolvimento físico dos filhos, suas mudanças corporais e o despertar da sexualidade podem coincidir com os conflitos maternos com o feminino, acentuados pelo início da entrada na meia-idade e da curva descendente no aspecto físico. Algumas mães (assim também como alguns pais, verdade seja dita!) se deliciam e se emocionam com a beleza e a juventude dos filhos, especialmente das filhas, uma vez que esse é um valor maior no mundo feminino. Outras, porém, podem se sentir feridas em sua autoestima e começar uma disputa inconsciente por poder e espaço relacionados com a identidade feminina ("Espelho, espelho meu... Existe alguém mais bela do que eu?").

Joana estava divorciada quando sua filha única entrou na adolescência. Querendo sentir-se muito próxima e amiga da filha, começou a cumprimentar seus amigos, rapazinhos por volta dos 14/15 anos, com um beijo "selinho" na boca. Julgava estar sendo muito moderna, mas provocou um enorme constrangimento nos amigos e uma terrível fofoca na escola da filha.

As ideias sobre a beleza, assim como as questões de gênero, afetam profundamente nossa identidade e nossas crenças sobre nós mesmos. Mesmo no mundo atual, pós-feminismo, as mulheres ainda sofrem regras bem mais rígidas, que limitam sua independência. Ao chegar à adolescência, as meninas travam uma batalha dura, bem maior que a dos meninos, para adquirir maior autonomia. Isso pode alterar profundamente o equilíbrio entre o casal.

Alexandre sempre foi o provedor da família, aquele que tomava as principais decisões sobre quase tudo que faziam: em que gastariam o dinheiro, as regras que deveriam ser seguidas pelos filhos etc. Maria Luiza nunca trabalhou fora e vivia em harmonia com esse modelo de relação patriarcal que tinha com o marido, até a entrada dos filhos na adolescência. Quando Ana Luiza, a menina mais velha, começou a brigar por mais autonomia, querendo voltar para casa mais tarde que o horário determinado pelo pai ou sair com os amigos para programas, a reação automática de Alexandre foi a de tentar exercer maior controle sobre a filha; tinha muito medo do que pudesse acontecer e queria impedi-la de bater asas. Maria Luiza começou, nessa época, a dar força à filha, a apoiá-la em seus desejos, ao mesmo tempo que contestava o marido em muitos embates. Os conflitos rapidamente escalaram, até Alexandre quase chegar a agredir Maria Luiza fisicamente, em uma briga na qual se sentiu muito desafiado por ela e pela filha. Nessa altura, o casal procurou terapia, bastante assustado com a situação.

Controle

A necessidade de controlar os filhos vem de mãos dadas com a insegurança e o medo do novo e dos riscos e perigos embutidos aqui. É muito difícil para alguns pais negociar limites mais flexíveis com seus filhos, fundamentais para o desenvolvimento saudável do jovem.

A atitude dos pais e o padrão de autoridade transmitidos na família são essenciais para o desenvolvimento saudável do jovem. A autoridade exercida com amor tem um efeito muito mais educativo do que a autoridade baseada no medo; esta traz implícita a probabilidade do erro e do fracasso, e não o crescimento pessoal advindo de uma maior consciência sobre si mesmo. A autoimagem e o autorrespeito se formam essencialmente a partir da imagem e do respeito que os pais têm por seus filhos; se os pais acreditam em seus filhos e os apoiam, estão contribuindo fortemente para uma autoestima elevada.

É preciso lembrar-se a cada momento de que a tarefa fundamental da adolescência é separar-se dos pais, e isso não ocorre se não houver independência e autoconfiança. Infelizmente não é possível prever ou controlar o resultado dessa separação.

A incongruência do adolescente é grande: por um lado, ele exige autonomia e respeito, e quer ser tratado como adulto; por outro, necessita da base segura de apoio, dos cuidados e carinhos que tinha quando criança, para poder alçar voo com mais tranquilidade. Apesar de não ser fácil lidar com essa ambiguidade, os pais precisam fornecer um contexto estável e, para isso, o casal tem de encontrar um equilíbrio no seu relacionamento.

Todavia, tentar controlar o comportamento de filhos adolescentes não é a única reação característica de pais. Alguns passam a estimular nos filhos, especialmente nos meninos, uma independência para a qual eles ainda não estão preparados, incentivando uma vida sexual precoce e/ou comportamentos de risco.

Madalena marca uma consulta para o casal, mas aparece sozinha: declara-se exasperada com o marido e que ele, na última hora, desistiu de fazer terapia de casal. Relata que ele sempre foi meio "molecão", mas que a chegada do filho único na adolescência despertou no marido uma adolescência tardia e perigosa. Ele comprou uma motocicleta grande e começou a frequentar um clube de motoqueiros, com quem fazia constantes viagens. Madalena chegou a viajar algumas vezes com esse grupo, embora se sentisse muito pouco identificada com essas pessoas. O problema realmente surgiu quando o filho fez 16 anos e o marido, sem consultá-la, comprou uma moto também para o filho, incentivando-o a praticar e a viajar com o grupo, mesmo sem ter idade nem habilitação para isso. Relata que o jovem, obviamente, adora esses programas, que se sente superprestigiado e promovido, e que agora (aos 17 anos) só quer participar das baladas do pai. Madalena se angustia, dizendo que o marido "comprou" o filho, e que nem percebe que está prejudicando seu desenvolvimento normal, pois este já nem se interessa mais pelos próprios amigos nem por programas adequados à sua idade. Diz que está em guerra com o marido; que este só a chama de velha e chata, e que diz que não vai nem pensar em mudar a vida deliciosa que construiu para si.

A liberalização ou o controle excessivo, exercidos pelos pais, podem ser radicalizados por posições e diferenças individuais de cada membro do casal parental, gerando uma espiral ascendente de discordâncias.

O permissivo e o punitivo

As diferenças existentes entre o casal são naturalmente exacerbadas com os novos estímulos propostos pelos filhos adolescentes, pois incendeiam as discordâncias existentes no casal parental, escalando uma disputa latente entre o permissivo e o rígido. É uma tarefa difícil, porém essencial, auxiliar o casal a negociar medidas de controles mais flexíveis, dentro de um limite intermediário entre a posição dos dois, ao mesmo tempo que se leva em consideração o desejo e as necessidades do jovem.

A cultura narcísica atual, favorecida pela dificuldade dos adultos de assumir a função paterna, estimula uma precoce "independência" dos jovens; estes tendem a acreditar que tudo sabem e tudo podem, em uma etapa da vida em que ainda estão despreparados psicologicamente para atuar de forma madura na sociedade.

Quando proibi minha filha, aos 15 anos, de ir a determinada balada pela primeira vez, porque pensei que era muito cedo, ela gritou "Mãe, eu te odeio!" Achei que fosse morrer! Tive medo de ter perdido definitivamente o amor de Luana, e até pensei em voltar atrás; mas me mantive firme porque acreditava em minha decisão. O pior aconteceu quando fui contar para meu marido e ele, em vez de me apoiar, como eu esperava, começou a me criticar, dizendo que eu sempre provocava brigas e que deveria tê-la deixado ir. (Relato de Renata, mãe de três filhos)

Transitar na intensidade emocional proposta pelos filhos adolescentes pode ser muito difícil. Na visão deles (ou na distorção deles!), "todos os outros pais são legais e permitem tudo, menos vocês!"

Dúvida e insegurança sempre fazem parte do papel e do aprendizado sobre a paternidade, mas isso é especialmente verdadeiro para pais de adolescentes. Um dos caminhos para tornar esse processo mais leve e facilitar essa passagem ocorre quando é possível criar regras compartilhadas, isto é, quando os pais se apoiam nos iguais, trocando ideias com parentes e amigos, ou com o grupo de outros pais que vivem situação semelhante. Lidar com os filhos adolescentes, em geral, é mais difícil para um pai ou uma mãe sozinhos e com poucas pessoas para conversar. Entre os pares, o mais próximo e supostamente mais interessado é o parceiro. Se pai e mãe (ou pai e madrasta, ou mãe e padrasto) concordam em determinado assunto, fica bem mais fácil colocar o que pensam para o filho e direcionar o caminho que eles esperam que seja traçado. Idealmente, mesmo pais separados deveriam apoiar-se um no outro em momentos difíceis e em questões mais delicadas, e tomar uma ação conjunta e convergente em questões polêmicas. Os limites negociados, mas bem definidos, podem trazer alívio ao próprio jovem, que recebe com clareza a definição do que fazer.

Na prática, nem sempre esse compartilhar acontece, uma vez que os filhos são excelentes campos de batalha para pais em disputa, sejam eles casados ou separados.

A insegurança dos pais por vezes os faz abrir mão de sua função paterna e desistir de colocar limites aos filhos; mais frequentemente, no entanto, exacerba suas necessidades de controle, como se pudessem evitar problemas ou sofrimento ao filho se estiverem sempre alerta e por perto. Quando um dos dois é mais controlador e o outro, mais permissivo, está instalado o palco para a escalada do conflito, não mais entre pais e filhos, mas entre marido e mulher.

"Henrique combina comigo de colocar determinados limites nos filhos, mas nunca cumpre!", reclamava Gabriela. *"Desde que os meninos são pequenos que ele não os coloca na cama no horário combinado. Não os leva pra mesa na hora de comer. Quando eu não estou em casa a rotina invariavelmente vira um caos! Agora que o Gabriel está com 17 anos, a situação está insuportável, pois ele, Gabriel, grita comigo, não aceita mais nenhuma regra, não conta nada do que acontece... E o Henrique, em vez de ficar do meu lado, me chama de chata! Quero ver o que ele vai fazer quando o filho estiver fumando maconha na esquina... Se é que já não está!"*

Nem sempre é a turbulência do jovem que favorece o aparecimento dos conflitos conjugais; às vezes, ocorre o oposto: as brigas entre o casal amplificam a insegurança do adolescente, aguçando as confusões naturais da idade. Pais em guerra podem cobrar, ou mesmo exigir, um posicionamento dos filhos, tentando ganhar um aliado contra o cônjuge. Pode ser impossível para o filho evitar entrar nessa disputa, e ver-se dragado para o meio do conflito parental é sempre muito danoso; não ter uma base segura para as experimentações da adolescência pode afetar a ousadia natural do jovem, acarretando sintomas temerários ou uma paralisia estagnante.

Vazio relacional

A premência em manter as rédeas curtas, na tentativa de reter a qualquer preço as funções parentais, pode ser sinal de um relacionamento desvitalizado. O desenvolvimento e a crescente autonomia dos filhos escancaram o vínculo conjugal, até então preenchido pelas funções parentais. Alguns pais – especialmente as mães – buscam o prolongamento da dependência dos filhos como um meio de evitar olhar para a própria vida e a relação com o parceiro. Investir demasiados tempo e energia em um filho pode ser uma tentativa de compensar a falta de interesse ou de afeto pelo cônjuge.

Em algum momento, o casal precisa se confrontar com a realidade conjugal, suas vicissitudes e um possível vazio existencial. Nem sempre é fácil lidar com todo o questionamento surgido nessa etapa; muitos casais procuram ajuda terapêutica, pois se sentem impossibilitados de lidar sozinhos com os atritos crescentes, incapazes de compreender o processo que atravessam. Como afirma Hoffman (1995, p. 95), "não há maneira de evitar o período de estresse e rompimento, que é o prelúdio para aquilo que chamamos de transformação".

Quando os filhos atingem a adolescência, todos na família enfrentam a difícil tarefa de transformar a qualidade dos vínculos entre cada uma das díades, e em todas as gerações. Cabe aos pais a função de ajudar seus filhos nessa passagem do mundo infantil ao mundo adulto, de "funcionar como um sistema de apoio emocional" (Preto,

1995). Mas como cumprir essa missão quando a própria vida emocional parece "de pernas para o ar"?

Preto (1995) escreveu um excelente artigo no qual descreve o processo familiar de transformação durante essa etapa do ciclo vital, explicitando algumas dificuldades universais que podem fazer a família tropeçar.

A necessidade de maior independência e autonomia por parte do jovem por vezes se antagoniza com a possessividade e o medo da perda por parte dos pais.

> *Armando está em seu segundo casamento, com um filho de 16 anos, com quem sempre teve um relacionamento próximo e afetivo. As demandas naturais de Armandinho por maior autonomia provocam em seu pai um profundo desespero e muito medo de perder o filho, agravados por uma sensação de impotência para lidar com a situação. Paralelamente a isso, Valéria, 15 anos mais jovem que o marido, sente-se em uma excelente fase de relacionamento com o filho; curte muito as peculiaridades desse momento da vida de Armandinho: gosta das mesmas músicas que ele, saem juntos para comprar roupas "transadas", incentiva programas que o filho inventa, "tudo muito normal para a idade dele", segundo Valéria.*

Os dois estão em guerra quando vêm buscar terapia de casal. Armando diz que a mulher se aliou ao filho contra ele, e que – pior! – "faz a sua caveira" quando o chama de careta na frente de Armandinho. Valéria, por sua vez, não tem empatia nenhuma com a angústia do marido, e não consegue entender como um pai tão próximo e amoroso quanto Armando está se transformando em um carrasco para o próprio filho.

Em uma dramatização, Valéria monta a seguinte imagem simbólica para representar uma briga recente do casal: ela e o filho estão alegres, dançando na sala, quando Armando chega; ele pega uma corda e começa a amarrar os pés e as mãos de Armandinho. Ela fica desesperada, põe-se entre os dois e inicia uma luta com o marido, mandando o filho sair correndo, fugir e aproveitar a vida. Valéria fica muito agitada durante essa dramatização, chegando a sentir falta de ar, mas continua a se colocar entre os dois homens. Questionada sobre essa emoção tão forte e com quem mais ela estaria lutando, ela primeiro se paralisa e depois desata a chorar; diz que estava brigando contra o próprio pai, que sempre foi extremamente severo com ela e todos os irmãos.

Armando observa e participa de toda a cena montada pela esposa com grande emoção; diz que a imagem representa bem o que eles estão vivendo no momento e que não sabia da história de Valéria com seu pai... Mas, ao mesmo tempo, diz que sente ódio ao ver a mulher porque acha que ela sempre se coloca contra ele, e que vai acabar "roubando o filho só para ela". Solicitado a penetrar mais fundo em seu receio de perder o filho, ele afirma: "Perder mais este filho!", e relata com muita tristeza que também está muito distante de seus dois filhos do primeiro casamento, que quase não os vê desde a separação da primeira mulher, após um divórcio conturbado; pensava que havia construído uma relação bastante diferente com esta nova família, mas percebia que tudo estava caminhando para o mesmo buraco.

Muitos casamentos de longa duração passam por fases de afastamento emocional, que pode ser vivenciado e aceito pelos dois como parte da rotina, ou nem mesmo ser percebido. No entanto, um vazio relacional maior pode ficar evidente com as diferenças e os atritos que surgem no relacionamento do casal com os filhos.

Meia-idade

A adolescência dos filhos por vezes coincide com a entrada dos pais na meia-idade; nesta etapa, muitos indivíduos estão se questionando sobre a própria vida, avaliando o que construíram até aqui e refletindo sobre o percurso futuro. Os sinais de envelhecimento e/ou decadência são percebidos e rotulados de forma extremamente cruel nestes nossos tempos narcisistas. Inúmeros adultos por volta dos 50 anos estão atravessando crises pessoais profundas relacionadas com a passagem do tempo. Algumas mulheres mergulham em tratamentos constantes de beleza, tentando deter ou atrasar os sinais de envelhecimento que não conseguem aceitar.

O frescor da juventude de uma filha adolescente, motivo de extremo orgulho para muitas mães, pode ser profundamente doloroso (até mesmo uma afronta!) para uma mulher em briga com suas rugas recentes ou seus quadris mais largos. A insatisfação consigo mesma pode ser exacerbada pela percepção do sucesso ou do brilho do filho, que tem algo ou é melhor do que eu; ou, ainda, aumentar a constante crítica de uma mãe narcisista sobre a filha que não atinge seus ideais de beleza e perfeição. Às vezes, a própria mãe se transforma na madrasta da Branca de Neve, competindo com a filha e criticando-a.

A consciência da insatisfação com a própria vida e a reavaliação do que foi vivido, no entanto, podem propiciar uma transformação positiva em relação ao que se quer viver "daqui para a frente", enquanto ainda se tem tempo e energia suficiente para usufruir de forma mais integrada a "vida que nos resta".

Metanoia é um termo grego que indica a transformação da identidade pessoal depois de uma experiência que muda os valores até então adotados pela pessoa. Jung retoma o termo para indicar a crise psicológica que ocorre por volta da metade da vida, quando o indivíduo questiona e transforma todos os valores sob os quais construiu sua existência (Pieri, 2002). Mudanças são muito bem-vindas quando associadas a um aprofundamento e a um maior desenvolvimento interior.

No entanto, a adolescência dos filhos frequentemente invade a vida psíquica dos pais, trazendo de volta fantasmas da própria adolescência, frustrações e traumas, podendo impeli-los a reviver com os filhos, de modo inconsciente, os confrontos vividos com os próprios pais.

Famílias reconstituídas

A separação dos pais mexe com uma teia muito complexa de crenças e valores, e o processo interno provocado nos filhos pode ser longo e tempestuoso. "O ponto mais complexo é a diferenciação entre o divórcio do casal matrimonial e o divórcio do casal parental... Talvez este seja o único caso que se mantenha sociedade tão íntima com um ex-sócio", afirma Fedullo (1994, p. 131-32).

A dor da separação dos pais pode voltar a ser revolvida quando pai ou mãe inicia um novo relacionamento amoroso durante a adolescência dos filhos. Esse novo relacionamento provoca conflitos de lealdade[2] no jovem, especialmente se o outro progenitor ainda não superou as dificuldades da separação.

O desejo ou a fantasia de que os pais resolvam seus conflitos e recomponham a família nuclear é humano e compreensível. Às vezes, os filhos sentem-se responsáveis pela separação dos pais; em outras, apenas sofrem as consequências do rompimento, especialmente quando este é ruidoso. De qualquer modo, muitos assumem a missão de desatar os nós e tentam reaproximar os pais.

Em famílias recompostas, as manifestações emocionais e os consequentes conflitos conjugais podem ser ainda mais dramáticos. O vínculo dos filhos com madrastas e padrastos tem múltiplos significados e nuanças, extrapolando em muito a relação concreta com o novo marido da mãe ou a nova mulher do pai.

A lealdade que os filhos sentem em relação aos pais não torna fácil gostar ou querer uma aproximação com a madrasta ou o padrasto. Para estes, especialmente se nunca tiveram filhos e/ou se têm maior dificuldade para lidar com as inconstâncias e a turbulência juvenil, pode ser extremamente desafiador se relacionar bem com os filhos do marido ou da mulher. Muitas vezes, os conflitos entre um casal de segundo (ou terceiro) casamento se iniciam na entrada de um filho na adolescência.

Se já é extremamente difícil para uma mãe biológica lidar com um grito como "Eu te odeio!" de sua filha, pode-se imaginar o efeito devastador que essa mesma frase pode ter sobre uma madrasta, especialmente quando esta se esforça para ser agradável e receber bem a enteada.

---

[2] Borzomenyi-Nagy e Spark discorreram longamente sobre os conflitos de lealdade em seu livro *Lealtades invisibles* (2004).

Quando o genitor sente-se culpado pela separação ou pelo sofrimento imposto ao filho, provavelmente terá maior dificuldade de colocar-se ao lado da nova esposa ou do novo marido nas situações de conflito; nesses casos, o problema tende a se agravar, uma vez que adolescentes costumam ter o radar bem desenvolvido e uma habilidade especial para obter vantagens pessoais jogando um contra o outro.

Por vezes, as explosões de raiva contra padrastos e madrastas revelam não um problema real na relação entre eles, mas a dificuldade do jovem de lidar com um novo parceiro que parece ser mais "legal" ou melhor do que o verdadeiro pai ou mãe. A maior complexidade das relações traz questões singulares e difíceis de decifrar, que envolvem diferentes aspectos do vínculo familiar e conjugal.

Famílias homoparentais

Embora as pesquisas sobre o tema venham mostrando sistematicamente que a homossexualidade de um dos pais (ou dos dois) não traz consequências danosas sobre os filhos[3], a adolescência pode não ser a melhor época para revelar a orientação homossexual aos filhos. Esse é um período de turbulência para o jovem, que está em busca de si mesmo; a definição da identidade pessoal, que inclui entre outros aspectos a identidade sexual, já é suficientemente trabalhosa, e o adolescente não se beneficiaria em nada por ter de lidar com mais essa questão em um período de vida tão difícil. É preferível que o pai ou a mãe, que teve filhos em uma primeira relação heterossexual, se possível, faça a revelação de sua homossexualidade em um período mais precoce do desenvolvimento do filho, quando a criança não está tão sujeita às pressões sociais e à homofobia, ou que deixe para mais tarde, quando o jovem já tiver maturidade para lidar com todas as implicações dessa revelação.

> *João, de 18 anos, usuário frequente de maconha, ao ser informado de que a mãe tem um relacionamento homossexual, arruma mais um argumento para sua guerrinha familiar: "Se fosse ao contrário, se eu fosse gay e minha mãe fumasse maconha, seria um problema eu ter um namorado, mas normal ela fumar maconha".*

A homofobia é, sem sombra de dúvidas, o maior problema enfrentado por casais e famílias homoafetivas. "A opressão constante sofrida por homossexuais traz uma série de danos, tanto psicológicos quanto concretos", afetando tanto os jovens quanto seus

---

[3] Estudos têm mostrado que os conflitos familiares se distribuem estatisticamente de modo equitativo entre casais homo e heterossexuais, dependendo basicamente dos conflitos individuais, e não da orientação sexual dos pais (Laird e Green, 1996; Green e Mitchell, 2002, 2008).

pais. "Jovens adolescentes que se descobrem gays ou lésbicas se desenvolvem sem um modelo de relacionamento que possa ser visto como normal e feliz, em quem possam espelhar-se", tendo uma expectativa inconsciente negativa a respeito desses relacionamentos. Terapeutas que se propõem a atender essa população devem ter clareza a respeito dos valores heterocêntricos em que estamos todos imersos, e de nossas possíveis reações homofóbicas (França, 2004).

Considerações finais

O ciclo vital familiar é um importante conceito, muito utilizado na terapia de família, para compreender a etapa vivenciada por esta e os possíveis conflitos não resolvidos (Carter e McGoldrick, 1995). Esse modelo pode ser bastante elucidativo na terapia de casal; olhar para a história conjugal dessa ótica, entender o que o casal atravessa nesse momento do seu desenvolvimento pode abrir janelas na compreensão da dinâmica conjugal.

Conflitos são sempre gerados entre indivíduos a partir de suas dificuldades pessoais, mas um modelo teórico que ajuda a explicar determinadas dificuldades vinculares pode trazer esperanças de superação, dando ao próprio casal uma visão perspectiva das dificuldades que atravessa.

A adolescência de um filho traz para a família inúmeras questões referentes a novos valores, além de críticas contundentes a regras e princípios familiares. Quando o casal não está alinhado em relação aos valores em que cada um acredita, com um deles buscando seguir as novidades trazidas pelo jovem enquanto o outro reage contra, eles podem ver-se no centro de uma intensa disputa.

Casais provenientes de culturas diferentes muitas vezes partem de princípios e orientação diversos entre si, o que pode ser acirrado de forma explosiva pelas novas colocações do filho, com a consequente polarização dos pontos de vista.

As vivências pessoais nas famílias de origem sempre permeiam as experiências presentes ou futuras. "Em geral, pais que tiveram experiências positivas em casa e com os companheiros durante a sua transformação sexual estarão mais inclinados a proporcionar experiências semelhantes aos seus filhos do que aqueles que foram negligenciados, rejeitados ou sexualmente abusados", nas palavras de Preto (1995, p. 226).

Podemos acrescentar que as experiências vividas se transformam dentro do indivíduo em referências, positivas ou negativas, funcionando como um mapa do mundo, um roteiro que molda a percepção da realidade, muito frequentemente de forma inconsciente. A vivência pessoal de cada um da díade conjugal é determinante na forma como eles responderão aos estímulos propostos pelos filhos; assim, pais que atravessaram o próprio desenvolvimento sem grandes situações traumáticas tendem a lidar melhor com a turbulência eliciada pelo processo de adolescência dos filhos e a ajudá-los nessa passagem de uma maneira mais suave.

Qualquer processo terapêutico do vínculo conjugal deve buscar retomar o processo evolutivo do casal. Quando o casal atravessa a etapa da adolescência dos filhos, esse aspecto tem de ser considerado e exaustivamente analisado.

Acredito ser também fundamental para o terapeuta ter uma boa compreensão das mudanças e transformações sociais ocorridas nas últimas décadas, a fim de poder ajudar os pais em seu papel de educadores no mundo atual. Embora muito dos temas familiares permaneçam os mesmos, pais arraigados aos mesmos valores de sua juventude com certeza se colocarão em rota de colisão com seus filhos, adolescentes do século 21.

Referências

BORZOMENYI-NAGY, I.; SPARK, G. M. *Lealtades invisibles: reciprocidad en terapia familiar intergeracional*. Buenos Aires: Amorrortu, 2004.

CARTER, B.; MCGOLDRICK, M. (orgs.). *As mudanças no ciclo de vida familiar*. Porto Alegre: Artmed, 1995.

FEDULLO, S. "Filhos do divórcio". In: CASTILHO, T. (org.). *Temas em terapia familiar*. São Paulo: Plexus, 1994.

FRANÇA, M. R. C. "Terapia com casais do mesmo sexo". In: VITALLE, M. A. E (org.). *Laços amorosos – Terapia de casal e psicodrama*. São Paulo: Ágora, 2004.

GREEN, R.-J.; MITCHELL, V. "Gay and lesbian couples in therapy: homophobia, relational ambiguity and social support". In: GURMAN, A.; JACOBSON, N. S. (orgs.). *Clinical handbook of couple therapy*. 3. ed. Nova York: Guilford Press, 2002.

_____. "Gay and lesbian couples in therapy: minority stress, relational ambiguity and families of choice". In: GURMAN, A. (org.). *Clinical handbook of couple therapy*. 4. ed. Nova York: Guilford Press, 2008.

HOFFMANN, L. "O ciclo de vida familiar e a mudança descontínua". In: CARTER, B.; MCGOLDRICK, M. (orgs.). *As mudanças no ciclo de vida familiar*. Porto Alegre: Artmed, 1995.

LAIRD, J.; GREEN, R.-J. (eds.). *Lesbians and gays in couples and families: a handbook for therapists*. São Francisco: Jossey-Bass, 1996.

PIERI, P. E. *Dicionário junguiano*. São Paulo: Paulus, 2002.

PRETO, N. G. "Transformações do sistema familiar na adolescência". In: CARTER, B.; MCGOLDRICK, M. (orgs.). *As mudanças no ciclo de vida familiar*. Porto Alegre: Artmed, 1995.

PARTE III ADOLESCÊNCIA E CONTEMPORANEIDADE

17 TEMPO, MEMÓRIA, ADOLESCENTE E FAMÍLIA

Ruth Blay Levisky

Introdução

Este capítulo nasceu de inquietações que me levaram a refletir sobre as relações entre tempo, memória e constituição do sujeito, a partir das heranças familiares e culturais; os fenômenos mutantes no adolescente, na família e na cultura; e as mudanças que ocorrem na sociedade contemporânea e a possibilidade de serem consideradas novas ou uma mera etapa de qualquer processo de transformação.

Para a análise desses objetivos, usei alguns recursos advindos da psicanálise, da biologia, da física e de linguagens artísticas, tentando juntar os aspectos subjetivos e objetivos.

A arte, por ser um meio de comunicação universal, capaz de expressar diversos níveis de sentimentos sem barreiras, é um instrumento interessante para analisar alguns dos aspectos que pretendo discutir neste texto. Os artistas têm uma capacidade extraordinária de transmitir a essência dos sentimentos. Poetas, pintores, músicos, escritores – e eu me atrevo a incluir alguns psicoterapeutas – usam recursos como sensibilidade, intuição e conhecimento para captar, comunicar, compartilhar e refletir sobre as emoções e os conflitos existenciais. A experiência psicanalítica acaba sendo uma viagem artística, na qual o imaginário do sujeito, seus conteúdos latentes, imagos, desejos, sonhos e fantasias encontram condições para emergir do fundo da alma do sujeito e entrar em contato com o mundo real. É um caminho que produz conhecimento, transformações e requer tempo para elaborações.

Conhecemos a importância que o tempo assume em nossa existência. Levamos um tempo para adormecer, despertar, viver e até para morrer. Talvez por isso, o poeta imortal brasileiro Carlos Drummond de Andrade (1979, p. 336) tenha escrito estes versos:

> E depois das memórias vem o tempo,
> Trazer novo sortimento de memórias,
> Até que fatigado, te recuses e não saibas,
> Se a vida é ou foi.

Nesse poema, percebemos a relação direta entre tempo e memória; para haver produção de memórias, é necessário viver experiências que serão acumuladas ao longo do tempo. Esse poema de Drummond reportou-me à lembrança de uma visita de pêsames que fiz a uma família, na qual a filha adolescente chorava desesperadamente pela morte da mãe. O rabino aproximou-se dela e perguntou: "Por que chora tanto?", ao que ela respondeu: "Porque estou triste, com raiva e vou sentir saudades dela". O rabino disse-lhe: "Sua mãe foi uma mulher que viveu e deixou lembranças".

A filha, com ar melancólico, disse: "É verdade, vou sentir saudades, mas tenho do que sentir".

A transmissão dos valores familiares para outras gerações fica facilitada quando a memória e a palavra conseguem criar um sentido para o sujeito. Dessa maneira, o diálogo com o passado torna-se presente e a transmissão transgeracional torna-se possível.

Kaës (1991) fala da existência de três tipos de memória:
- do sujeito, com a singularidade de sua história;
- da espécie, que Freud denominou herança arcaica da humanidade;
- dos conjuntos transubjetivos que sustentam nossa identidade e nossas "pertenças" a grupos.

Esses três tipos se inter-relacionam, embora apresentem configurações próprias. Como não é possível falar de recordações sem a inclusão do tempo, é fundamental que se faça a distinção entre "tempo histórico" e "tempo psíquico". Entendemos por "tempo histórico" a sucessão de acontecimentos ordenados cronologicamente, enquanto "tempo psíquico" é a experiência emocional do sujeito com o seu passado e seu presente.

A psicanálise trabalha no viés do tempo psíquico e das representações; é um processo investigativo no qual o sujeito precisa de tempo de discriminação e de elaboração para ressignificar o material reprimido. Daí Freud ter escrito em uma carta a Fliess (1986, p. 298) as seguintes reflexões:

> Tu sabes que trabalho com o suposto de que nosso mecanismo psíquico se origina por estratificação sucessiva, pois de tempo em tempo o material preexistente das ondas mnêmicas experimenta um reordenamento segundo novos arranjos, uma retranscrição. Todo passado não pode ser transformado em recordação.

As memórias, sejam elas históricas, sociais, políticas ou das mentalidades, podem ser transmitidas para outras gerações por meio de heranças transgeracionais, que podem ser de naturezas onto e filogenéticas. As fantasias e os registros mnêmicos das experiências vivenciadas pelo sujeito podem permanecer encriptadas no inconsciente, manifestar-se por meio de sintomas ou ser elaboradas e transformadas. É por esse valioso e misterioso material psíquico que os psicanalistas auxiliam o sujeito a ter um maior conhecimento de si, do seu modo de funcionamento mental, assim como a encontrar meios para lidar com seus conflitos.

Para a constituição da subjetividade e da personalidade do ser humano, são imprescindíveis experiências relacionais, que são vivenciadas por meio do olhar, ouvir, falar e sentir o outro. As primeiras relações do bebê com a mãe são fundamentais para a impressão dessas vivências emocionais primitivas que ficam registradas em nossa mente e servirão de modelos psíquicos para o desenvolvimento da personalidade. Sabemos que as heranças que recebemos de nossos pais são impostas e, na maior parte das vezes, transmitidas sem nos darmos conta. Daí a importância que as famílias e o meio têm na constituição emocional do sujeito.

Castañeda (2007, p. 322) mostra o valor dos afetos para o desenvolvimento humano. Ele escreve:

> Qualquer caminho é apenas um caminho e não constitui insulto algum para si mesmo ou para os outros abandoná-lo quando assim ordena o seu coração... Olhe cada caminho com cuidado e atenção. Tente-o tantas vezes quantas julgá-las necessárias... Então faça a si mesmo e apenas a si mesmo uma pergunta: possui esse caminho um coração? Em caso afirmativo, o caminho é bom. Caso contrário, esse caminho não possui importância alguma.

O autor ressalta, em seu livro, a importância dos aspectos afetivos que permeiam nossa existência. O homem não consegue ser apenas uma máquina. São as nossas emoções que dão significado às vivências humanas. Quando não somos capazes de tolerar o domínio de nossas pulsões, nem de passar por processos elaborativos, as experiências são geralmente vivenciadas de modo catastrófico e violento por nós mesmos.

Existem outras linguagens que também apresentam caráter universal e perene e que mexem com nossas emoções. Os mitos e a música, por exemplo, funcionam como se fossem "máquinas de abolir o tempo", uma vez que eles transportam o sujeito a vivências e a identificações ligadas tanto ao presente quanto ao passado (Lévi-Strauss, 1996).

As facilidades do mundo pós-moderno têm permitido, por meio dos recursos tecnológicos e de pesquisas avançadas, constatar cientificamente certos fenômenos, que antes eram apenas suposições teóricas. Na visão científica contemporânea, o corpo e a mente estão integrados. Muitos estudiosos usam uma junção de conhecimentos de várias áreas para tentar compreender o sujeito de modo holístico; a teoria da relatividade criada por Einstein e por outros físicos modernos, como Capra (1983) e Hawking (1988), mostram uma inter-relação entre a quantidade de energia existente na matéria e o desenvolvimento do sujeito.

Na física quântica, as variáveis entre espaço e tempo são consideradas quantidades dinâmicas, que sofrem interferências entre si e podem também ser afetadas por qualquer coisa que aconteça no Universo. "Assim como não se pode falar de eventos no Universo sem as noções de espaço e tempo, também na relatividade geral torna-se sem sentido falar de espaço-tempo fora dos limites do Universo" (Hawking, 1988, p. 59-60). A teoria da relatividade provocou o abandono do tempo absoluto e da ideia do absolutismo, da explicação para tudo. Abriu espaço para a dialética. No conceito da perda do tempo absoluto, cada observador tem sua própria medida do tempo, validando a ideia da individualidade e da subjetividade (Hawking, 1988).

Em física quântica, faz-se uma diferença entre espaço "imaginário" e "tempo-espaço-real", ou seja, ir para a frente ou para trás não representa uma diferença significativa no espaço imaginário; já no "tempo-espaço real", essa noção é diferente. O conceito de espaço "imaginário" parece-me equivalente ao princípio do prazer descrito por Freud em 1911, no qual a pessoa age instintivamente, sem pensar. Já o "tempo-espaço real" remete-me ao "princípio da realidade", ou seja, o sujeito reflete antes de agir.

A internet tem permitido e facilitado o acesso a várias áreas do conhecimento, fazer inter-relações e ampliar as possibilidades de pesquisa e do conhecimento. Um dos exemplos é que, na época de Freud, a noção do inconsciente era uma hipótese. Atualmente, com os estudos das neurociências e das imagens, os cientistas estão buscando comprovar sua existência. As ideias vão se reconfigurando e construindo novos paradigmas. Com o passar do tempo, os fatos novos continuarão a sofrer esse dinamismo, pois o tempo, o Universo e também a mente estão em constante movimento e desenvolvimento. Essa é a beleza da vida.

Desenvolvimento e mutações: adolescente, família e cultura

Somos uma mescla de subjetividades e objetividades que coexistem e se transformam ao longo de gerações. Penso que as coisas geralmente não mudam na essência, mas em sua forma e sua expressividade. A formação das sociedades tem como ponto de origem a célula familiar. As mutações que vão se originando ao longo das gerações serão as responsáveis pelas diferenças existentes entre as mentalidades, os valores e os papéis familiares e sociais.

Foram várias as reconfigurações familiares que vivemos ao longo da nossa história. Tivemos épocas em que as famílias se organizaram sob o regime do patriarcado ou do matriarcado. Eram arranjos matrimoniais que visavam, sobretudo, à manutenção do poder nos feudos. Na atualidade, surgiram outros modos de organizações do cenário familiar e social, principalmente a relação entre homem e mulher. A mulher vem lutando veementemente contra a submissão, buscando cada vez mais sua autoafirmação. Algumas querem continuar sendo femininas, maternais, poder amar e ser amadas, realizar-se e também contribuir para uma divisão nas tarefas econômicas e domésticas. Esse modelo trouxe mudanças na estrutura e na dinâmica familiar, principalmente no que se refere à busca de um reequilíbrio dos papéis entre homem e mulher. O homem de hoje está mais livre para mostrar sua sensibilidade, chorar quando se emociona e exercer a função paterna de modo mais presente na educação dos filhos. Sente-se mais aliviado pela diminuição da pressão, da responsabilidade e do poder que antes era outorgado ao sexo masculino. A busca da igualdade de direitos entre homem e mulher no seio da família tem gerado instabilidades e desarranjos O aumento do número de divórcios produziu novas modalidades conjugais e uma crise da instituição tradicional do casamento. Hoje, muitos jovens não sentem a necessidade de oficializar sua relação conjugal. Por vezes, eles decidem se casar só quando têm filhos.

O ser humano carrega dentro de si várias famílias: de seus antepassados, de sua infância, da adolescência, do casamento, de seus filhos e netos. É um processo dinâmico e complexo que, durante nossa existência, vai se transmitindo pelas gerações, reconfigurando-se e transformando-se, por meio da composição e da integração das múltiplas experiências vividas. O "novo sempre vem", mas, para isso, não é necessário nem possível anular o passado. Para sermos capazes de fazer nossas escolhas, são imprescindíveis o conhecimento e o respeito às nossas raízes e à nossa história. Por isso, as crianças demonstram tanto interesse em ouvir histórias sobre a infância de seus pais e avós, e olhar fotos nos álbuns de família. É um modo de resgatar o passado e identificar-se com o presente. São passos necessários para construir e ter uma identidade (Blay Levisky, 1999).

A adolescência, por sua vez, é um período de inúmeras transformações, descobertas e dúvidas. Época em que aflora a sexualidade, com desejos e angústias pelas perdas da infância e pelas aquisições do mundo adulto, como a escolha do objeto amado.

Durante o período da adolescência, a família do adolescente também "adolesce", ou seja, sofre igualmente um processo de estranhamento; os meninos e as meninas tentam virar adultos e não sabem como fazê-lo. Eles confrontam seus pais, que também encontram dificuldades para viver esse período (Outeiral, 1994). Ser pais de adolescentes é geralmente muito sofrido, pois tanto eles quanto os filhos estão buscando internalizar as transformações desse novo momento. O adolescente, apesar de tenso e irreverente, necessita da presença de um adulto para ter quem confrontar. Essa experiência permite a ele encontrar meios para destruir e recriar seu sentido diante da vida. Ele leva um tempo para conseguir se integrar à sociedade adulta. As pulsões necessitam ser processadas, ressimbolizadas e reconfiguradas para que descubra sistemas internos que o levem a encontrar um equilíbrio emocional e uma integração social.

Conteúdos emocionais não elaborados na adolescência dos pais são reativados e ressignificados na adolescência dos filhos. A adolescência é um período de grande turbulência do mundo interno e externo, de profundas buscas de modelos e de mudanças. "Quem sou eu?" e "Quem serei eu?" são perguntas que todo jovem se faz. Valores infantis se mesclam e se confundem com os atuais, provocando as famosas "crises da adolescência". Dependendo da maneira como se lida com essas crises, elas poderão ou não adquirir um caráter patológico. As "crises normais" do adolescente, muitas vezes, são confundidas com patologias, pela intensidade com que se instalam (Knobel, 1977).

A mentalidade adolescente carrega um conjunto de expectativas, ideais e valores próprios. Trata-se de um processo dinâmico de desafio, coragem e valentia, na travessia dos ritos de passagem que configuram a inserção dos jovens no segmento social adulto.

Sociedades que oferecem condições de continência, de *holding* e de criatividade colaboram para dar vazão às pulsões agressivas e amorosas do jovem. Nessas condições, ele poderá ser capaz de viver suas experiências, transformando-as em conhecimento e em oportunidades de se sentir útil à sociedade. Essa condição promove o desenvolvimento do sentimento de pertença (Levisky, 2007a).

Levisky (2007b) desenvolveu uma pesquisa histórico-psicanalítica sobre a adolescência na Idade Média e concluiu que somente a expressividade dos conflitos dessa etapa do desenvolvimento é mutável, mas que sua estrutura permanece aparentemente a mesma ao longo do tempo histórico.

Uma sociedade que não tem claras as definições de papéis, funções, valores e limites não cumpre sua função organizadora. Nesse contexto, o adolescente se torna agente e vítima de um processo simbolicamente carente de pai e mãe, ficando socialmente órfão ou apegando-se àqueles que lhe dão guarida. Vivem o caos destrutivo, sem espaço para o caos criativo, no qual a baderna, o roubo, a violência, o tirar vantagem passam a constituir o elemento de identificação e de afirmação. Assim, esses valores da cultura acabam ajudando o sujeito a se construir dessa maneira (Levisky, 1998).

Freud (1973a) enfatizou que os instintos destrutivos existentes no homem eram os responsáveis pelo mal-estar da civilização. Pensava que a violência surgia do instinto agressivo que todo homem tinha de matar ou maltratar seus semelhantes, a menos que ele fosse canalizado de forma construtiva.

A criança e o adolescente deveriam ser os focos prioritários na questão da prevenção da violência, pois eles se encontram em pleno desenvolvimento de sua personalidade e identidade. Alimentam-se dos valores subliminares que permeiam o processo educacional, que, por sua vez, é formador das subjetividades individual e coletiva. É na adolescência que os jovens têm a sua segunda e última oportunidade de reorganizar sua personalidade. Caso não sejam tomadas providências preventivas, o jovem correrá o perigo de cristalizar-se em seu funcionamento mental e desenvolver traumas.

O trauma psíquico surge por meio de uma experiência emocional não elaborada, que pode ficar encriptada no inconsciente do sujeito, produzir sintomas e afetar sua autonomia e espontaneidade. As formas de manifestação da dor psíquica e as consequências de seus efeitos traumáticos podem ser mutáveis e estão diretamente relacionadas com a construção da subjetividade do indivíduo (Blay-Levisky e Levisky, 2007).

Com som de guitarra e ar de adolescente contestadora, a música "Ovelha negra" (1975), de Rita Lee, expressa a dor que o jovem externaliza ao se dar conta de sua incapacidade de enfrentar processos de mudanças. Ela também denuncia a irritação, a dificuldade e o inconformismo dos pais para aceitar novos modos de pensamento e de ações dos filhos. Em geral, os pais vivem esse desenvolvimento como uma transgressão, uma ofensa aos seus princípios e uma traição transgeracional.

O conflito de gerações faz parte do processo de desenvolvimento do ser humano. Sair de um estado de dependência afetiva para buscar outras qualidades de afeto, como a escolha de um companheiro e a de uma profissão, costuma comprometer o equilíbrio e a dinâmica das famílias, sobretudo quando o caminho desejado pelo jovem é diferente das expectativas criadas pelos pais em suas fantasias. Vale lembrar que muitos jovens, para se autoafirmar emocionalmente e assumir a sua identidade adulta, precisam atacar os pais, matá-los simbolicamente. Daí o fato de a adolescência ser um momento geralmente doloroso e difícil tanto para os pais quanto para os filhos. É a época em que os jovens começam a ter segredos e a revelar sua intimidade a amigos e namorados. Para alcançar individualidade e privacidade, o jovem costuma buscar o diferente. É também comum que os pais projetem suas angústias nos filhos para não se defrontar com a dor do próprio envelhecimento. Paciência e capacidade de tolerar frustrações são os requisitos fundamentais para conviver e suportar qualquer tipo de mudança.

Quando passamos por momentos difíceis, temos a impressão de que o tempo demora a passar. Entretanto, nos dias de hoje, vivenciamos uma sensação oposta. Nossa mente não está preparada para acompanhar e elaborar a invasão de tantos estímulos que são lançados ao mesmo tempo no meio externo e acabam provocando mudanças psicossocioculturais. O tempo mental é diferente do real e a capacidade do sujeito de tolerar mudanças torna-se complexa, dolorosa e, geralmente, com tendências a resistências. Por exemplo, como já dito, os jovens na atualidade não sentem tanta necessidade de oficializar seus relacionamentos afetivos. Ficam juntos enquanto se gostam, mas diante de qualquer crise se separam, pois não conseguem tolerar as frustrações inerentes às relações. Lembro que atendi um casal que viveu como amantes por sete anos e tudo caminhava bem. Depois de um mês da oficialização do casamento, os desentendimentos foram se tornando frequentes, a ponto de vivenciarem violências verbais e até corporais no relacionamento. O que teria mudado? Seria o peso do cotidiano? A perda do sabor do romance proibido? O acobertamento do mundo fantástico dos sonhos e das ilusões pelo enfrentamento da realidade? (Blay-Levisky, 2005)

A ideia de um casal resolver se separar, romper com uma estrutura de família tradicional não era bem-aceita em outros tempos. Como a mulher era dependente economicamente do homem, ela se submetia a essa situação. Hoje, as separações se tornaram mais frequentes e até banalizadas. Quando se unem, os jovens já partem do pressuposto de que, se não for bom, separam-se, e assim resolvem os problemas.

Vivemos em um regime de urgência, de resoluções rápidas e de uma tentativa de padronização das culturas por conta da globalização. O mundo ficou menor, mais conhecido e alcançável para grande parte das pessoas, em virtude do poder da mídia que possibilitou a difusão de informações, a uma economia mais favorável e às facilidades de deslocamento entre um país e outro. Em consequência, questões que antes pareciam difíceis ou até inatingíveis tornaram-se possíveis, mesmo que somente por meio do mundo virtual. O não comprometimento nas relações tem favorecido o crescimento do número de relacionamentos virtuais e do viver solitário (Blay-Levisky, 2010).

Diante da baixa tolerância para a resolução de conflitos, o número de famílias reconstituídas tem aumentado dia a dia. Quando os papéis familiares não estão bem estabelecidos e os filhos de várias uniões coabitam, fica difícil nomear quem é quem nessas novas reorganizações familiares. É necessário tempo para digerir esses novos conteúdos para o desenvolvimento do sentimento de pertença.

Segundo as ideias de Darwin, as mutações que conseguirem uma adaptação ao meio permanecerão e serão transmitidas para outras gerações; as que não se adaptarem desaparecerão. Novos desequilíbrios poderão surgir, provocando outras mudanças. As mudanças que apresentarem dificuldades ou fragilidades no seu processo adaptativo sucumbirão e a transmissão inter e transgeracional também ficará interrompida. O tempo nos dirá qual será o destino dessas novas reorganizações familiares (Blay-Levisky, 1999). Como o mundo é dinâmico, esse processo deverá continuar provocando desequilíbrios e busca de novos equilíbrios.

O movimento natural da mente humana para evitar a dor mental é o uso dos mecanismos de defesa contra o fato novo; necessitamos tomar cuidado para que resistências não nos levem à estagnação e à obstrução do espaço mental para pensar e criar. Cabe ao sujeito encontrar meios para conviver e se adaptar às mudanças, mesmo que elas sejam difíceis de ser assimiladas e suportadas.

Penso que, diante desses novos paradigmas, é importante refletir sobre nosso papel como psicoterapeutas de famílias e de casais. Tenho sentido necessidade, em alguns casos, de modificar minha maneira de trabalhar, principalmente com as famílias. Como elas têm sofrido mutações em sua estrutura e dinâmica, torna-se necessário, para a compreensão de seu funcionamento mental, o desenvolvimento de flexibilidade, criatividade e liberdade por parte do profissional para conviver com essa transição. Tem sido cada vez mais frequente o atendimento de partes da família ou de novos agregados, como: pai, mãe, filhos, novos companheiros, avós e até babás. Essa necessidade é útil para o terapeuta encontrar condições e caminhos que ajudem as pessoas a desenvolver novas maneiras de estar em família. É fundamental que o terapeuta não perca a noção do *setting* analítico e da capacidade de observação terapêutica.

Tenho sido procurada ultimamente para terapia de mães e filhas adolescentes que estão vivendo conflitos com os novos companheiros de sua progenitora. Eles tentam ocupar o lugar paterno, querendo participar da educação. As adolescentes revoltam-se com a mãe por ela não estar respeitando e garantindo o lugar do pai real. O novo casal, muitas vezes envolvido por um estado de paixão, volta-se para si em um comportamento adolescente e não se dá conta da necessidade de construir outros papéis nessa nova configuração familiar. Ao não querer criar uma situação desagradável diante do(a) novo(a) companheiro(a), eles acabam, muitas vezes, se indispondo com os filhos e gerando um clima emocional confuso, pela falta de discriminação em relação à hierarquia familiar. Desse modo, cria-se um ambiente instável, ambivalente, com competições e agressões hostis entre os membros da família, que gera insegurança e insatisfação. Esse ambiente pode acabar provocando uma fragilidade nos novos vínculos, que, por sua vez, necessitariam de tempo e maturidade para se consolidar e vencer as resistências próprias à introdução da nova dinâmica. Tem sido frequente observarmos que pais e filhos vestem-se da mesma forma, tendência que tem dificultado uma maior clareza na definição dos papéis, na hierarquia e nas funções parentais dessas novas configurações familiares. Os pais acabam se comportando de maneira semelhante à dos filhos adolescentes. Seria como uma representação simbólica o desejo de os pais vivenciarem uma adolescência eterna e se colocarem como irmãos dos próprios filhos. Isso acaba contribuindo para que eles se sintam inseguros pela falta de pais.

Além dessas mudanças que estão ocorrendo no mundo pós-moderno, penso que nem o meio social nem muitas famílias estão conseguindo oferecer um *holding* suficientemente bom para conter o nível de estresse que se vive na atualidade.

Apesar de percebermos o ser humano mais narcísico, ele continua necessitando do outro para preencher seu vazio diante da solidão. Sabemos que, para construir a identidade e a cidadania, é necessário que o indivíduo vivencie acolhimento afetivo para desenvolver vínculos e comprometimento. Além disso, é fundamental oferecer-lhe o tempo de que necessita para perceber, elaborar e transformar o novo.

Cada um tem sua singularidade e seu tempo próprio. Como vivemos em sociedade, é necessário que o homem busque sua adaptação às necessidades que a realidade lhe impõe. Esse é o grande desafio – difícil, mas necessário – para um convívio social. Mudanças sempre existiram e continuarão existindo. O importante é o homem ser capaz de buscar recursos internos para lidar com as transformações. A psicanálise pode auxiliar o sujeito a perceber e analisar esses conflitos que emergem das turbulências provocadas pelo fato novo; também lhe oferece ferramentas para que possa usá-las, não se atolar nem se paralisar diante do desconhecido.

Os índios aimarás que vivem entre Peru, Bolívia e Chile foram objeto de estudo na área de linguística (Nunez e Sweerser, 2006). Os pesquisadores decodificaram a linguagem dos aimarás e perceberam que eles chamam o futuro de *qhipa pacha timpu*, que significa atrás do tempo, e o passado de *nayra pacha timpu*, que indica tempo à frente. Quando falam do passado, gesticulam à sua frente, e do futuro, às suas costas. Concluíram que, para esses índios, aquilo que é conhecido está diante de seus olhos e significa literalmente *nayra*, ou passado. Aquilo que não é conhecido, que não se vê, é *qhipa*, ou seja, o futuro.

Essa pesquisa levou-me a pensar que a nossa compreensão sobre noções do tempo e do espaço pode variar dependendo do contexto cultural e da época em que estamos vivendo, do referencial que for utilizado, das perspectivas histórica, social, genética e antropológica dos fatos.

A constituição do sujeito e seu psiquismo também poderão sofrer diferenças significativas de estruturação, dependendo do modo como as subjetividades do indivíduo forem vivenciadas, referenciadas, impressas e transmitidas por meio das heranças transgeracionais.

Selecionei, como curiosidade, algumas músicas mais atuais de artistas brasileiros e percebi que conteúdos relacionados com os temas ligados a amor, desilusão, desencontros, solidão, desamparo social, violências, desigualdades e preconceitos continuam sendo fontes de inspiração para esses compositores.

Ao ouvirmos a música "Silêncio", de Arnaldo Antunes (2002), identificamos a comparação entre as vivências do passado e as do presente.

Em "Rosa de Hiroshima" (1973), de João Apolinário e Gerson Conrad, percebemos questionamentos relacionados com as violências sofridas pelos japoneses durante a Segunda Guerra Mundial. Esses compositores criticam também o poder e a ambição de governantes, que priorizam interesses político-econômicos acima do bem-estar, da dignidade e do respeito ao ser humano. É uma letra que denuncia, alerta e convida o homem a uma reflexão para não repetir as barbaridades ocorridas no passado. Relembra as cicatrizes e as consequências dolorosas que esses episódios deixaram no presente.

Nas músicas de Maria Gadú, jovem compositora e cantora brasileira, nota-se sua preferência por temas ligados ao sofrimento e à dor diante de perdas amorosas, desencontros, desilusões, solidão e vazio do homem atual. Ela retrata bem as dificuldades que os jovens encontram para manter vínculos afetivos, assim como suas lutas e buscas contra a solidão. A ilusão e a desilusão caminham juntas. Adriana Calcanhoto canta e conta, em "Mentiras" (1992), a dor causada e vivida pelo abandono da pessoa amada, as mentiras e as ameaças usadas para o reencontro. Revela em suas estrofes o modo imaturo, falso e irreverente que as pessoas têm usado para lidar com suas dificuldades nas relações afetivas.

Deu-me a impressão, apesar de não ter realizado uma pesquisa sobre o tema, de que as composições atuais estão mais voltadas para expressar questões ligadas às desilusões amorosas e sociais, como um retrato de questões contemporâneas. O amor, a traição e a desilusão continuam sendo cantados em prosa e verso, pois são sentimentos intrínsecos à natureza humana, independentemente do momento cultural. Já as dificuldades nas relações entre pais e filhos e os conflitos entre gerações parecem ter tido um espaço e uma preocupação maiores em torno das décadas de 1960, se comparados com os dias atuais.

Sucessos inesquecíveis, como "Trem das onze" (1964), de Adoniram Barbosa, anteriores a 1960, focavam em seus versos a preocupação com a família.

A bossa-nova foi um movimento de artistas brasileiros que tinha como motes políticos o protesto e a denúncia contra a ditadura militar e a proibição à liberdade de expressão em nosso país. "Sem lenço, sem documento", de Caetano Veloso, transformou-se em um hino de revolta e repúdio ao regime ditatorial vivido por muitos de nós.

As várias linguagens artísticas transmitem com muita sensibilidade as inquietações da alma humana. São questões complexas e representam questionamentos inquietantes que nos estimulam a refletir sobre eles. Temos mais dúvidas do que respostas e necessitamos de tempo para digerir, compreender e aceitar essas novas situações que a cultura nos impõe.

Será que a família, que tem sofrido tantas reconfigurações na sociedade atual, continua ocupando as mesmas funções no imaginário coletivo?

Penso que, apesar das diferenças que a família tem sofrido nos vários momentos históricos, ela continua apresentando seu papel essencial na condição de função vincular, afetiva e de transmissão de modelos.

A evolução é um processo intrínseco da humanidade. Penso ser uma de nossas tarefas, na condição de psicoterapeutas de casal e família, auxiliar o sujeito e a família a perceber, refletir e trabalhar suas dificuldades e preconceitos, para alcançarem maior capacidade para tolerar angústias e frustrações e suportarem o tempo necessário para adaptações. O tempo continua correndo e o novo sempre virá. Enquanto estivermos vivos, precisaremos descobrir meios de adaptação para nossa sobrevivência. Essa é a arte da vida e do viver!

Referências

ANDRADE, C. D. *Esquecer para lembrar. Boitempo III*. Rio de Janeiro: José Olympio, 1979.
ANTUNES, A. "Silêncio". Tribalistas, 2002.
APOLINARIO, J; CONRAD, G. "Rosa de Hiroshima". Secos e Molhados, 1973.
BARBOSA, A. "Trem das onze". Senhor da Voz, 1964.
BLAY-LEVISKY, R. *O novo já não é mais novo, já era!* Anais III Congresso Psic. Configur. Vinculares. II Encontro Paulista de Psiquiatria e Saúde Mental. Águas de São Pedro, São Paulo, 1999, p. 199.
_____. "Le marriage est-il une ménace pour le couple?" *Revue de Thérapie Familiale Psychanalytique*, v. 14, 2005, p. 65.
_____. "Vínculos virtuais: novas formas de amor?" In: FRANCO MONTORO, G. C.; MUNHOZ, M. L. E (orgs.). *O desafio do amor – Questão de sobrevivência*. São Paulo: Roca, 2010.
BLAY-LEVISKY, R.; LEVISKY, E. B. *Cultura, família e subjetividade*. XVII Congresso Latino-Americano da Flapag, VI Congresso do Nesme e VIII Jornada da Spagesp, 31 maio 2007.
CALCANHOTO, A. "Mentiras". Senhas, 1992.
CAPRA, E. *O tao da física*. São Paulo: Cultrix, 1983, p. 21.
CASTAÑEDA, C. *Os ensinamentos de Don Juan – O maior conquistador da história*. Portugal: Europa-América, 2007.
FREUD, S. *Mal estar en Ia civilización e en la cultura. Obras Completas*. Madri: Biblioteca Nueva, 1973a.
_____. *Los dos principios del funcionamiento mental. Obras Completas, Tomo III*. Madri: Biblioteca Nueva, 1973b.
_____. "Correspondencia de Sigmund Freud a Wihelm Fliess". In: *Ed. Completa (1896-1908). Carta 52 para Fliess, 1896*. Buenos Aires: Amorrotu, 1986, p. 298-327.
KAËS, R. "Rupturas catastróficas y trabajo de la memoria. Notas para una investigación". In: PUGET J.; KAËS, R. (orgs.). *Violencia del estado y psicoanálisis*. Buenos Aires: Centro Ed. América Latina, 1991.
HAWKING, S. W. *Uma breve história do tempo*. 8. ed. Rio de Janeiro: Rocco, 1988, p. 60.
KNOBEL, M. "El síndrome de la adolescencia normal". In: ABERASTURY, A.; KNOBEL, M. (orgs.). *La adolescencia normal*. 5. ed. Buenos Aires: Paidós, 1977.
LEE, R. "Ovelha negra". Fruto Proibido, 1975.
LEVI-STRAUSS, C. *Antropologia estrutural*. Rio de Janeiro: Tempo Brasileiro, 1996.
LEVISKY, D. L. *Adolescência: reflexões psicanalíticas*. São Paulo: Casa do Psicólogo, 1998.
_____. *Adolescência e violência: ações comunitárias na prevenção. Conhecendo, articulando, integrando e multiplicando*. 3. ed. São Paulo: Casa do Psicólogo, 2007a.
_____. *Um monge no divã. A trajetória de um adolescer na Idade Média Central*. São Paulo: Casa do Psicólogo, 2007b.
NUÑEZ, R.; SWEERSER, E. "With the future behind them". *Cognitive Science*, n. 30, 2006, p. 149.
OUTEIRAL, J. O. *Adolescer: estudos sobre a adolescência*. Porto Alegre: Artmed, 1994.

18 ADOLESCER EM UM MUNDO INSTANTÂNEO: REFLEXÃO SOBRE OS VÍNCULOS FAMILIARES NA ERA TECNOLÓGICA

Maria Luiza Dias

> "O tempo na era digital: o agora já foi."
> (Introdução do Dossiê Universo Jovem 5 MTV, 2010)

Muitas transformações ocorreram na vida doméstica com os avanços tecnológicos e a tendência à globalização. Vivemos um tempo a que apelido de *fast forward*, como se tudo estivesse sendo acelerado à frente. Crianças desqualificam adultos quando não são rápidos, demonstram incômodo e desvaliam o adulto que não tem desenvoltura na informática, como veremos mais adiante neste capítulo. O modelo apregoado propõe uma inversão de papéis: os adultos são vistos como estando em tempo de aprender o básico, e não as crianças.

Na geração tecnológica, fala-se em geração X, Y e já na Z; geração @; geração Millennials. Alcântara (2012) aponta que o termo geração X foi criado em 1950 por um fotógrafo chamado Robert Capa, tendo-o utilizado como título de um ensaio fotográfico sobre homens e mulheres jovens que cresceram imediatamente após a Segunda Guerra Mundial.

Segundo a jornalista Márion Strecker, a geração X nasceu entre 1950 e 1970 e viveu o surgimento do computador pessoal, da TV a cabo, do videogame e da web; a geração Y, nascida a partir de 1980, é muito mais familiarizada com a comunicação, as mídias e as tecnologias digitais.[1] Essas crianças ensinaram seus pais a usar os controles remotos e a gravar filmes da TV, adotaram o e-mail, mensagens de texto via celular e MSN como meio de comunicação, tornando-se triviais a música digital, o iPod e o *download* grátis. A geração Z é composta pelos chamados "nativos digitais", que demonstram imensa facilidade para lidar com qualquer tipo de equipamento novo e gostam de consumir "tudo ao mesmo tempo agora". Utilizam todos os recursos das redes sociais (por

---

1 Sobre a geração X e Y, consulte a matéria "Gen X, Y e Z. Qual é a sua?", de autoria de Márion Strecker (2011).

exemplo, Facebook e Twitter) e, se tiverem poder aquisitivo, são grandes adeptos dos *smartphones* e *tablets* de última geração. Márion cita sua filha de 12 anos como exemplo dessa geração, pois conversa com sua turma de amigos por Skype e troca mensagens pelo *smartphone* ao fazer lição de casa com a TV ligada.

A linguagem de "zapear" (ficar trocando de canal) não se restringe ao contato com a TV, mas também se faz presente no modo de o jovem se relacionar com os pares – o "ficar" substituindo o antigo namoro lembra isso. Pode-se trocar de par ainda durante a mesma "balada".

O Dossiê Universo Jovem 4 MTV[2], divulgado em 2008, revelou que 81% dos jovens estudados preferem trocar mensagens instantâneas, o que subiu ainda mais na pesquisa realizada em 2010[3], chegando a 93%. Nesse contexto, o telefone da família foi substituído por celulares individuais.

Os jovens nascidos entre 1980 e 1988 vieram a um mundo já moldado pela tecnologia digital, são dependentes da tecnologia e passam a não conseguir viver sem ela. Na família *high technology*, adolescentes municiados com aparelhos optam pelo que tem acesso no imediato, em um tempo instantâneo, no qual um e-mail em segundos é recebido do outro lado do mundo e em que as informações atravessam o globo, modificando totalmente nossa antiga relação de tempo e espaço. Nesse universo, ser bem-sucedido parece estar associado ainda a ter muitos aparelhos disponíveis à família: duas, três ou mais televisões; cada membro da família com seu *tablet* e com sua TV no quarto, entre outros recursos eletrônicos.

O Dossiê Universo Jovem 5 MTV afirma:

> Os profissionais de mídia concordam: o jovem é o maior consumidor de mídia, de todos os tipos – desde as tradicionais às novas –, de uma forma fragmentada. Ele é um dos *targets* mais difíceis de lidar num planejamento de mídia, pois está em constante mudança. Afinal, para o próprio jovem tudo muda muito rápido. O fato de consumir mais meios e de usá-los todos ao mesmo tempo faz do jovem um público com alta dispersão e baixa fidelidade ou comprometimento com os meios e conteúdos de comunicação.

Ao lado do universo dos jovens internautas, adultos aborrecidos com a falta de tempo concebem o ócio como negativo, em um tempo que nunca é suficiente e no qual não

---

[2] Dados do perfil geral da amostra: jovens brasileiros de 12 a 30 anos, sendo a idade média desse estudo 21 anos; 5% da amostra pertence à classe A; 37%, à classe B; e 58%, à classe C. O universo pesquisado representa 8 milhões de jovens nas nove cidades pesquisadas.
[3] O Dossiê Universo Jovem MTV Brasil, divulgado em 2010, teve por foco a reflexão sobre o comportamento dos jovens brasileiros no que se refere ao consumo de tecnologia, meios e conteúdos de comunicação.

se pode repousar. Se vivemos em um tempo em que tudo deve transcorrer instantaneamente, processando-se sem espera nem dor, ou, como nos aponta Zygmunt Bauman (2004), em que se deseja reter laços ao mesmo passo que se deseja mantê-los frouxos, em uma vivência em que a insegurança é a marca fundamental dos tempos líquidos modernos, estamos diante de um novo estilo na contemporaneidade, para várias faixas etárias. Pensemos, a seguir, sobre alguns aspectos desse cenário em foco neste capítulo.

Adolescer

Na nossa cultura, a adolescência é concebida como um período de transição entre a puberdade e a vida adulta. A literatura na área dedicou-se largamente a estabelecer características previstas para esse período do desenvolvimento humano. Tomemos por exemplo a autora Arminda Aberastury (1981), que sugeriu a existência de uma sintomatologia esperada "normal", inerente a essa etapa do ciclo vital.

Na "síndrome da adolescência normal", os seguintes sintomas são apontados pela autora como esperados nessa fase do ciclo vital: busca de si mesmo e da identidade; tendência grupal; necessidade de intelectualizar e fantasiar; crises religiosas, que podem ir do ateísmo mais intransigente ao misticismo mais fervoroso; deslocalização temporal, em que o pensamento adquire as características de pensamento primário; evolução sexual manifesta, que vai do autoerotismo até a heterossexualidade genital adulta; atitude social reivindicatória com tendências anti ou associais de diversa intensidade; contradições sucessivas em todas as manifestações da conduta, dominada pela ação, que constitui a forma de expressão conceitual mais típica desse período da vida; separação progressiva dos pais; e constantes flutuações do humor e do estado de ânimo.

Cabe lembrar que noções como as de infância, adolescência, maternidade, entre outras, são sempre socialmente construídas e existem como parte do mundo simbólico de uma cultura. Na antropologia, há relatos de sociedades tribais, por exemplo, em que a "adolescência" que construímos no nosso imaginário não é flagrada.

A antropóloga Margarerth Mead (*apud* Marconi e Presotto, 2005) realizou diversos trabalhos clássicos, preocupando-se em estudar fenômenos psicoculturais em sociedades tribais. Em Samoa, Mead permaneceu por um ano e pesquisou os problemas dos adolescentes. Diferentemente da sua sociedade norte-americana, em que havia tensão e repressão no período da juventude, Mead verificou que havia, na sociedade samoana, liberdade sexual para os jovens, antes e depois do casamento. Apontou, com isso, que o comportamento do jovem era determinado culturalmente.

O antropólogo Derek Freeman (*apud* Marconi e Presotto, 2005) desmistificou os achados de Mead após continuados anos de convivência na cultura samoana, afirmando o inverso – que crianças e adolescentes sofriam todo tipo de pressão, sendo as relações sexuais pré-conjugais e o adultério severamente punidos. Mesmo assim, essa discussão revela que o modo como o período jovem se constitui em uma cultura varia de acordo com padrões culturais de cada sociedade.

Em nossa cultura, influenciada pela tecnologia, nossos jovens compõem todo um contingente de consumidores que aguçam o mercado tecnológico, porque a cada dia algum item fica obsoleto e precisa ser substituído. Com um pouco de sorte, esse estilo fica somente com os aparelhos, pois, se relacionamentos também se tornarem descartáveis, a solidão estará incluída na evolução dos caminhos.

A adolescência pode, até mesmo, além de ser identificada como um período de desenvolvimento no ciclo vital de um indivíduo, ser concebida, no mundo contemporâneo, como um estilo de vida das sociedades urbanas. Chega-se a falar em "adultescência" (contração dos termos adulto e adolescência)[4] para se referir a adultos na faixa de 30 a 40 anos que adotam um estilo adolescente de comportamento, valorizando o estilo jovem, muitas vezes vestindo-se tal como o(s) próprio(s) filho(s) adolescente(s) e saindo também para suas próprias "baladas".

Essa tendência começou nos anos de 1990. Tais adultos se interessam por práticas jovens, moram na casa dos pais, uns já são formados e outros não. Entre os produtos consumidos estão os aparelhos da moda, por exemplo, pois parece importante ter um *tablet*, mesmo que seja somente para ler uma revista nele. Nessa linha, consumir pode significar o preenchimento de um vazio, a restauração de um poder. Penso que as ideias consumistas voltadas à tecnologia podem, ainda, negar o envelhecimento, já que ela está extremamente associada à renovação constante e ao mundo jovem, que nasce com dedos em teclados.

Sociedade tecnológica

Anthony Giddens (1991) já anunciou um fenômeno presente nas sociedades tecnológicas, a que chamou de desencaixe entre tempo e espaço. Apontou o processo pelo qual, em determinada sociedade, o tempo e o espaço deixam de atuar de modo interligado ou concomitante. Se na sociedade tradicional o indivíduo dominava todos os momentos de sua vida (o que usava, por exemplo, sabia de onde vinha e como fazer), na modernidade isso se perdeu. Desse modo, as instituições modernas seriam únicas, nunca tendo existido na história do Ocidente. Ao contrário das sociedades pré-modernas, que sempre vincularam o tempo ao lugar, não existindo um tempo universal (abstrato),

---

[4] Termo que foi incluído no *Dicionário Oxford da língua inglesa*. Consulte Beloni (2012).

o tempo e o espaço na modernidade, ao se construírem em torno do consumo, instalaram um espaço moderno de circulação. Esse processo gerou "desencaixe", pois retirou a atividade do contexto local e reorganizou as relações sociais por meio de grandes distâncias entre espaço e tempo.

Segundo Giddens, ocorreu um esvaziamento do tempo, uma ruptura entre a noção de espaço e tempo, entre espaço e lugar. O homem moderno passou a seguir regras, acreditando em sistemas cujos autores não conhece, criando um espaço vazio. Os lugares passaram a ser moldados por influências distantes, e a estrutura local não é mais determinada por aquilo que está presente em cena, ocorrendo o estabelecimento de relações de subjetividade com atores de outro lugar. Acredito que a instantaneidade da TV, o videoteipe, que arranca a copresença, e até mesmo a possibilidade de consultar um terapeuta via internet ou de estabelecer relação sexual via Skype são exemplos disso. O tempo se separou do lugar. Desse modo, a modernização "desencaixou" o indivíduo de sua identidade fixa no tempo e no espaço. O que isso significa para nossa população jovem pós-moderna? No mundo atual, nosso adolescente tem nos aparelhos (celular, iPod, tablet, entre outros) seu foco de atenção. Tais aparelhos são vias de acesso aos pares (grupo de mesma faixa etária), que permanecem conectados e podem ser chamados via Skype, ou pelo iPad que se comunica com outro iPad. O aparelho agora é também símbolo de *status* e parece ter substituído a calça *jeans* de marca de gerações anteriores.

Um tipo de funcionamento narcísico, autorreferente, fica aderido à tecnologia como um tipo de consumo de si mesmo. O indivíduo parece se portar como uma mercadoria, ele mesmo em si, por exemplo, quando fica no Facebook vendendo uma imagem valorizada de si próprio. É bem comum que, neste espaço on-line, ele publique tudo que há de melhor sobre si mesmo, como um tipo de autopropaganda. Fotos, informações, dados profissionais importantes (no caso do adulto), tudo que se tem de melhor é ali exposto, noticiado. Adolescentes saem de férias e postam fotos durante a viagem, exibindo o melhor de suas andanças. No período em que se elabora este capítulo, o Facebook é utilizado por muitas pessoas como um espaço de venda de imagem, da boa imagem de si mesmo, promovida como se o indivíduo em si se transformasse em sua própria mercadoria. Outras pessoas acreditam que o Facebook é um espaço para fazer fofocas, uma vez que se teriam perdido outros canais presenciais para essa prática.

Cabe investigar se esse novo estilo de interação traz ou não consequências sérias aos vínculos, se não se trata de modo de se vincular que empurre ao isolamento (paradoxalmente, propondo a comunicação); de embotamento narcísico (fica muito fácil apertar uma tecla e deletar alguém que não esteja lhe espelhando sua melhor imagem); de coisificação (o indivíduo se põe como sua própria mercadoria e trabalha por erguê-la por meio de sua imagem no espaço virtual).

Tempo *fast forward*

O termo *fast forward* me ocorreu por corresponder à tecla que utilizamos, em aparelhos eletrônicos (por exemplo, no aparelho de som ou no controle da TV), para acelerar a evolução de alguma mídia. Denominar o tempo *fast forward* objetiva indicar um tempo acelerado/apressado. Trata-se de uma época em que temos a sensação de não termos tempo de realizar tudo que queremos ou devemos; na qual se está sempre em atraso e em débito; em que o foco está no que se tem ainda a produzir; o ócio é concebido com valor negativo e a pressa e o sentimento de atraso trazem ansiedade, desprazer e prejuízo à autoestima do indivíduo.

A sociabilidade pós-sala de aula dos colégios é frequentemente mediada pelos torpedos dos aparelhos celulares e e-mails, no modo de comunicação virtual. Se os pais desejarem atribuir limites aos acessos a sites e outros recursos, conforme a faixa etária, necessitarão de dispositivos também eletrônicos, a que sua geração não lhes facilitou e agora precisam correr atrás de se capacitar para o uso de dispositivos de controle – por exemplo, instalação de programa que permite identificar a que sites o(a) filho(a) teve acesso, como usuário de um computador. Um conjunto de "pais espiões" espalhou-se pelo mundo, que atuam, desse modo, em sigilo.

A comunicação transformou-se em um ato instantâneo. Um imenso tempo é despendido diante dos aparelhos eletrônicos, um tempo que rouba pedaços do sono e do convívio entre familiares.[5] A troca de e-mails e de comentários no Facebook não é incomum, até mesmo quando os familiares estão na própria residência. Se antes havia a mãe que levava o videogame no próprio carro, ao sair para o trabalho, como forma de ocasionar uma limitação ao(s) filho(s), atualmente, para acionar o mesmo procedimento restritivo, necessitará de muito mais esforço e de uma coleção de senhas eletrônicas destinadas aos aparelhos.

Quem não tem poder aquisitivo que permita navegar na tecnologia, em geral, é desqualificado e desprestigiado pelos demais. Estamos olhando para uma geração apetrechada, que se exibe sacando eletrônicos dos bolsos e das bolsinhas (no caso das meninas). O indivíduo resultará deprimido? Depressão em consequência da ausência de prazer, de significado de vida? Não é à toa que são nesses tempos que se fala em *burnout* como quadro depressivo, relacionado com o mundo do trabalho. A síndrome de *burn-*

---

[5] Há poucos anos, se um adolescente telefonasse para outro de madrugada, o telefone soaria e acordaria provavelmente os pais dele, ou a ligação seria percebida nas clássicas contas altas de telefone, quando a conversa durava horas. Nos tempos atuais, o celular (que, em geral, fica conectado na tomada do quarto do(a) jovem carregando e servindo de despertador em dias de escola) pode vibrar na madrugada, pois quem está acordado consegue buscar outros amigos também insones.

out corresponde a um quadro de depressão e colapso nervoso, em que ocorre um esgotamento da resistência física ou emocional, ou da motivação, geralmente por consequência de estresse ou frustração prolongados. Esse termo nasceu nos anos 1970, advindo da ciência dos foguetes para o campo das ciências da saúde, pois significava queimar-se ou destruir-se pelo fogo. Para isso caminham nossos jovens? Esse é o universo a transmitir aos adolescentes de hoje? Rumo a um mundo ocupacional, no qual o tempo também nunca dá e se exige de si mesmo e se é exigido pelos demais a corresponder sempre um pouco mais?

Jovens urbanos, sobretudo nas grandes capitais, já andam de agendas cheias, com tempo todo estruturado e, se sobram alguns minutos, possivelmente não encontram seus ocupadíssimos pais no domicílio.

Nesse contexto da sociedade atual, crianças têm pressa de crescer; adolescentes têm pressa de amar e podem até começar um relacionamento por etapas que seriam posteriores – como a relação sexual e a gravidez –, terceirizando a maternidade e a paternidade ao transferirem os cuidados físicos, emocionais e financeiros com o bebê para os avós, para poderem ir ao colégio. Nesse universo, não é incomum que os adultos também se sintam "atrasados" com alguma meta que se preestabeleceram, seja para constituir família ou para encaminhar ou finalizar um projeto de trabalho.

Por que, na contemporaneidade, vivemos um tempo que não dá? Não cabe? É pequeno perto de tudo que alegamos ter de ocorrer? Esse universo nos conduz a viver para o que ainda se tem de conquistar, muitas vezes em detrimento de desfrutarmos das próprias conquistas. Nesse tempo em que nunca dá, não se pode repousar, e o indivíduo também não pode parar para pensar em si mesmo e nos vínculos nos quais está inserido. Se o mundo adulto se apresenta desse modo, cabe questionar os modelos identificatórios que estão disponíveis para os adolescentes dessa época.

Nas escolas, até mesmo Chapeuzinho Vermelho deixou de ser a clássica personagem das histórias da infância. Um texto de Juliana Gonçalves (2012) traz uma nova versão da história. Ele foi utilizado em uma prova de Português aplicada ao quinto ano do ensino fundamental, em um dos mais conhecidos colégios particulares da cidade de São Paulo, no final do ano letivo de 2012.

No texto, Chapeuzinho é multada pelo uso do telefone celular, pela falta do uso de cinto de segurança, por andar na faixa de ônibus e por trafegar no horário do rodízio. Depois, ela segue seu caminho e é assaltada, ficando sem o relógio e o dinheiro. Chapeuzinho reclama que foi multada, assaltada e que chegará atrasada ao trabalho. Ao chegar, seu chefe lhe passa novos projetos e avisa que terão metas a cumprir todos os meses. A meta apresentada naquele momento relacionava-se com triplicar a venda de doces, distribuindo-os para todos os contos de fadas.

Juliana continua contando que Chapeuzinho conversou com inúmeros fornecedores e clientes e que fez até hora extra para cumprir as metas estipuladas, chegando cansada em casa. Isso foi percebido por sua mãe, que perguntou o que havia acontecido. Chapeuzinho respondeu que o dia havia sido longo, mas não aprofundou a conversa; sua avó a visitou no quarto e disse: "Minha netinha, tome este chocolate quente e descanse. Amanhã será outro dia e, como em todos os dias, é possível que as histórias se modifiquem".

No outro dia, conta Juliana, Chapeuzinho foi com uma cesta de doces visitar o lobo, que se encontrava internado no Hospital das Extinções. Enquanto Chapeuzinho olhava o lobo, houve um tumulto, e o Caçador chegou arrombando tudo. Enquanto o Caçador tentava proteger Chapeuzinho, ela lhe disse: "Quem é você para decidir por mim? De quem quer me proteger? O que você entende por proteção? Sou uma Chapeuzinho Vermelho do século 21 e necessito escolher meu caminho". Chapeuzinho tira o Caçador dali "debaixo de cestadas" e afirma, na sequência: "Era impossível enfrentar uma Chapeuzinho decidida". A história termina informando que Chapeuzinho filiou-se a um grupo de proteção ambiental, que defende a preservação da fauna e da flora.

Vemos que a Chapeuzinho Vermelho do século 21, na versão da autora Juliana Gonçalves, apesar de defender suas posições com forte agressividade (haja vista como tratou o Caçador), via-se aprisionada em uma correria imensa. Afirma-se dizendo ter direito a escolher seu caminho e, na sequência da história, o faz, lutando por consciência ambiental, filiando-se a um grupo ligado ao tema. A perspectiva de "as histórias se modificarem" trazida pela Vovó sugere que o mundo do momento é um mundo de "trilhas asfaltadas" e de "homens cruéis" (sem consciência ambiental), como mencionou Chapeuzinho ao referir-se ao mundo da atualidade. Penso que voltar à vida natural é visto por ela como uma saída, já que passa a dedicar-se à preservação da natureza.

Seria esse o caminho para nosso jovem atual? Buscar uma modalidade de vida na qual possa conciliar as aquisições tecnológicas com as vantagens de relacionamentos presenciais? Estariam perdendo a medida tal como o dia não mais cabe em 24 horas?

Ao final de 2012, fui presenteada por uma cliente com uma folhinha de parede, que continha os meses do ano, mas também a "Oração do Trabalhador"[6], cujo texto transcrevo parcialmente a seguir:

> Bom dia, meu Deus! Antes que comece este dia e eu me concentre na correria de mais uma jornada de trabalho, quero falar com o Senhor. Dentro de mim existe uma gratidão imensa, porque eu tenho um ganha-pão, enquanto tantas pessoas sofrem tristes e desesperadas com o desemprego e a fome. Muitas vezes, quando chego em casa, sinto o meu corpo cansado, mas

---

6 Disponível em: <https://www.recantodasletras.com.br/oracoes/4266205>.

até por esse cansaço eu lhe agradeço. Perdoe quando eu saio às pressas e não agradeço. Perdoe quando eu saio às pressas e não digo uma só palavra, deixando de fazer minha oração. [...] Dê-me coragem para prosseguir, esperança para continuar sonhando e certeza de que, através do meu trabalho, poderei fazer que ao menos um pedacinho do mundo se transforme num lugar melhor para se viver. Amém.

Por que nosso mundo do labor é constantemente descrito como o mundo da correria? Até Chapeuzinho Vermelho não anda mais: corre. Tal como Chapeuzinho Vermelho, na Oração do Trabalhador, o trabalhador também se refere a um mundo que requer mudanças. Chapeuzinho Vermelho deseja que, ao menos, "um pedacinho do mundo se transforme em um lugar melhor para viver". Há algo da natureza humana que temos perdido. O homem moderno e também o adolescente da atualidade necessitam de tempo para repousar, para pensar, para, tal como Chapeuzinho, recuperar as rédeas de seu destino e poder escolher por onde e em que velocidade andar.

Será que nosso jovem, aspirante a apetrechos tecnológicos, encontra o devido espaço e tempo para escolher ou decidir algo em seu destino? Ou estariam formatados por uma onda de consumo que molda a estruturação do tempo adolescente, propondo um tempo do reproduzir, levado pela onda dos apetrechos e de não muito se olhar?

Tempo acelerado e hierarquia geracional invertida

Entre as características comumente observadas nos dias atuais, estão: o individualismo, a baixa tolerância à frustração, o imediatismo, o "zapear" na TV, o "ficar" em vez de namorar e a tendência a evitar conflitos em uma sociedade permissiva.

Além de todo esse cenário, crianças e jovens estão no comando. Não se trata mais de apontar a erosão da autoridade paterna, mas até de inversão de papéis.

Como exemplo, vejamos o que é dito em uma letra de música chamada "Ô, tio!", interpretada por uma criança. A música trata das dificuldades do tio de utilizar o computador. A máquina travou ao abrir uma foto, e ele não sabia mais onde clicar. Isso também ocorreu quando o tio estava escrevendo um documento e clicou em algum lugar que o fez sumir. O tio esquece como se chama o *pendrive*, fecha um documento sem salvar e não consegue entrar na internet. Em resposta aos pedidos de ajuda do tio ("Quebra a minha aí, vai, faz favor?"), a intérprete da música mostra desagrado e decepção com o que atribui à "burrice" dele ("Eu não acredito que cê fez uma besteira. Abriu o anexo que viu no e-mail. Mas que burrice, cê nem sabe de onde veio"). A estrofe que se repete na música é: "Ô, tio, eu não aguento mais ter que ensinar de novo como é que faz. Ô, tio, vê se aprende, é muito fácil, só você que não entende". Incomodada com os desconhecimentos do tio, a intérprete afirma na música: "Quantas vezes eu vou ter que te ensinar?"

O que estamos difundindo? A onipotência infantil, a desqualificação do adulto em vez de promovermos um cidadão mais altruísta, menos encapsulado, mais solidário, mais tolerante? Cabe ressaltar que, em diversos momentos da letra da música, o tom da intérprete mirim é autoritário, imperativo. Ela ordena o que deve ser feito: "Pega o *pendrive*, procura a 'droga' do arquivo, espeta nessa porta USB, veja se..., clica no..., digite no ícone, digite o endereço". O mundo apoiado na tecnologia deixa o comando com nossos cidadãos mirins? As crianças crescem com dedos em teclados e são estimuladas a aspirar ao domínio dos processos tecnológicos.

De filhos digitais *versus* pais analógicos, tal como a música interpretada pela cantora mirim, com o seu suposto "atrapalhado" tio, estariam os adultos da geração X tentando entrar no mundo tecnológico com seus filhos? Isso é necessário para que se possa acompanhar a prole e manter uma tarefa educativa de mais velhos para mais novos?

Circulando na internet, encontramos até fotomontagens de *pets* aderindo a atividades que incluem a tecnologia. Uma imagem mostra dois cães supostamente utilizando *notebooks* quando a família sai de casa e, eu até mesmo diria, porque se ausentaram, deram uma chance aos cachorros nos *notebooks* temporariamente desocupados. Nesse mesmo período, em um dos principais shoppings da cidade de São Paulo, um carrinho de bebê com um iPad acoplado foi flagrado, possibilitando que um bebê assistisse a um desenho infantil. Além disso, a imagem do nascimento de um bebê executando peripécias com eletrônicos já na sala de parto, sob os olhares perplexos dos adultos presentes no centro cirúrgico, também estava em circulação nas redes sociais.

A tecnologia como adição

Nesse universo, como formamos laços e ligações com outras pessoas? Não é incomum que no atendimento a casais e famílias surjam queixas de que o(a) cônjuge permanece muitas horas no computador e à parte do restante do grupo familiar. Ouvi de uma menina de 10 anos que o pai preferia o Facebook a ficar com ela; de um marido que a esposa passava horas no iPad e não saía com ele e os filhos para o parque, sendo que as crianças dependiam dele para realizar passeios fora de casa.

As pessoas despendem quantidades diferentes de tempo nas atividades com tecnologia. Neste momento, falaremos das pessoas que fazem do computador e de seus aplicativos a sua grande fonte de interesse e prazer. Há uma vertente que acredita que a prática com a tecnologia pode significar uma nova modalidade de vício. Não se trata de advogar contra o computador, pois sua utilidade e função social são inegáveis, mas de pensarmos que ele também pode fazer parte dos excessos, tais como o álcool, as diferentes drogas e o chocolate, entre outros. Têm-se na sociedade atual os alcoolistas, os drogaditos, os chocólatras e, agora, os adictos da tecnologia. Estamos diante de um novo estilo de vincularidade na contemporaneidade. A adição ao álcool ou às drogas não está só no cenário, mas é a tecnologia, que no seu uso exagerado possui efeito entorpecente. Ouvi recentemente de uma adolescente: "Meus pais deveriam agradecer por meu vício ser a internet e não as drogas!"

Levanto a hipótese de que, nas relações familiares e conjugais e nos vínculos nas populações jovens, como consequências do estímulo à instantaneidade das tarefas e do estilo *flash* de relação (rápida e descartável), corre-se o risco de encontrarmos laços frágeis e temporários. Espantamo-nos ao saber que um adolescente entra em uma balada e aposta com quantas meninas vai ficar e computa seu número de beijos em uma única noite. Há adultos que contraem diversos casamentos, em um tipo de monogamia sequencial, enquanto seus filhos adolescentes "ficam e ficam"[7].

Verifica-se também, no mundo atual, certo colapso do pensamento, do planejamento e da ação em longo prazo, ocasionando insegurança. O que se pode criar? Penso que o homem da atualidade corre sério risco de se deprimir, e o homem de sucesso é aquele que consegue manter sua autoestima elevada em meio a tantas demandas exigentes contemporâneas.

Tais ponderações são expressas nas palavras de Gilberto Safra (2005):

O mundo atual apresenta problemas e situações que levam o ser humano a adoecer em sua possibilidade de ser: ele vive hoje fragmentado, descentrado de si mesmo, impossibilitado de encontrar, na cultura, os elementos e o amparo necessários para conseguir a superação de suas dificuldades psíquicas.

No consultório, as questões propostas por nossos analisandos não se referem mais somente aos problemas do desejo e da relação com o outro. As queixas mais frequentes referem-se à vivência de futilidade, de falta de sentido na vida, de vazio existencial, de morte em vida.

Considerações finais

Penso que cuidar dos vínculos é fazer a vida. Não somos um chip de eletrônicos, muito menos um personagem de jogos que administra fazendas (*City Ville*) ou um que não pode deixar de atuar para que um *pet* eletrônico não morra. Somos seres que necessitam de outros também humanos para se desenvolver.

---

7 Namorar em apenas uma ocasião e depois não ter mais compromisso com o(a) jovem com quem compartilhou certa intimidade.

Nessa direção, o processo terapêutico pode funcionar como campo de experiência para o adolescente e sua família acolherem essas questões. Contudo, como se vincular ao terapeuta, cujo campo de convivência possui um *setting* estável? Hora marcada, regularidade no encontro, tempo de estadia determinado, tempo que não pode ser na correria, pois é necessário parar para que uma pessoa encontre um terreno para se olhar. Já será necessário processar o início de uma reflexão ou mudança, a fim de ter adesão a uma psicoterapia do grupo familiar, que exigirá a valorização de um tempo presencial comum, por meio de uma abertura na agenda de todos para que possa haver um momento de encontro e espaço de compartilhamento.

A mudança se inicia na mera adesão às sessões iniciais do processo psicoterapêutico em família, uma vez que, para comparecer a uma sessão, é necessário deixar o individualismo, a falta de planejamento, os apetrechos tecnológicos, o consumismo, o imediatismo, a impulsividade, a impaciência, a banalização da violência, o querer tudo para agora, para que se possa instaurar um terreno de reflexão sobre os vínculos estabelecidos no âmbito das relações familiares e no contexto terapêutico, pelo menos durante a sessão, em que todos serão convidados ao diálogo, à copresença e ao compartilhamento de experiências. Essas são condições necessárias para engendrar diálogo, a ser possibilitado pelas pessoas em presença, preferencialmente, não mediada pela tecnologia nesse contexto de encontro. Que os adolescentes e seus responsáveis entendam isso.

Referências

ABERASTURY, A. *Adolescência normal – Um enfoque psicanalítico*. Porto Alegre: Artmed, 1981.
ALCÂNTARA, C. *Cumplicidade virtual*. São Paulo: Casa do Psicólogo, 2012.
BAUMAN, Z. *Amor líquido: sobre a fragilidade dos laços humanos*. Rio de Janeiro: Jorge Zahar, 2004.
_____. *Tempos líquidos*. Rio de Janeiro: Jorge Zahar, 2007.
BELONI, P. "Da adolescência à adultescência". 4 maio 2012. Disponível em: <http://jornalismojunior.com.br/da-adolescencia-a-adultescencia/>. Acesso em: 13 mar. 2019.
DOSSIÊ UNIVERSO JOVEM. MTV Brasil 4, 2008.
DOSSIÊ UNIVERSO JOVEM. MTV Brasil 5, 2010.
GIDDENS, A. *As consequências da modernidade*. São Paulo: Ed. da Unesp, 1991.
GONÇALVES, J. *Cinderela nunca mais*. São Paulo: Paulinas, 2012.
MARCONI, M. A.; PRESOTTO, Z. M. N. *Antropologia – Uma introdução*. 6. ed. São Paulo: Atlas, 2005.
SAFRA, G. *A face estética do self – Teoria e clínica*. 3. ed. São Paulo: Unimarco, 2005.
STRECKER, M. "Gen X, Y e Z. Qual é a sua?" *Folha de S. Paulo*, 2011. Disponível em: < https://www1.folha.uol.com.br/fsp/mercado/me1002201128.htm>. Acesso em: 9 fev. 2014.

19 O CONTEXTO DA ADOLESCÊNCIA NO MUNDO ATUAL

Maria Rita D'Angelo Seixas

> "As grandes coisas não são feitas por impulso, mas através de uma série de pequenas coisas acumuladas."
> (Van Gogh)

Os autores de terapia familiar são unânimes em afirmar a importância fundamental do contexto para compreender o fato a ser estudado.

Creio que é impossível procurar entender a nossa adolescência fora do contexto social em que está inserida, tendo em vista as transformações significativas pelas quais vem passando o nosso país de algumas décadas para cá. Certamente, o Brasil em que vivemos nossa adolescência nada tem que ver com o país em que vivem os nossos adolescentes hoje.

O objetivo deste capítulo é mostrar que o mundo atual passa por mudanças rápidas e profundas, das quais muitas vezes não nos damos conta por estarmos inseridos nesse mesmo espaço de mudanças. Tais transformações não decorrem de simples evolução de uma geração para outra, como sempre ocorreu, mas de inúmeros fatores que provocaram uma grande transformação nos valores e normas educacionais que nos acompanham. Estamos passando por um momento especial de transição da era moderna para a pós-moderna. Este capítulo discute os fatores que provocaram tais transformações, bem como suas influências na formação de nossos jovens.

Conhecendo melhor o contexto em que vivemos, fica mais fácil descobrir se queremos e até onde podemos atuar sobre ele em conjunto, para torná-lo mais viável aos que dele participam, principalmente aos que nele estão sendo formados. Isso porque julgamos que o terapeuta de família é, sobretudo, um transformador social, que busca, com a família com a qual trabalha, reconstruir valores que recuperem a confiança mútua e a possibilidade de pertencimento e autonomia de seus membros.

Caracterização do mundo atual

Os historiadores sempre dividiram o mundo em períodos históricos, que denominam eras e têm determinadas características, valores e modos de ser, a que chamam de paradigmas. Quando, por algum motivo, essas características mudam, dizem que o mundo entrou em uma nova era. Essas mudanças não ocorrem de uma hora para a outra; existem os períodos de transição entre uma era e outra. Esses períodos são marcados por confusão e desestabilização de valores e costumes, porque estamos mudando a nossa maneira de viver, mas ainda não encontramos uma nova maneira adequada para estar no mundo.

Alguns historiadores dizem que hoje vivemos em um período de transição, entre a era moderna (que começou no fim da época medieval) e a pós-moderna (após a bomba de Hiroshima), fato que causou grande indefinição de regras e valores, o que nos dificulta muito escolher e definir um novo modo de viver no mundo atual.

Na era moderna, existia uma preponderância de valorização das ciências, rejeitando-se tudo que não pudesse ser constatado pelas pesquisas. Alimentava-se a crença de que podemos conhecer objetivamente a realidade tal como ela é, bastando para isso separar o conhecimento dos valores. O observador deveria apenas constatar, e não valorizar o que se vê – observador objetivo. A principal ciência era a matemática. Valorizava-se tudo que se podia quantificar e medir; tudo que não era mensurável e material não podia ser considerado ciência e, portanto, era desvalorizado. Foi a época do materialismo científico. O desenvolvimento da tecnologia científica foi grande em todas as áreas, e o mundo cresceu muito em comodidade e bem-estar, mas também houve consequências negativas, como:

- Ausência de valores definidos e de um sentido de vida. A única coisa importante é ter as últimas novidades criadas.
- Invasão da tecnologia, que satura o mundo de informações, diversões e serviços, condicionando o que devemos querer e buscar e apresentando-nos uma realidade simulada, sobre a qual não temos tempo de refletir (seriados violentos e novelas glamorosas e com conteúdos antiéticos que pretendem retratar a realidade).
- Interferência da tecnologia na economia, criando ofertas sedutoras que levam a um alto consumo, apoiado em uma moral cujos valores são baseados no prazer imediato, garantido pelo consumo e uso de serviços.
- Decorrente do item anterior e da necessidade desenvolvida de "ter", surge uma extrema competitividade; a mobilidade em busca do acúmulo de bens, de aparência, de *status*; e o rápido descarte desses bens, que logo se tornam obsoletos, precisando ser repostos (carros, aparelhos eletrônicos, computadores, viagens).

- A globalização cria novas condições sociais e culturais. Tudo que se passa no mundo é visto no mesmo momento em que acontece, em todos os lugares, fazendo que importemos, sem pensar, costumes e valores que não condizem com nossa realidade.
- O consumo desenfreado cultua o narcisismo (amor desmedido pela própria imagem), a falta de identidade, o sentimento de vazio, a sexualidade sem limites e a sedução descompromissada, que desconsidera as consequências em relação ao outro, que é visto apenas como fonte de prazer. Isso leva a relações flutuantes, que se iniciam com o "ficar" descompromissado dos adolescentes, que competem para saber quem beijou mais parceiros naquela noite, sem a menor preocupação com os sentimentos dos outros.
- O narcisismo leva ao afastamento do social pelo indivíduo e pelo cidadão, que não adere aos ideais da sociedade, não participa e não se interessa pelo que acontece à sua volta. As instituições, as associações, os partidos políticos não os atraem, eles não se interessam em votar nas eleições, o que permite a candidatura de políticos não legitimados pelo público, de moral duvidosa e de pouca instrução. Essa *deserção* – termo criado por Ferreira dos Santos (2005) – não é consciente nem planejada, mas pode abalar a sociedade, afrouxando os laços e levando a uma paralisação social.
- A necessidade de prazer imediato leva os jovens ao afastamento dos estudos, que exigem esforços. Em contrapartida, há uma busca desenfreada de enriquecimento rápido, mesmo que desonesto, podendo inclusive chegar à violência social e pessoal.
- O sujeito moderno que busca um ego sem fronteiras procura o desenvolvimento da própria mente e, por isso, afasta-se das crenças tradicionais.
- O homem atual tem a doença da vontade, sem projetos, sem objetivo de vida. Sua vida interior é absorvida em si, o que lhe dá sensação de irrealidade e leva à depressão, ou à alegria inconsequente da criança, que caminha cantando para o precipício.
- A dificuldade do mundo moderno é realmente de sentir (solidariedade, compaixão, amor pelo próximo). A sensação é de irrealidade, com vazio e confusão.

Essas características que constituem o homem moderno criam um tipo de convivência social de competição, desrespeito ao outro, extremo egocentrismo, necessidade e valorização do "ter" em detrimento de um relacionamento solidário.

Nossos adolescentes herdaram, portanto, uma cultura de violência, na qual a preocupação com o outro não tem lugar e que condiciona um desenvolvimento psicossocial muito aquém do desejável em termos humanos.

Pensou-se que o homem da época moderna havia chegado ao máximo da possibilidade de evolução do seu conhecimento, mas não era verdade. No início do século 20, houve um grande aprofundamento do conhecimento humano, que permitiu ver as fragilidades da ciência moderna e fez surgir novos paradigmas (conjunto de novas crenças, conhecimentos e valores). Entramos em uma era de transição. Surgiu a concepção da importância de formação de redes de saberes científicos, que propõem a interconexão de todas as ciências, criando a possibilidade do aparecimento de saberes novos e o desenvolvimento de vários campos específicos, como ecologia, medicina, informática, transportes, viagens interplanetárias e muitos outros.

A ciência se integra na construção do social. O conhecimento das coisas e da realidade passa a ser visto como relativo. Cada um percebe o mesmo fato de maneira diferente do outro. O homem só pode conhecer uma parte da realidade, sem nunca apreendê-la no seu todo. Começa-se a perceber que a verdade total é inatingível, que o conhecimento que cada um tem da realidade é parcial e que devemos respeitar as diferentes percepções de cada um.

Essas mudanças produzem consequências importantes, que vão atingir profundamente nossa vida e exigir mudanças em nosso modo de agir e ser – a mudança de uma cultura de violência que determina os valores atuais, para uma possível cultura de paz, que viabilizará a existência de novos valores, que tornarão a vida mais possível no planeta.

Propostas principais do pós-modernismo: base para a terapia familiar do novo paradigma – Cultura da paz

Vejamos a seguir as propostas para a terapia familiar com base em novos paradigmas.

Não autoritarismo. Como uma das afirmações básicas da pós-modernidade é que ninguém consegue apreender a realidade e a verdade integralmente, fica difícil se colocar na posição daquele que tudo sabe e ser aceito. O terapeuta deixa de ser *expert* para trabalhar como um coconstrutor da realidade familiar.

Diversidade. Quanto mais pensamentos diferentes houver sobre um mesmo fato, mais nos aproximaremos da realidade e aprenderemos a respeitar o outro. Decorrem daí a valorização da diferença e a importância da construção conjunta, enriquecida por vários olhares diferentes, que nos permitem emitir e ouvir várias opiniões. Decorrem desse princípio também a compreensão da aceitação dos diferentes tipos de família existentes hoje e a não aceitação do racismo, da homofobia e de outros preconceitos. Dentro do núcleo familiar, aprende-se a importância de respeitar a opinião de todos os integrantes.

Relativismo. É reconhecida a diferença de cultura de cada lugar, porque é construída com valores, percepções e ações diversos, próprios a ele. Não há nenhum modelo a ser seguido, e os valores são todos relativos, dependendo da cultura de onde se vive. Temos de definir que valores queremos e qual é o sentido de vida que transmitiremos às novas gerações. É evidente que, se pudermos construir esses valores em conjunto dentro da terapia, com todos os integrantes da família, eles serão mais facilmente aceitos, e se tivermos um grupo com quem discutir nossas dúvidas, ficará mais fácil. Por isso, hoje, exige-se de todos uma participação social mais significativa.

Visão sistêmica de mundo. O mundo e as suas instituições, como a família, são sistemas interligados. Esses sistemas são constituídos por pessoas que estão em constante relação e, quando há mudanças importantes em algum elemento, o todo também se transforma. Todos fazem parte deste mundo. Por isso, a atitude que se tem com qualquer pessoa, dentro ou fora da família, transforma o mundo para melhor ou pior. Quando a sociedade se transforma em um todo, que traz valores e atitudes positivos, isso pode contribuir muito para a criação de um novo mundo mais solidário. O terapeuta de família contribuirá com essa construção se souber buscar, com o grupo familiar, atitudes mais colaborativas e menos impositivas e depreciadoras.

Simbolicamente, o pós-modernismo nasceu em 6 de agosto de 1945, quando a primeira bomba atômica explodiu sobre Hiroshima. Ali, ao superar seu poder criador pela sua força destruidora, a modernidade perdeu a popularidade, mas seus efeitos negativos não desapareceram. Os valores modernos coexistem com os pós-modernos mais humanitários. Nossa geração passou este mundo para nossos adolescentes, e agora temos de ajudá-los a reconstruí-lo.

Descrevemos essa realidade para mostrar que o que temos a vencer não é nada fácil. É urgente, mas temos esperança e acreditamos que o homem pode reverter a situação, utilizando os novos recursos da tecnologia a seu favor, fortalecendo-se com a participação em comunidades e terapias que o apoiem e lhe deem forças para iniciar uma reconstrução dos sujeitos. Sujeitos estes que podem adquirir uma nova identidade (diferente da narcísica), baseada no desenvolvimento da criatividade, na recuperação da capacidade de se emocionar com compaixão, no respeito ao mundo e ao próximo e na solidariedade. O terapeuta os ajuda, portanto, a criar uma cultura de paz, para substituir a cultura de violência que herdaram.

São essas as bases da nova terapia familiar que proponho. A meu ver, a terapia familiar deve procurar construir novos valores com as famílias, a fim de propiciar às novas gerações, depositárias da nossa esperança, os cuidados, a atenção e os limites bem compreendidos em lugar do autoritarismo, do abandono (consciente ou não), do desamor e da violência a que têm sido submetidas crianças e adolescentes.

Se o mundo pós-moderno tem vários aspectos negativos, também oferece grandes possibilidades de melhoria. Depende do homem utilizar sua capacidade criativa positivamente e aproveitar os benefícios que podem advir do pós-modernismo. Podemos criar e estruturar redes de autoajuda, aumentando a solidariedade e desenvolvendo uma cultura de paz que, apoiada em uma concepção de justiça e igualdade do ser humano, é capaz de sobrepujar a cultura de violência predominante.

Essas duas culturas coexistem, e a decisão sobre qual delas vai integrar dependerá do uso que o ser humano fizer da sua autonomia. Assim, temos que a cultura da paz:
- Não vê mais os homens como igualmente ruins, mas como espiritual, biológica e antropologicamente iguais na sua essência humana e, portanto, igualmente respeitáveis.
- Reconhece as diferenças, procurando integrá-las.
- Não julga pessoas, mas procura entender as dores e as necessidades dos outros, procura valorizar atos e acontecimentos em seu contexto. Enfrenta os conflitos com diálogos. Coloca-se no papel de cada um. É solidária.
- Entende paz no sentido ativo de trabalho conjunto pela justiça.
- Nela, a paz passa a ter um sentido positivo e ativo de se trabalhar em conjunto, para evitar um imenso número de mortes, promovendo melhor organização da sociedade e procurando erradicar a miséria e todo tipo de injustiça e violência. A cultura da paz restabelece a justiça social e acredita nos valores universais para orientar a vida das pessoas (Seixas e Dias, 2013).

Um autor muito confiante no ser humano é Paulo Freire (2004). Ele transmite uma mensagem que enfatiza nossa capacidade criativa e merece ser repetida: "O mundo não é. O mundo está sendo". Isso significa que o homem continua a construir o mundo como ele o deseja.

Quando o homem se conscientiza de seu poder de ação e transformação do presente, ele se torna mais atuante e capaz de participar da criação de um novo mundo. Esse nos parece ser o objetivo do terapeuta familiar, que Naggy (1988) defende quando afirma que cabe a esse profissional recuperar a confiança e a justiça dentro das famílias.

O adolescente e a violência

Ao ler este texto, é possível que algumas pessoas nos julguem mais próximos de um educador do que de um terapeuta, ou achem que exageramos um pouco ao descrever o mundo atual. Para desfazer essa impressão, comentaremos algumas partes de uma pesquisa elaborada por Waiselfisz em conjunto com o Ministério da Justiça brasileiro. O que levou à realização desta pesquisa em 1998 e sua continuidade até hoje foi precisamente a grande preocupação com os índices alarmantes da mortalidade de nossa juventude, sendo que seus motivos, infelizmente, persistem até hoje. O objetivo desse extenso trabalho longitudinal de levantamento de dados é contribuir de maneira construtiva para o enfrentamento da violência por parte da sociedade brasileira e fornecer informações de como morrem os nossos jovens, por causas que a Organização Mundial da Saúde qualifica de violentas e letais. Não tem este estudo a pretensão de realizar um diagnóstico da violência no Brasil em todos os seus aspectos e, por isso, deixa de fora: o alarmante uso de drogas; o narcotráfico; o desmatamento; o contrabando; os interesses econômicos rondando áreas de biopirataria, formas de violência que, a partir de meados do século passado, apareceram como maneiras de enfrentar os problemas sociais que são características marcantes de violência e insegurança.

Waiselfisz diz que, apesar das dificuldades para definir o que se nomeia como violência, alguns elementos consensuais sobre o tema podem ser delimitados: a noção de coerção ou força; o dano que se produz em indivíduo ou grupo de indivíduos pertencentes a determinada classe ou categoria social, gênero ou etnia. Aceita como conceito de violência o apresentado por Michaud (*apud* Waiselfisz, 2011, p. 10):

> Há violência quando, em uma situação de interação, um ou vários atores agem de maneira direta ou indireta, maciça ou esparsa, causando danos a uma ou a mais pessoas em graus variáveis, seja em sua integridade física, seja em sua integridade moral, em suas posses, ou em suas participações simbólicas e culturais.

Waiselfisz, em seu trabalho, menciona históricos realizados em São Paulo e no Rio de Janeiro por Vermelho e Mello Jorge (1996), mostrando que as epidemias e doenças infecciosas, que eram as principais causas de morte entre os jovens há cinco ou seis décadas, foram progressivamente substituídas pelas denominadas "causas externas" de mortalidade, principalmente acidentes de trânsito e homicídios. Os dados da pesquisa permitem verificar essa significativa mudança. Em 1980, as "causas externas" já eram responsáveis por cerca de metade (52,9%) do total de mortes dos jovens do país. Vinte e sete anos depois, em 2008, quase três quartos da mortalidade juvenil deviam-se a causas externas (também denominadas causas violentas). Como já tivemos oportunidade de expor ao longo do trabalho, o principal responsável por essas taxas são os homicídios.

O autor também compara a evolução diferenciada das taxas de homicídios da população jovem e das da não jovem ao longo do tempo:

> Levando em conta o tamanho da população, teríamos que a taxa de homicídios entre os jovens passou de 30 (em 100 mil jovens), em 1980, para 52,9 no ano de 2008. Já a taxa na população não jovem permaneceu praticamente constante ao longo dos 28 anos considerados, evidenciando, inclusive, uma leve queda: passou de 21,2 em 100 mil para 20,5 no final do período. Isso evidencia, de forma clara, que os avanços da violência homicida no Brasil das últimas décadas tiveram como motor exclusivo e excludente a morte de jovens. No restante da população, os índices até caíram levemente. (Waiselfisz, 2011)

Refere o autor que essas situações, que nos remetem a complexos problemas determinantes da eclosão da violência juvenil no país, aparecem, tanto na mídia como em boa parte da bibliografia, como uma constante de nossa modernidade, consequência quase natural de um fenômeno denominado "juventude", como se o termo estivesse inexorável e indissoluvelmente associado com a violência.

Assim, a violência juvenil começa a aparecer como uma categoria autoexplicativa quase universal e natural de nossa cultura globalizada, quando, na realidade, é um fenômeno que ainda precisa ser explicado como fato notadamente social e cultural, porque a tal "universalidade" da violência juvenil não parece exata, na medida em que os dados internacionais disponíveis parecem ir na contramão dessa pretensa generalidade.

Com essas palavras, Waiselfisz reforça o que pensamos sobre a violência ligada à juventude. Acreditamos que ela decorra principalmente de um desenvolvimento inadequado em suas famílias, que, por estarem totalmente perdidas nesse mar de transformações sociais que vivenciam, não dispõem de padrões, valores e visão da realidade que favoreçam a educação necessária para um bom desenvolvimento psicossocial de seus filhos, o que os deixa à mercê de tendências antissociais, que valorizam o "ter" em detrimento do "ser". Desse modo, torna-se evidente a necessidade de uma terapia familiar que dê respostas a essas inseguranças familiares, redescobrindo com as famílias novos caminhos a ser percorridos, novas atitudes apoiadas por antigos valores universais como justiça, respeito à vida, solidariedade, que devem substituir os não valores da cultura da violência em que vivem hoje os nossos jovens.

Não podemos esquecer que é na juventude que se formam e se desenvolvem valores como compaixão e altruísmo, necessários à formação de um bom cidadão, e que essa aprendizagem é urgente, pois cada geração que se forma sem esses valores é multiplicadora de não valores e de violência social.

Considerações finais

Muitos são os grupos e organizações não governamentais (ONGs) que estão se encaminhando na direção de proceder um trabalho com as famílias, pois fica evidente que só trabalhando as famílias, que são as formadoras por excelência, conseguiremos chegar à desejada cultura da paz, cujo principal objetivo é a construção da justiça social apoiada na solidariedade humana.

Na Associação Paulista de Terapia Familiar (ATPF), temos um grupo que luta por esse objetivo: o GEV Pró-Paz. Ele acolhe os terapeutas familiares que desejam nos ajudar integrando-se a esse trabalho. A Escola de Pais do Brasil também acolhe pais que queiram ajudar e se esclarecer quanto à educação "desejável" para o mundo atual. Há lugar para todos os que decidirem se irmanar na construção de uma rede pela cultura da paz. A construção dessa rede é a possibilidade que vislumbramos para transformar a cultura de violência em que vivemos (que destrói tantas personalidades humanas, criando um mundo difícil de suportar) em uma cultura de paz, que constrói cidadãos e sociedades colaborativas.

Finalizamos com o pensamento de Maldonado (1997): "A construção da paz é um processo difícil e apaixonante, que precisa da adesão de milhares de pessoas e grupos do mundo inteiro".

Referências

FREIRE, P. *Pedagogia da tolerância*. São Paulo: Unesp, 2004.
MALDONADO, M. T. *Os construtores da paz: caminhos de prevenção da violência*. São Paulo: Moderna, 1997.
MICHAUD, Y. *A violência*. São Paulo: Ática, 1989.
NAGGY, C. D. "A terapia contextual". In: EIXAYM, M. *Panorama das terapias familiares*, v. 1. São Paulo: Summus, 1988, p. 101-18.
SEIXAS, M. R.; DIAS, M. L. *A violência doméstica e a cultura da paz*. São Paulo: Roca, 2013.
VERMELHO, L. L.; MELLO JORGE, M. H. P. "Mortalidade de jovens: análise do período de 1930 a 1991 (a transição epidemiológica para a violência)". In: MELLO JORGE, M. H. P. *Como morrem nossos jovens – Jovens acontecendo na trilha das políticas públicas*. Brasília: CNPD, 1996.
WAISELFISZ, J. J. *O mapa da violência no Brasil. Os jovens do Brasil*. São Paulo: Instituto Sangari/Ministério da Justiça, 2011.

OS AUTORES

Carlos Amadeu Botelho Byington
Médico psiquiatra e analista junguiano. Graduado em Medicina pela Universidade Federal do Rio de Janeiro (UFRJ). Pós-graduado em Psicologia Analítica pelo Instituto C. G. Jung de Zurique. Membro fundador da Sociedade Brasileira de Psicologia Analítica (SBPA) e membro analista da Sociedade Internacional de Psicologia Analítica. Título de Notório Saber em Psicologia Analítica pela Pontifícia Universidade Católica de São Paulo (PUC-SP). Criador da psicologia simbólica junguiana, do conceito de arquétipo da alteridade e da teoria arquetípica da história. Atuação em consultório particular (atendimento a indivíduos, casais e famílias). Coordenador de grupos de estudo e de supervisão e seminários no Curso de Formação de Analistas da SBPA. Docente da disciplina Psicologia Simbólica Junguiana no curso de especialização do Instituto Sedes Sapientiae de São Paulo. Participa de seminários de psicologia simbólica junguiana em cursos de formação de analistas junguianos em Santiago, Buenos Aires, Caracas e Montevidéu, onde recebeu o título de professor *ad honoren* da Faculdade de Psicologia da Universidade Católica do Uruguai (Damaso A. Larrañaga). Publicou diversos artigos e livros.

Claudia Bruscagin
Psicoterapeuta familiar. Doutora em Psicologia Clínica pela Pontifícia Universidade Católica de São Paulo (PUC-SP). Professora e supervisora do curso de especialização em Terapia Familiar e de Casal do Núcleo de Família e Comunidade da PUC-SP.

Dalmiro Manuel Bustos
Professor supervisor da Federação Brasileira de Psicodrama (Febrap). Professor honorário do curso de Psicodrama da Universidad del Salvador, em Buenos Aires. Professor de Psicodrama dos cursos de Psicodrama do Instituto J. L. Moreno (Buenos Aires e São Paulo). Membro da International Association of Group Psychotherapy.

Gisela Castanho
Psicóloga pela Universidade de São Paulo (USP). Psicodramatista pela Sociedade de Psicodrama de São Paulo (SOPSP). Especialista em Psicoterapia de Adolescentes e em

Terapia de Casal e Família. Professora supervisora pela Federação Brasileira de Psicodrama (Febrap). Professora em cursos de pós-graduação em Psicodrama. Sócia titular da Associação Paulista de Terapia Familiar (APTF). Orientadora vocacional e autora de livros e diversos artigos publicados.

Helena Maffei Cruz
Socióloga e psicóloga. Mestre em Psicologia Clínica pela Pontifícia Universidade Católica de São Paulo (PUC-SP). Terapeuta de casal e família. Sócia-fundadora e docente do Instituto Familiae de São Paulo. Organizadora de livros e autora de artigos em revistas nacionais e internacionais.

Lisette Weissmann
Psicóloga pelo Instituto de Filosofia, Ciencias y Letras do Uruguai. Doutoranda em Psicologia Social pela Universidade de São Paulo (USP). Mestre em Psicologia Clínica pela Pontifícia Universidade Católica de São Paulo (PUC-SP). Especializada em Psicanálise de Casal e Família. Membro fundador da Asociación Uruguaya de Psicoanalisis de Las Configuraciones Vinculares. Supervisora habilitante da Asociación Uruguaya de Psicoterapia Psicoanalítica. Professora do Centro de Estudos Psicanalíticos e da Business School de São Paulo (BSP). Consultora nos treinamentos interculturais com expatriados.

Maria Amalia Faller Vitale
Terapeuta familiar. Professora doutora em Serviço Social pela Pontifícia Universidade Católica de São Paulo (PUC-SP). Didata e supervisora pela Federação Brasileira de Psicodrama (Febrap). Membro da diretoria da Associação dos Pesquisadores de Núcleos de Estudos e Pesquisas sobre a Criança e o Adolescente (Neca). Membro titular da Associação Paulista de Terapia Familiar (APTF). Organizadora de livros e autora de textos no campo da terapia familiar.

Maria Luiza Dias
Psicóloga, cientista social e mestre pela Pontifícia Universidade Católica de São Paulo (PUC-SP). Doutora em Antropologia pela Universidade de São Paulo (USP). Coordenadora e docente do curso de especialização em Psicanálise de Família e do Casal da Clínica Laços. Membro fundador da Associação Brasileira de Terapia Familiar (Abratef) e membro titular da Associação Paulista de Terapia Familiar (APTF). Membro da Associação Internacional de Psicanálise de Casal e Família (AIPCF), da União Brasileira dos Escritores (UBE) e da Associação Brasileira dos Orientadores Profissionais (Abop). Presidente da APTF de 2010 a 2012. Autora de diversos artigos e livros publicados. Atuação em consultório particular.

Maria Regina Castanho França
Psicóloga. Psicodramatista pela Sociedade de Psicodrama de São Paulo (Sopsp). Terapeuta de alunos e supervisora pela Federação Brasileira de Psicodrama (Febrap). Vice-presidente da Associação Paulista de Terapia Familiar (APTF) de 1993 a 1996 e de 2002 a 2004. Coordenadora do curso de Terapia de Casal do Instituto J. L. Moreno. Coautora de livros e autora de diversos artigos em revistas. Terapeuta de casal, de família e individual.

Maria Rita D'Angelo Seixas
Psicóloga clínica e psicodramatista. Doutora em Psicologia pela Pontifícia Universidade Católica de São Paulo (PUC-SP). Didata e supervisora da Federação Brasileira de Psicodrama (Febrap). Especialista em terapia de casal e de família. Mediadora de conflitos pela Mediativa. Docente da Universidade Federal de São Paulo (Unifesp) de 1998 a 2008, quando coordenou o Curso de Terapia Familiar em Hospital. Coordenadora da Escola de Sociodrama Familiar Sistêmico (Esofs). Coordenadora do Grupo de Estudo e Prevenção à Violência Doméstica da Associação Paulista de Terapia Familiar (GEV Pró-Paz APTF). Agente da Paz pelo Instituto Palas Athena. Terapeuta comunitária. Vice-presidente fundadora e coordenadora do Conselho Deliberativo e Científico da Associação Brasileira de Terapia Comunitária (CDC-Abratecom) entre 2006 e 2008. Membro do Conselho de Educadores da Escola de Pais do Brasil. Fundadora da APTF e presidente de 1992 a 1994 e de 2008 a 2010. Coordenadora do CDC da Associação Brasileira de Terapia Familiar (Abratef) entre 2004 e 2006. Coordenadora da equipe de Histórico do CDC-Abratef de 2008 a 2010 e da equipe de formação do CDC-Abratef de 2010 a 2012. Presidente e coordenadora científica de vários congressos de psicodrama e terapia familiar. Coordenadora da V Jornada Paulista da APTF pela Paz, em 2009. Autora e organizadora de livros e artigos publicados.

Marianne Ramos Feijó
Psicóloga. Doutora e professora assistente no Departamento de Psicologia da Universidade Estadual Paulista "Júlio de Mesquita Filho" em Bauru (Unesp-Bauru). Pós-doutoranda em Psicobiologia pela Universidade Federal de São Paulo (Unifesp). Doutora em Psicologia e especialista em Terapia Familiar e de Casal pelo Núcleo de Família e Comunidade (Nufac/PUC-SP).

Nairo de Souza Vargas
Psiquiatra. Professor doutor do Departamento de Psiquiatria da Faculdade de Medicina da Universidade de São Paulo (FMUSP). Membro fundador da Sociedade Brasileira de Psicologia Analítica (SBPA).

Rosa Maria Stefanini de Macedo
Professora emérita da Pontifícia Universidade Católica (PUC-SP). Coordenadora da pós-graduação em Psicologia Clínica no Núcleo Família e Comunidade. Coordenadora do curso de especialização em Terapia Familiar e de Casal e do curso de Mediação (Cogeae/PUC-SP). Terapeuta de casal, de família e individual. Membro da International Family Therapy Association (Ifta), da American Family Therapy Academy (Afta), da Sociedade Interamericana de Psicologia (SIP) e da Associação Brasileira de Terapia Comunitária (Abratecom). Membro e cofundadora da Associação Brasileira de Psicoterapia (Abrap). Fundadora e membro da Associação Brasileira de Terapia Familiar (Abratef) e da Associação Paulista de Terapia Familiar (APTF). Autora de livros e artigos científicos sobre família e terapia familiar. Pesquisadora do CNPq. Presidente da comissão científica do I Congresso Abratef. Presidente do VII e do XI Congressos Abratef.

Rosana Galina
Terapeuta de casal e de família. Mestre em Psicologia, psicodramatista, didata e supervisora pela Federação Brasileira de Psicodrama (Febrap). Membro fundador da Associação Brasileira de Terapia Familiar (Abratef) e da Associação Paulista de Terapia Familiar (APTF). Membro da International Family Therapy Association (Ifta), da American Family Therapy Academy (AFTA). Fundadora e membro da Associação Brasileira de Psicoterapia (Abrap). Membro da diretoria da APTF em diversas gestões. Autora de livros e artigos científicos na área de atendimento a casal e família.

Ruth Blay Levisky
Psicóloga. Psicanalista de casais, famílias e grupos. Mestre e doutora em Genética Humana pela Universidade de São Paulo (USP). Membro da Federação Latino-Americana de Psicoterapia Analítica de Grupo (Flapag) e do Núcleo de Estudos em Saúde Mental e Psicanálise das Configurações Vinculares (Nesme). Membro efetivo da comissão científica da Associação Internacional de Psicanálise de Casal e Família (AIPCF). Representante brasileira da Association Internationale de Psychanalyse de Couple et de Famille (AIPCF). Membro titular da Associação Paulista de Terapia Familiar (APTF). Autora e coordenadora de publicações. Organizadora de dois encontros brasileiros de psicanálise de casal e família na Universidade de São Paulo (USP).

Sandra Fedullo Colombo
Terapeuta de famílias e casais. Assistente social pela Pontifícia Universidade Católica de São Paulo (PUC-SP). Sócia-fundadora, presidente e formadora do Instituto Sistemas Humanos. Coordenadora do Ponto de Encontro e do Grupo de Pesquisa. Interlocutora

institucional voluntária da Creche Naia. Organizadora e coautora de livros e artigos. Fundadora e presidente da Associação Paulista de Terapia Familiar (APTF) de 1998 a 2000 e da Associação Brasileira de Terapia Familiar (Abratef) de 2004 a 2006. Co-organizadora do VII Congresso Brasileiro de Terapia Familiar.

Sonia Thorstensen
Psicanalista de adulto, casal e família. Mestre em Educação pela Universidade de Stanford. Coordenou por dez anos o Projeto Caminhando (acompanhamento psicoeducativo de adolescentes em situação de risco), do Centro de Estudos e Assistência à Família (Ceaf). Mestre e doutoranda em Psicologia Clínica pela Pontifícia Universidade Católica de São Paulo (PUC-SP). Membro titular da Associação Paulista de Terapia Familiar (APTF) e da Associação Internacional de Psicanálise de Casal e Família (AIPCF). Coordenadora do Grupo Trama-Urdidura Psicanálise de Casal e Família.

Suzanna Amarante Levy
Psicóloga clínica. Terapeuta individual, de casal e de família. Mestre em Psicologia Clínica pela Pontifícia Universidade Católica de São Paulo (PUC-SP). Sócia e formadora do Instituto Sistemas Humanos em São Paulo e Sorocaba. Supervisora do Projeto de Terapia Familiar do Centro de Estudos e Assistência à Família (Ceaf). Membro titular da Associação Paulista de Terapia Familiar (APTF). Membro da diretoria da APTF de 2000 a 2014. Membro da Associação Internacional de Terapia Familiar (IFTA, sigla em inglês). Autora de diversos artigos e capítulos de livros.

Vanda Lucia Di Yorio Benedito
Psicóloga pela Pontifícia Universidade Católica de São Paulo (PUC-SP). Psicodramatista pela Sociedade de Psicodrama de São Paulo (Sopsp). Analista junguiana pela Sociedade Brasileira de Psicologia Analítica (SBPA). Filiada à International Association for Analytical Psychology (IAAP). Docente e supervisora do Curso de Formação de Analistas em São Paulo. Coordenadora do Núcleo de Casal e Família na Clínica da SBPA e do curso de Terapia de Casal pelo Instituto J. L. Moreno. Assistente técnica, psicológica e judiciária em casos de varas de família. Autora de artigos e livros. Participação em congressos como conferencista e coordenadora de *workshops*.

AGRADECIMENTOS

Agradecemos aos nossos pais por terem nos orientado amorosamente durante nossa adolescência, a despeito de nossos eventuais "maus humores", ataques de riso fora de hora, brigas com irmãos e teimosias diversas. Apesar de enfrentarem dificuldades próprias, conduziram-nos à maturidade, permitindo-nos crescer em ambiente favorável, com suporte afetivo e material para nosso desenvolvimento.

Agradecemos também aos nossos filhos adolescentes e aos que já passaram pela adolescência, pelo muito que nos ensinaram.

Gisela Castanho e Maria Luiza Dias

www.gruposummus.com.br

IMPRESSO NA
sumago gráfica editorial ltda
rua itauna, 789   vila maria
02111-031 são paulo sp
tel e fax 11 **2955 5636**
sumago@sumago.com.br

GRÁFICA sumago